기형 태아를 위한
카운슬링

Counseling for fetal malformations

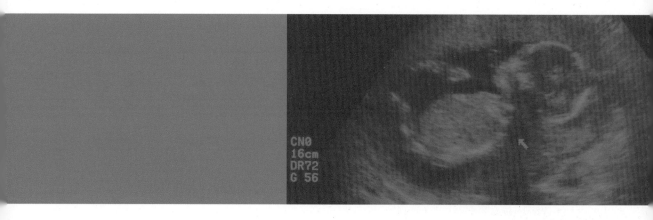

저 자 전종관 외
감 수 조정연
　　　 천정은

군자출판사

기형 태아를 위한 카운슬링

첫째판 1쇄 인쇄 | 2015년 8월 20일
첫째판 1쇄 발행 | 2015년 8월 30일

지 은 이 전종관 외
발 행 인 장주연
출 판 기 획 이현진
편집디자인 박은정
표지디자인 전선아
발 행 처 군자출판사
　　　　　 등록 제 4-139호(1991. 6. 24)
　　　　　 본사 (110-717) 서울특별시 종로구 창경궁로 117(인의동 112-1) 동원회관 빌딩 6층
　　　　　 전화 (02) 762-9194/5　 팩스 (02) 764-0209
　　　　　 홈페이지 | www.koonja.co.kr

ISBN 978-89-6278-303-2

정가 15,000원

집필 저자 프로필 《가나다 순》

● **강민지(姜珉智)**
김천병원 산부인과 과장

경북의대를 졸업하고 서울대학교병원에서 산부인과 전공의 및 전임의를 마치고 현재 김천병원에서 근무하고 있습니다.
산부인과 중에서 특히 산과분야는 한 생명의 탄생을 이뤄 내고 태아와 산모 모두의 생명을 다룬다는 점에서 가치가 있지만, 현실에서는 여러 사고의 위험성 및 의료분쟁 가능성으로 많은 산부인과 의사들이 포기하려 합니다. 제가 앞으로 더 배워야 할 점이 많겠지만 교과서에 나와 있는 검증된 진료를 하려고 합니다. 또한, 인간적으로 환자를 대하되 기본적인 사생활은 존중해주고, 환자가 가지고 있는 불편들은 이성적으로 판단하여 해결해 주고자 합니다. 환자와 의사간에 신뢰가 있어야 여러 문제를 같이 해결해 갈 수 있다고 생각합니다.

● **강지현(姜智賢)**
중앙보훈병원 산부인과 과장(모체태아의학전공)

서울대학교병원에서 산부인과 전공의 및 전임의를 마치고 이후 중앙보훈병원 산부인과에서 근무하고 있습니다. 전임의 시절 관심을 갖고 보던 다양한 태아기형을 보는 일은 느물어셨지만 관심의 끈을 놓지 않으려 노력하고 있습니다. 더불어 다양한 부인과질환에 대해 공부하며, 여성의 전 일생과 연관된 질환을 접하면서 진정한 산부인과 의사로 거듭나고 있습니다. 환자분들이 제 치료에 만족스러워 하는 걸 보는 게 가장 큰 보람인 것 같습니다. 산모들은 새 생명이라는 선물을 덤으로 가져다주니, 산모를 진료하는 게 보람은 두 배가 되는 것 같습니다. 많은 선생님들이 분만의 끈을 놓지 않으시길 바랍니다.

● **강창현(姜彰賢)**
서울대학교어린이병원 소아흉부외과 교수(일반흉부전공)

서울대학교병원에서 흉부외과 전공의 및 전임의를 마치고 캐나다 토론토 대학에서 연수를 하였습니다. 대한흉부외과학회, 대한흉부종양학회, 대한기관식도과학회, 대한폐암학회 등에서 활동하고 있으며 소아 폐질환 및 흉벽질환에 대해 주로 진료를 보고 있습니다. 국내에서 소아 흉강경 수술을 최초로 시행하였고, 소아 흉강경 수술의 발전에 많은 노력을 기울여 왔습니다. 소아 환아에게 수술이 주는 영향을 최소화하기 위해 많은 노력을 해 왔으며, 현재도 새로운 치료 방법 개발과 기존 치료 방법의 개선에 많은 노력을 기울이고 있습니다.

● **강혜심(康惠心)**
제주대학교병원 산부인과 교수(모체태아의학전공)

제주의대를 서울대학교병원에서 전공의 및 전임의 과정을 마쳤습니다. 단순히 학생 때 산부인과가 재미있었다는 이유로, 수술장에서 암 조직이 나오는게 아니라 아기 울음소리가 들리는 게 신기하다는 이유로 시작한 길이지만 전공의와 전임의 과정을 거치고 또 내가 직접 임신과 출산을 겪은 엄마가 되면서 쉽지 않은 길임을 새삼 실감합니다. 그래도 여전히 아기가 태어나는 그 순간이 너무 좋은 산과의사입니다. 늘 공부하지만 어렵습니다. 그래도 늘 공부하는 좋은 의사가 되고 싶습니다.

● **강희경(姜熙京)**
서울대학교어린이병원 소아청소년과 교수(소아신장 전공)

서울대학교병원에서 소아청소년과 전공의 및 전임의를 마치고 미국 하버드 의대와 미시간 대학에서 연수를 하였습니다. 대한소아과학회, 대한신장학회, 대한소아신장학회, 대한이식학회에서 활동하고 있습니다.
신장(콩팥) 질환을 가진 어린이, 청소년과 가족들이 질환을 잘 견뎌낼 수 있도록 돕는 것을 사명으로 생각하며, 특히 신증후군과 만성콩팥병, 신장 이식 환자를 주로 진료하며 이들 질환의 원인과 악화 요인에 대해 공부하여 예후를 호전시키고자 노력하고 있습니다.

● **고정민(高廷旼)**
서울대학교어린이병원 소아청소년과 교수(임상유전학전공)

서울아산병원에서 소아과 전공의를 마치고 및 서울아산병원 의학유전학센터에서 전임의를 수료하였습니다. 이후 아주대병원 의학유전학과에서 전임강사 및 조교수로 근무하다가 2011년 9월부터 서울대학교병원으로 자리를 옮겨 현재 부교수로 재직중입니다. 대한의학유전학회, 대한유전성대사질환학회 및 소아내분비학회에서 부지런히 활동을 하고 있습니다.

유전성 기형증후군, 유전성 대사이상 질환에 대하여 큰 관심을 가지고 있으며, 희귀 유전질환의 진단, 치료, 관리 및 유전상담을 제공하고 있습니다. 차세대 염기서열 분석법을 이용한 질환의 원인유전자 발굴 및 병리기전의 규명이 최근 제 연구의 주된 분야입니다. 희귀 유전질환을 가진 환자 및 가족에 정확한 의학적 정보를 제공하고 여러 상황에서 최선의 방법을 모색하여, 환자 및 가족이 질병을 이겨낼 수 있도록 최선을 다해 계속 노력하겠습니다.

● **고현주(高賢珠)**
서울대학교대학원 박사과정(모체태아의학전공)

서울의대를 졸업하고 서울대학교병원 산부인과에서 전공의를 마쳤습니다. 토론토대학 실험의학 연구원으로 실험연구를 수행하고, 모체태아의학 임상연수를 하였습니다. 차의과대학 조교수로 근무하고, 서울대학교병원과 분당서울대학교병원에서 전임의를 수료하였습니다. 환자를 배려할 줄 아는 의사로 살아가기 위해 부단히 실력과 인성을 겸비하고자 합니다.

태아의 심장과 두뇌 발달에 관심을 갖고, 물질대사, 세포 간 연계, 생식과 유전에 대해 늘 배우며, 임상에선 실제적인 도움을 주고자 근거기반 진료를 합니다. 생명의 지고함을 따르며 건강한 아기의 탄생을 도와 사회에 기여하는 산부인과 의사가 되기를 희망합니다.

● **권보상(權步庠)**
서울대학교어린이병원 소아청소년과 교수(소아심장전공)

서울대학교병원에서 소아청소년과 전공의 및 전임의를 마치고 현재 진료교수로 재직 중입니다. 대한소아과학회, 대한심장학회, 대한소아심장학회, 한국심초음파학회 등에서 활동을 하고 있으며, 선천성 심장병, 심부전 및 심혈관 질환에 대해 주로 진료를 보고, 심장초음파를 하고 있습니다. 20주 전후의 심장병을 가진 태아에서부터 건강하게 잘 자라서 사회의 한 구성원으로서 자신의 삶을 개척해가고 있는 성인 심장병 환자까지 진료하면서, 저 자신도 의사로서 또 한 인간으로서 너무나 많은 것을 배워가고 있습니다. 영원히 아기인 사람은 없다고 생각하며, 한 인격체로서 모든 환자를 대하려고 하고, 제가 만나는 환자들의 더 나은 삶을 위해 연구하는 의사가 되려고 노력하고 있습니다.

● 권정은(權貞恩)
아인의료재단 서울여성병원 산부인과 과장

관동의대를 졸업하고 서울대학교병원에서 산부인과 전공의 및 모체태아의학 전임의를 마치고 현재 인천에 소재하는 서울여성병원에서 근무하고 있습니다. 학생 시절 산부인과라는 학문을 처음 접한 순간 느꼈던 즐거움과 신비로움을 잊지 못하여 산부인과 의사가 되었습니다. 최근 여성의 사회진출로 결혼과 출산 연령이 올라가며 고위험 산모가 많아지고 있고, 반면에 성에 대한 개방으로 어린 산모 역시 증가하고 있습니다. 이러한 산모 및 태아와 임신 전 기간 함께 하며 건강한 아이를 출산할 수 있도록 힘이 되어주는 동반자가 되어 주고 싶습니다. 또한 출산 전후 올바른 여성건강 관리 및 적절한 피임 등에도 도움을 주는 카운슬러 같은 의사가 되고자 합니다.

● 권택균(權宅均)
서울대학교병원 이비인후과 교수(두경부/후두학 전공)

서울대학교병원에서 이비인후과 전공의 및 전임의를 마치고 미국 피츠버그대학에서 clinical fellowship을 수료하였으며 이후 캘리포니아대학에서 clinical research에 대한 학위를 획득하였습니다. 현재 대한이비인후과학회 및 대한후두음성언어의학회, 대한기관식도과학회, 대한소아이비인후과학회 및 대한연하장애학회에서 활동을 하고 있습니다.
후두 및 음성 수술에 관심을 가지고 있으며 동시에 소아기도질환, 후두협착수술을 담당하고 있습니다.

● 김기범(金起範)
서울대학교어린이병원 소아청소년과 교수(소아심장전공)

서울대학교병원에서 소아청소년과 전공의 및 전임의를 마치고 미국 하버드대학 부속 보스턴소아병원에서 1년간 연수를 하였습니다. 대한심장학회, 대한소아과학회 및 대한소아심장학회에서 활동을 하고 있습니다.
선천성 심장 질환의 진단과 도관을 사용한 비수술적 심기형 치료에 많은 관심을 가지고 진료 및 연구를 하고 있습니다. 어린 시기에 적절한 치료를 받고 잘 자라 훌륭한 사회 구성원으로 자란 많은 환자들을 보아왔습니다. 환자들과 동행하며 환자들이 잘 자라 사회에 필요한 사람으로 자랄 수 있도록 돕는 이가 되었으면 합니다.

● **김선민**(金宣旼)
서울보라매병원 산부인과 교수(모체태아의학전공)

서울대학교 의과대학을 졸업하고 서울대학교병원에서 인턴, 산부인과 전공의, 전임의(모체태아의학 전공) 과정을 이수하였습니다. 이후 서울대학교병원에서 진료교수로 재직하면서 산과와 일반부인과 진료를 하였습니다. 원칙에 맞는 교과서적인 진료를 위해 끊임없이 공부하고, 산부인과적인 술기를 꾸준히 연마하고 있으며, 2014년 서울대학교에서 산부인과학 의학박사 학위를 취득하였고 산과 분야의 연구도 열심히 하고자 항상 노력하고 있습니다. 함께 일하는 동료들과의 소통을 중요하게 생각하며, 따뜻하고 차분한 태도로 환자들에게 신뢰를 주는 의사가 되고자 합니다.

● **김수아**(金秀娥)
송파고은빛 산부인과 원장

서울대학교병원에서 전공의 및 전임의를 마치고 동국대학교 일산병원에서 교수로 재직하였습니다. 산부인과 의사를 선택한 것은 한 가족에게 가장 행복한 순간에 같이 기뻐해 줄 수 있는 행복한 직업이었기 때문입니다. 하지만 한 해 한 해 지날수록, 어떤 산모에게는 가장 행복한 순간에서 절망의 나락으로 떨어지는 진단과 치료를 해야 하는 막중한 임무가 있음을 깨달았습니다. 그 순간에 가장 객관적으로 정확한 정보를 줄 수 있으며, 공감하되 중립적인 위치에서 판단을 내리도록 노력하고 있습니다. 이번 기형태아에 대한 책자 또한 그 과정의 하나입니다.

● **김여랑**(金㒇哴)
봄빛병원 산부인과 과장

동아의대를 졸업하고 서울대학교병원에서 산부인과 전공의 및 전임의를 마쳤습니다. 새 생명의 탄생이라는 기쁨을 환자 및 보호자와 함께 하고 싶어 산부인과를 선택하였습니다. 아직 본격적인 임상 활동을 하기 전이고 경험은 별로 없지만, 앞으로 환자를 보기 위해 가지고 있는 생각은 적어도 환자에게 해를 끼치는 의사는 되지 말자는 것입니다. 항상 환자의 입장에 서서 진심으로 생각하고, 환자를 내 가족같이 생각하는 마음으로 판단하고 정성을 다해 진료하겠습니다. 마지막으로 진료에 아주 유용한 교본이 될 수 있을 이 책의 일부를 집필할 수 있는 기회가 되어 감사하게 생각하고 있습니다.

● **김웅한**(金雄漢)
　　서울대학교어린이병원 소아흉부외과 교수(선천성심장병전공)

서울대학교병원에서 흉부외과 전공의를 마치고 부천세종병원 과장으로 있으면서 미국 Boston Children's Hospital 및 UCSF 에서 단기 연수를 하였습니다. 대한심장학회, 대한소아심장학회 및 대한흉부외과학회에서 활동을 하고 있으며 국제적으로 The Society of Thoracic Surgeons, European Association for Cardio-thoracic Surgery 의 회원으로 활동하고 있습니다.

심장이식, 복잡 선천성기형의 조기 일차완정교정술, 단심실의 단계적 수술에 관심을 가지고 있으며 뇌 국소 순환을 이용한 대동맥 수술, 신생아 및 미숙아 심장 수술에 대해서도 많은 연구와 임상진료를 하고 있습니다. 무혈 심장 수술에 대해서도 많은 연구를 하여 현재 심폐기 최소충전액 기법을 이용하여 좋은 결과를 보고하고 있습니다. 우즈베키스탄, 베트남, 중국, 몽고, 에티오피아, 네팔등지에서 현지 선천성 심장병 수술 역량강화를 위한 국제보건 및 봉사 활동을 하고 있습니다.

● **김은나**(全闔娜)
　　서울아산병원 병리과 전공의

서울대학교병원에서 산부인과 전공의 및 전임의 (모체태아의학 전공) 2년을 마치고, 태반 병리와 태아 부검 및 심장, 뇌 기형 및 분자유전학을 공부하기 위하여 서울아산병원 병리과에서 수련 중입니다. 특히 태아에 대한 산모의 면역학적 반응에 대한 태반의 병리에 대하여 연구 중이며, 삼태아 임신, 쌍태아 간 수혈 증후군에 대하여도 관심을 가지고 있습니다. 앞으로 원인이 밝혀지지 않은 수많은 임신질환에 대한 병리 기전이 밝혀지고, 치료법들이 개발되기를 바라고 있습니다.

● **김정훈**(金正勳)
　　서울대학교어린이병원 소아안과 교수(미숙아, 선천성 안질환 전공)

서울대학교병원에서 안과 전공의 및 전임의를 마치고 일본심혈관연구센터와 영국 UCL에서 연수를 하였습니다. 대한 사시소아안과학회, 한국혈관생물학회 및 한국분자세포생물학회 등에서 활동을 하고 있으며 미숙아망막병증 및 선천성 안질환을 포함한 소아안과 질환들에 대한 다양한 중개연구들을 진행하고 있습니다.

미숙아망막병증, 선천성 망막질환, 선천성 백내장, 망막모세포종 등의 흔하지 소아안과 질환들을 진료하는 소아안과 의사로서, 보호자들에게 막연히 가까운 미래에는 좋은 치료가 생기지 않겠냐는 희망을 얘기하기 보다는, 임상의사로서 현재의 상황에서 가장 안전한 최선의 치료를 아이에게 제공하는 것과 함께, 연구자로써 현재의 한계를 뛰어 넘는 연구로 아이들의 시력에 조금이라도 도움이 되는 일을 하려고 노력하고 있습니다.

● **김현영(金賢影)**
서울대학교어린이병원 소아외과 교수

서울대학교병원에서 외과 전공의 및 전임의를 마치고 서울대학교 소아외과 진료 교수, 가천의대 길병원 조교수를 거쳐 2010년부터 서울대학교 어린이 병원 소아외과에서 부교수로 임하고 있습니다. 대한외과 학회 평생회원, 대한 소아외과 학회 정회원으로 활동하고 있습니다. 소아외과의 다양한 질환 전반에 대해 다루고 있으며, 최근 최소 침습 수술인 복강경 및 흉강경 수술을 적극적으로 도입하여 시행하고 있습니다. 지금까지 배우고 축적하여 온 의학적 지식과 기술을 최대한 발휘하여 생명을 살리기 위해 최선을 다하고 있으며, 더불어 환자 및 보호자의 아픔을 다독여 줄 따뜻한 마음가짐을 중요하게 생각하며 진료에 임하고 있습니다.

● **박관진(朴寬鎭)**
서울대학교어린이병원 소아비뇨기과 교수

서울대학교병원에서 비뇨기과 전공의 및 전임의 (남성의학, 종양학)를 마치고 원자력병원에서 재직한 바 있습니다. 당시에 일본에서 3개월 간 복강경 관련 연수를 한 바 있으며 2009년부터 서울대학교병원에서 소아비뇨기과학 담당교수로 재직 중입니다. 현재 대한 소아비뇨기과학회 및 대한 소아배뇨장애야뇨증학회 총무이사로 활동 중이며 대한 비뇨기과학회에서 전문의 고시 및 수련 분야 담당위원이기도 합니다.
대한비뇨기과학회와 아태소아비뇨기과 학회에서 3년 연속으로 소아비뇨기과 부분 state of art 강의를 수행하고 있으며 2015년 미국비뇨기과학회에서도 한국 대표로 소아비뇨기과 관련 강의를 시행하였습니다. 임상적인 주요 관심분야는 방광요관역류, 신경인성방광, 요도하열이며 소아배뇨의 발달기전과 왜소음경의 치료, 고환 성장 저하의 회복에 관련된 기초연구를 수행중입니다.

● **박정우(朴丁禹)**
인제의대 일산백병원 산부인과 교수(모체태아의학전공)

서울의대를 졸업하고 서울대학교병원에서 산부인과 전공의 및 전임의 과정을 수료했습니다. 현재는 인제의대 일산백병원에서 근무하고 있습니다.
태아기형 및 태아치료에 관심을 가지고 있으며 자궁경관무력증, 조산, 임신성당뇨, 임신성고혈압 등 여러 임신합병증을 가진 임신부 진료에 매진하고 있습니다. 산모와 아기가 안전하게 산전관리를 받고 분만하는 것을 목표로 연구 및 진료에 임하고 있으며 항상 초심을 잃지 않고자 노력 중입니다.

● **박지윤**(朴祉玧)
서울대학교병원 산부인과 임상강사(모체태아의학전공)

이화의대를 졸업하고 서울대학교병원에서 산부인과 전공의를 마치고 현재 임상강사로 근무하고 있습니다. 산부인과학 중에서도 모체태아의학은 아직도 탐구하고 밝혀내야하는 부분이 많은 학문입니다. 여러 스승님들께서 해 오신 것처럼 환자들에게서 배우고 공부하여 더 많은 가족들이 숭고한 생명의 탄생을 통해 기쁨과 행복을 느낄 수 있도록 조금이나마 기여하고 싶습니다.

● **변제익**(卞齊翊)
군의관, 외과 전문의

서울의대를 졸업하고 서울대학교병원에서 외과 전공의를 마쳤으며 육군군의관으로 근무하고 있습니다. 아시아태평양 소아외과학회에서 연령에 따른 소아간이식의 안전성에 대한 구연 발표를 한 것을 계기로 소아외과와 인연을 맺고, 이후 세계소아외과학회에서 선천성담도폐쇄증의 일차적 간이식과 전통적 카사이술식의 비교에 대한 구연 발표를 하였습니다. 소아외과학에 꾸준히 관심을 갖고 선천성 위천공, 십이지장중복의 복강경 치료, 소아에서의 담낭절제술 등 다수의 주제로 논문을 발표하였습니다. 선천적으로 기형을 안고 태어난 아이들과 같이 살을 맞닿고 호흡하고 생활하며 그들이 아픔 없이 충만하게 이 세상을 살아갈 수 있게 도움이 되는 사람이 되기를 진심으로 바라고 있습니다.

● **신승한**(申承翰)
서울대학교어린이병원 소아청소년과 교수(신생아전공)

서울대학교병원에서 소아청소년과 전공의 및 전임의를 마치고 현재 진료교수로 재직 중입니다. 대한신생아학회 및 대한주산의학회에서 활동을 하고 있으며 항상 배우려는 자세로 진료에 임하고 있습니다. 미숙아의 생존을 높이고 합병증을 줄이는 것, 그리고 초미숙아 관리에 관심을 가지고 있습니다. 미숙아에서 발생하는 뇌손상기전의 이해와 예방법에 관한 연구를 하고 있으며, 신생아 관련 역학 연구에도 관심을 갖고 연구하고 있습니다.

● 신형익(愼馨瀷)
서울대학교어린이병원 소아재활의학과 교수(희귀난치질환 재활전공)

서울대학교병원에서 재활의학과 전공의 및 전임의를 마치고 국립재활원에서 의무사무관으로 복무하였습니다. 심장호흡재활의학회, 대한척수손상학회 등에서 주로 학술부문의 일을 하면서 드문 질환에 대한 지식과 경험을 공유하고자 노력하고 있습니다.

기관루를 하지 않고 마스크만으로 호흡보조기를 사용하는 비침습적 호흡보조, 근골격계 합병증 예방을 위한 조기 보장구 장착 등 국내에서 흔히 시행하지 않는 임상활동을 하고 있습니다. 희귀난치질환은 현대의학 수준으로 치료법이 아직 개발되어 있지 않은 경우가 많기 때문에 희귀난치질환자와 그 가족들을 위한 사회적인 지지체계가 중요하다는 인식을 가지고 재활정책분야, 가족의 부담을 완화하기 위한 사회 정책과 관련된 연구와 활동을 수행하고 있습니다.

● 안태규(安泰奎)
강원대학교병원 산부인과 교수(모체태아의학전공)

강원의대를 졸업하고 강원대학교병원에서 전공의와 전임의 과정을 마친 후 서울대학교병원에서 산과 전임의 과정을 1년 더 이수했습니다. 산부인과라는 학문을 하며 해가 갈수록 생명의 신비를 느끼는 그 순간에 더 많은 지식과 배움이 필요하며 또한 겸손해져야 되겠다고 생각이 들었습니다. 두 생명을 다룬다는 생각을 항상 기억하며 환자의 입장을 이해하면서 냉철한 판단을 가지기 위해 노력하고 있습니다. 임신 합병증으로 고생하는 산모들을 보면서 조금 일찍 진단하거나 질병의 발생을 예측할 수 있다면 보다 나은 치료를 할 수 있지 않을까 생각합니다. 어려운 분야이지만 조기진통, 임신 중독증, 임신성 당뇨 등의 질환들에 대한 조기 진단 및 예측 인자를 발견하고자 연구하며 배우고 있습니다.

● 오경준(吳炅俊)
분당서울대학교병원 산부인과 교수(모체태아의학전공)

서울의대를 졸업하고, 서울대학교병원에서 산부인과 전공의와 전임의 과정을 마친 후 현재 분당서울대학교병원 산부인과에서 근무하고 있습니다. 조산의 원인 및 예방, 그리고 산과 출혈 분야의 진료와 연구에 관심이 많습니다. 다른 사람보다 대단히 많이 알 수는 없지만, 알고 있는 지식과 경험을 차분히 냉철하게 적용하여, 좋은 결과를 얻을 수 있는 의사가 되고자 합니다. 보다 많은 산모들이 자식과 함께하는 기쁨을 누릴 수 있도록 도움이 되는 산부인과 의사가 되고자 희망합니다.

● 유원준(柳源俊)
서울대학교어린이병원 소아정형외과 교수

서울대학교병원에서 정형외과 전공의 및 소아정형외과 전임의를 마치고 미국 하버드대학 보스톤 소아병원에서 연수를 하였습니다. 대한소아청소년정형외과학회, 대한정형외과학회 및 대한골연장변형교정학회에서 활동을 하고 있습니다.
소아 청소년의 고관절 질환, 특히 LCP병에 대한 연구를 하고 있으며 소아 청소년 스포츠 손상 및 성장판 성장 장애에 특별한 관심을 가지고 진료하고 있습니다. 아픈 사지 관절 때문에 사회와 교육 현장에서 잠시 이탈한 소아 청소년들이 빨리 건강하게 제자리에 복귀하도록 돕는 일을 기쁘게 하고 있습니다.

● 이경아(李敬兒)
경희대학교병원 산부인과 교수(모체태아의학전공)

이화의대를 졸업하고 이대목동병원 산부인과에서 전공의 과정을 이수하였습니다. 서울대학교병원 산부인과에서 산과 전임의로 2년을 마치고 서울아산병원 태아치료센터에서 임상전임강사로서 2년간 근무하였습니다. 대한산부인과학회의 논문심사위원, 대한모체태아의학회 간행위원회 간사, 대한산부인과초음파학회 홍보위원회 간사, 대한주산의학회 학술위원으로 활동하고 있습니다.
선천성 기형, 유전 질환 진단과 태아치료 분야에서의 다양한 경험을 토대로 특화된 태아치료클리닉을 운영하며 진료하고 있습니다. 태아단락술(shunt operation)과 태아경 수술(fetoscopic operation) 등을 적극 도입하여 많은 태아 환자가 건강한 신생아로 태어날 수 있도록 부단히 노력하고 있습니다.

● 이승미(李承美)
서울대학교병원 산부인과 교수(모체태아의학전공)

서울대학교병원에서 산부인과 전공의 및 전임의를 마치고 서울대학교병원, 서울특별시보라매병원에서 진료/임상교수로 재직하였습니다. 대한산부인과초음파학회 및 대한모체태아의학회에서 활동을 하고 있으며, 아직은 배울 것이 많은 상태라 많은 지식을 익히고 경험을 쌓는데 노력 중입니다.
항상 환자에게 해를 끼치지 않는 무능하지 않은 의사가 되고자 조심스런 마음으로 환자를 보고 있으며, 임상 및 의학 지식 발달에 도움이 되는 좋은 연구를 하고 싶은 마음을 늘 가지고 있습니다.

● **이영아**(李瑛娥)
서울대학교어린이병원 소아청소년과 교수(소아내분비학 전공)

서울의대를 졸업하고 서울대학교병원에서 소아청소년과 전공의 및 전임의 과정을 수료하고 서울대학교병원 소아청소년과 내분비 분과 조교수로 재직 중입니다. 소아청소년기 내분비 질환 전문의로서 대한소아내분비학회, 미국내분비학회, 미국당뇨병학회 등의 회원으로 활동하고 있습니다.
진료하는 소아내분비 질환으로는 성장/사춘기 장애, 뇌하수체질환, 당뇨병, 갑상선질환, 부신질환, 염색체 이상 증후군, 생식샘 분화 이상 질환 등을 포함하고 있습니다. 미숙아 출생아, 여러 가지 선천적 또는 후천적인 질환을 가진 어린이가 건강하게 성장하도록 돕고, 성인기 대사적인 합병증이 발생하지 않도록 예방하는데 관심과 애정을 기울여 진료하고 있습니다. 또한, 질환이 있는 어린이들의 삶의 질 향상을 위한 최선의 진료를 위해 연구하고 있습니다.

● **이준호**(李峻昊)
서울대학교병원 산부인과 교수(모체태아의학전공)

서울대학교병원에서 산부인과 전공의 및 전임의를 마치고 미국 국립보건원(National Institute of Health, NIH) 산하 주산기연구소(Perinatology Research Branch, PRB) 및 미시간 대학에서 3년간 연수를 했습니다. 산부인과 의사로서 근무를 한다는 것이 때로는 많이 부담되고 육체적·정신적으로 힘들기도 하지만, 생명의 탄생이라는 경이롭고 신비로운 과정에 참여할 수 있어서 얼마나 기쁜지 모르겠습니다. 항상 겸손하고 신실한 마음으로 저를 믿고 내원하는 모든 환자들에게 최선을 다하고 싶습니다. 또한, 임상의사로서뿐만 아니라, 조기진통, 조기양막파수, 임신중독증, 임신성 당뇨, 다태아 임신, 태아 기형 등의 고위험 임신에서 다양한 임신 합병증의 발생기전을 규명하고, 이를 조기에 진단·예측하고, 치료할 수 있는 방법을 연구하여 산모와 신생아의 예후를 향상시키기 위한 연구에 매진하는 과학자로서의 포부도 있습니다.

● **이지연**(李志娟)
인하대학교병원 산부인과 교수(모체태아의학전공)

강원대학교병원에서 전공의를 마치고 강원대학교병원과 서울대학교병원에서 전임의 과정을 수료했습니다. 이후 울산대학교병원에서 임상조교수를 거쳐 2015년 3월부터 인하대학교병원 산부인과에서 근무하고 있습니다. 조기진통 및 조기양막파수의 원인과 치료법 그리고 예방법에 관해 관심을 가지고 있습니다. 그리고 임신성 당뇨와 태반에 관한 연구를 하고 있습니다. 우주의 엔트로피 법칙을 유일하게 스스로 역행하는 생명의 탄생이라는 위대한 과정 속에 매일 참여하면서 창조주 앞에 숙연해질 수 있다는 것은 산과의사의 가장 큰 특혜가 아닐까 싶습니다. 한 아기의 탄생으로 온 가족이 행복해지는 순간 산과의사로서 보람과 기쁨을 느낍니다. 끊임없이 공부하고 연구하여 새 생명이 무사히 세상의 빛을 볼 수 있도록 인도하는 등불과 같은 의사가 되고 싶습니다.

● **전종관(全鐘官)**
서울대학교병원 산부인과 교수(모체태아의학전공)

서울대학교병원에서 산부인과 전공의 및 전임의를 마치고 미국 유타대학에서 2년간 연수를 하였습니다. 대한산부인과초음파학회 및 대한모체태아의학회에서 활동을 하고 있으며 새로운 지식을 배우는데 부지런히 노력하고 있습니다.

태아의 발달 및 기형에 대하여 관심을 가지고 있으며 쌍태임신, 삼태임신, 자궁경관 무력증 및 조산아에 대해서도 활발한 진료를 하고 있습니다. 국내에서 최초로 태아 수혈증후군 환아에서 레이저수술을 하였으며 최근 더 좋아진 결과를 보이고 있습니다. 하나의 생명을 소중히 하며 한 명의 아이라도 더 건강하게 태어나고 자라서 가족들에게 기쁨을 줄 수 있는 산부인과 의사가 되기를 희망하고 있습니다.

● **정주연(鄭州硯)**
송파고은빛 산부인과 원장

동아대 의대를 졸업하고 서울대학교병원에서 산부인과 전공의 및 전임의를 마치고 현재 송파 고은빛 산부인과에서 근무하고 있습니다.

새로운 생명의 탄생의 기쁨을 함께 하기 위해 산부인과, 그 중에서도 산과를 선택하였습니다. 힘들고 고되지만, 산모와 태아의 건강을 지켜줄 수 있다는 보람으로 열심히 하려고 노력하고 있습니다. 아직 한참 부족하고, 배워야 할 지식들이 더 많다고 생각합니다. 지금 자리에 머무르지 않고, 더 많은 것들을 배우기 위해, 그리고 그 지식을 바탕으로 산모와 태아에게 조금 더 나은 진료를 할 수 있도록 노력하겠습니다. 항상 생명의 존귀함을 잊지 않고 마음에 새기며, 최선을 다하는 산부인과 의사가 되겠습니다.

● **조성규(趙晟圭)**
서울대학교어린이병원 소아흉부외과 교수(소아심장외과학전공)

서울대학교병원에서 흉부외과 전공의 및 전임의를 마치고 현재 서울대학교병원에서 진료조교수로 근무하고 있습니다. 전공의를 마치고 국제협력의사로 2년 6개월 동안 우즈베키스탄 현지 병원에서 봉사활동을 하였습니다. 열악한 환경 속에 그곳의 선천성 심장병 환아 들의 진료와 수술을 하게 되었고, 이런 선천성 심장병이 있는 어린이들을 도와줄 수 있는 흉부외과의사, 소아심장외과의사로 살아가야겠다고 결심하게 되었습니다. 소아심장외과는 생명을 직접 다루는 학문 인 만큼 항상 긴장하고, 실수 하지 않으려 하고 있으며, 사망률이 높고 중증도가 높은 군에 있는 선천성 심장병 어린이들을 한명이라도 더 살리고자 하는 마음으로 열심히 배우고 정진하고 있습니다.

● 조정연(趙廷衍)
서울대학교병원 영상의학과 교수(비뇨생식기영상의학전공)

서울대학교병원에서 영상의학과 전공의 및 전임의를 마치고 제일병원에서 8년간 산부인과 및 비뇨기과 영상을 담당하였습니다. 캐나다 토론토의대에서 Visiting clinical professor 로 1년간 산부인과 초음파 진료를 담당하였습니다. 대한영상의학회, 대한초음파의학회, 대한비뇨생식기영상의학회에서 활동을 하고 있으며, 새로운 지식을 배우고 상호 교류하고자 노력하고 있습니다. 20년 가까이 태아 영상진단에 관심을 갖고 산과 선생님들과 함께 진료에 임하고 있으며, 태아 인터벤션시술도 같이 참여하고 있습니다. 부인과 영상진단과 관련 인터벤션 시술도 담당하고 있으며, 현재 서울의대 영상의학과 교수와 산부인과 겸무교수로 재직 중입니다. 비교적 오랜 시간 태아영상을 담당해 왔지만 태아 영상은 항상 최선을 다해서 노력해야 하는 분야라 생각됩니다. 항상 아기의 소중한 생명과 부모의 두렵고 안타까운 마음을 생각하며 산부인과 선생님들과 같이 공부하고 연구하는 영상의학과 의사가 되기를 희망하고 있습니다.

● 조태준(趙兌埈)
서울대학교어린이병원 소아정형외과 교수

서울대학교 의과대학을 졸업하고 서울대학교병원에서 정형외과 전공의 수련을 받았으며, 미국 보스턴대학교에서 기초연구 및 보스턴어린이병원에서 임상연수를 하였습니다. 대한소아정형외과학회 및 대한의학유전학회에서 활동을 하고 있습니다. 척추와 사지의 선천성 기형에 대한 진료를 수행하고 있으며, 발달성 고관절 이형성증과 희귀 골격계 질환, 특히 유전성 골격계 질환에 대한 활발한 연구를 진행하고 있습니다.

● 천정은(千正恩)
서울대학교어린이병원 소아영상의학과 교수

서울대학교병원에서 영상의학과 전공의 및 소아영상의학 전임의를 마치고 미국 Children's Hospital Boston에서 1년간 연수를 하였습니다. 대한영상의학회, 대한소아영상의학회 및 대한초음파의학회에서 활동하고 있으며 새로운 지식과 술기를 배우는데 부지런히 노력하고 있습니다.
소아영상의학 분야 중 선천성 기형에 대해 관심을 가지고 있으며, 초음파검사, CT 및 MRI를 이용하여 활발한 진료 활동을 하고 있습니다. 어린이병원에서 진료를 받는 아이들이 더 건강하게 자랄 수 있도록 도움을 주는 영상의학과 의사가 되기를 희망합니다.

● **최태현**(崔兌顯)
서울대학교어린이병원 소아성형외과 교수

계명대학교 동산의료원에서 성형외과 전공의를 마치고, 미국 MIT와 하버드대학에서 1년간 연수를 하였고, 현재 서울대학교 어린이병원 소아성형외과 분과장을 맡고 있습니다. 두개안면 선천성기형, 혈관종, 혈관기형, 거대모반(점)에 많은 관심을 가지고, 진료 및 연구, 교육을 하고 있습니다. 혈관종, 혈관기형 환아를 수술하여 좋은 결과를 보이고 있으며, 이 질병의 약물적 치료, 병의 원인에 대한 활발한 연구를 하고 있습니다. 두개안면 선천성기형의 유전적 원인을 찾는 연구도 진행하고 있습니다. 이런 질병을 가진 환아들이 질병으로부터 해방되어, 건강히 학교생활을 할 수 있게끔 최선의 노력을 다하고 있습니다.

● **피지훈**(皮智薰)
서울대학교어린이병원 소아신경외과 교수

서울대학교병원에서 신경외과 전공의를 마치고 서울대학교어린이병원 소아신경외과에서 전임의 과정을 수료하였습니다. 소아의 뇌종양과 뇌전증, 수두증에 관심을 가지고 진료하고 있습니다. 뇌의 질병이 생기는 과정에 대해 궁금해하고 연구하고자 노력하고 있으나, 또한 질병의 결과인 환아들의 삶에도 관심을 기울이고자 합니다. 많은 소아신경외과의 환아들은 수술한 외과의사보다도 살아갈 시간이 길기 때문에 신경학적 손상과 장애를 줄이는 것이 중요한 치료의 목표가 되어야 할 것입니다. 특히, 복잡한 신경계질환이 있거나 작은 미숙아인 경우 부모의 혼란스러움을 이해하고 적절한 방향을 제시해 줄 수 있는 지혜도 필요합니다. 지식과 경험을 더 갖추어 환아와 부모 모두에게 도움을 줄 수 있는 소아신경외과 의사가 되고자 합니다.

● **홍준석**(洪焌碩)
분당서울대학교병원 산부인과 교수(모체태아의학전공)

서울의대를 졸업하고 서울대학교병원에서 산부인과 전공의 및 전임의를 마치고 미국 웨인대학에서 1년간 연수를 한 후 분당 서울대학교 병원에서 근무하고 있다. 대한산부인과 학술간사 및 대한산부인과초음파학회 연구회 활동을 하고 있으며 새로운 생명이 탄생하는 순간을 산모들과 함께 하는 행복한 시간을 소중히 생각하고 있습니다. 태반 및 태아 성장에 특별한 관심을 가지고 연구를 하고 있으며 자궁내 태아발육부전, 임신성 당뇨병 산모뿐만 아니라 다태임신 및 전치태반에 대해서도 활발한 진료를 하고 있습니다. 세계 최초로 인공 태반 칩(placenta on a chip)을 만들어 성공적인 임신에 핵심 역할을 하는 태반 연구의 새로운 장을 열었다. 새로운 생명을 잉태하고 출산을 기다리는 산모에게 조금이나마 위로와 도움을 줄 수 있는 산부인과 의사가 되기를 희망하고 있습니다.

추천사

　Anomaly Conference 100회를 맞아 그 동안의 자료를 바탕으로 이루어진 "기형 태아를 위한 카운슬링" 출간을 축하합니다.

　산부인과에서 주최하는 기형 태아 집담회에 참석하여 여러 선생님들과 발표하고 토론하면서 이런 아이들의 진료는 산부인과와 어린이병원 선생님들의 유기적이고 통합된 협진이 무엇보다 필요하다고 생각하였습니다. 정확한 산전 진단과 출생 후의 적절한 처치 및 치료가 자연스럽게 어우러져야 바람직한 결과를 얻을 수 있을 것입니다.

　산전초음파는 태아의 성장과 발달을 볼 수 있어 태아의 건강을 살피는 중요한 검사이지만 우리나라 현실에서는 태아를 위험에 빠뜨리기도 합니다. 본인이 관심을 가지고 있는 구순구개열의 경우가 대표적인 질병 중 하나입니다. 지난 해 베트남 하노이에서 개최되었던 국제학회는 "Do not abort (유산시키지 말자)"를 주제로 걸었을 정도로 구순구개열 태아의 인공임신중절이 국내뿐만 아니라 국제적으로 만연하고 있음을 확인할 수 있었습니다.

　기형을 가지고 태어난다는 것이 아이들의 잘못이 아닙니다. 태어나서 수술을 하면 건강하게 살아갈 수 있는 아이들이 산전 진단으로 태어나지도 못하는 비극은 우리 의사들이 해결해야 할 중요한 문제입니다. 우리 사회의 기형 태아에 대한 인식의 변화가 우선되어야겠지만 이러한 변화에 의사의 역할은 다른 무엇보다도 중요하다고 생각합니다. 뱃속의 태아가 선천적 이상이 있다고 진단을 받은 임신부와 가족이 정확한 카운슬링을 통해 출산과 출산 후의 치료과정을 이해하게 되면 이런 비극은 더 이상 계속되지 않으리라 기대합니다.

　어린이병원 의사들은 출산 후의 아기가 건강하게 자라도록 노력할 뿐만 아니라 태아의 건강을 위해 산부인과와 함께 협력하고 있습니다. 지난 8년 동안 서울대학교병원에서 태어나고 서울대학교어린이병원에서 치료를 받았던 많은 아이들의 진료 경험을 바탕으로 쓰여진 "기형 태아를 위한 카운슬링"이 기형 태아의 진료를 최일선에서 담당하고 있는 산부인과 선생님들에게 큰 도움을 줄 수 있으리라고 확신하며 한 명의 아이라도 더 건강하게 살아갈 수 있는데 일조하기를 기원합니다.

2015년 8월

서울대학교어린이병원장 **김석화**

서 문

 2007년 5월 처음으로 Anomaly Conference 라는 제목으로 토요일 오전에 집담회를 시작한 지 어느덧 8년이 지나 100회를 맞이하게 되었습니다. 서울대학교병원 산부인과에서 한 달 동안 태어났던 기형이 있는 모든 아이들이 집담회의 대상이었습니다. 산전 진단과 태어난 뒤 진단을 비교하여 소홀히 했거나 잘못했던 부분들을 확인하고 출생 후 받고 있는 치료와 지금의 경과를 알아보는 모임입니다. 서울대학교병원과 서울대학교어린이병원 교수님들, 전임의, 전공의 선생님들도 참여하여 진료에 도움이 되는 것은 물론이고 교육적 효과도 어느 정도는 있었다고 생각합니다. 100회 동안의 Anomaly Conference를 바탕으로 이 책이 나오게 되었습니다.

 이 책은 임신부를 진료하는 산부인과 의사들에게 도움을 줄 목적으로 기획하였습니다. 기형의 모든 내용을 담고 있는 교과서 형식의 책이라기보다는 진료실에서 간단히 참고할 수 있고 산모 및 가족들에게 설명할 때 쉽게 활용할 수 있도록 쓰인 책입니다. 또한, 책 전체의 모든 용어를 통일하려고 하지 않고 질환 혹은 기관 마다 상이한 용어를 사용하고 있습니다. 의학용어 사전(KLME)에도 다양한 용어가 있어 어느 하나만을 고집하지 않고 책을 읽는데 불편하지 않을 정도를 기준하였습니다. 독자의 이해를 돕기 위해 영어를 본문에 직접 사용하거나 괄호내에 병기하였습니다. 이해 부탁드립니다.

 산부인과 의사는 진료 중 태아의 이상을 발견하였을 때 질병에 대한 설명 이외에 다음의 질문을 산모와 가족으로부터 받습니다.

 이런 이상이 왜 일어났나요?
 어떤 검사를 더 해야 하나요?
 태어나면 어떤 치료를 받나요?
 수술을 한다면 어떤 수술을 언제 하나요?
 살 수는 있는지요?
 살더라도 장애가 남지는 않는지요?

 첫 번째 질문에 대해서 정확히 말해주기는 어려울 수 있지만 나머지 질문에 대해서는 대답을 해 줘야 된다고 생각합니다. 예를 들어, 배꼽탈장(omphalocele) 혹은 팔로4징(tetralogy of Fallot)으로 진단되었을 때 위에 나열한 내용을 산부인과 의사가 정확하게 대답할 수 있다면 임신부와 가족들의 궁금증과 걱정을 상당 부분 덜어줄 수 있을 것입니다. 만일 상담 과정이 충실하게 이루어진다면 기형이 있다는 이유로 받아들이고 싶지 않던 낯선 아이에서 태어나서 수술 후의 과정까지를 생각하면서 가족의 새로운 구성원으로 받아들이는 계기가 될 수도 있지 않을까 기대하며 이 책의 제목을 '기형 태아를 위한 카운슬링'으로 정했습니다.

어린이병원 선생님들의 한결같은 이야기는 태아의 이상을 처음 확인한 산부인과 의사가 어떻게 말하느냐에 따라 아이의 운명은 많은 부분 결정된다고 합니다. 물론 어린이병원 선생님을 직접 만나서 상담하는 것이 제일 좋겠지만 진료를 받기 위해서는 예약을 하고 기다려야 합니다. 기다리는 동안 비전문가들의 방해로 처음 생각과는 달리 어린이병원까지 오지 못할 수도 있습니다. 처음부터 어린이병원 전문가와 상담할 생각조차 없는 부모도 있을 수 있겠지요.

산부인과 선생님들은 이전에 알았던 지식에 근거하거나 기존의 책에 기술된 내용을 바탕으로 상담을 하지만 일부 내용들은 더 이상 유용하지 않을 수도 있습니다. 사실 산부인과 선생님들이 어린이병원에서 이루어지는 치료에 대하여는 정확히 알 지 못하는 것이 현실입니다. 하지만 산부인과 의사의 상담은 임신부와 가족들의 선택에 결정적인 영향을 줄 수 있습니다. 더 좋은 상담이 되기 위해서는 수술하면 살 수 있다는 한 줄의 지식보다 더 많은 구체적인 숫자와 내용들을 필요로 합니다.

이 책은 서울대학교병원 산부인과에서 산과 전임의를 마치고 활발하게 활동하고 있는 선생님들이 최신 문헌을 바탕으로 기형 태아에 대한 일반적인 내용을 정리해 주었고 출생 후의 경과에 대하여는 진료 경험이 풍부한 서울대학교어린이병원의 여러 선생님들이 최신 치료 방법과 성적을 상세히 기술해주었습니다. 기형아와 직접 관련은 없지만 조산아에서 자주 생기는 질환에 대하여도 정리하였습니다. 더욱 감사한 것은 기형 태아 및 신생아에 대하여 20년 이상 임상 경험을 가진 영상의학과 조정연 교수님과 천정은 교수님께서 감수를 맡아주었습니다.

Anomaly Conference를 진행하면서 너무 많은 도움을 받았습니다.

소아과학교실의 최정연 교수님은 심에코를 했던 환자들의 영상을 직접 가지고 오셔서 깊은 가르침을 주시며 모두에게 선생님의 열정과 환자 사랑을 보여주셨습니다. 분당서울대학교병원으로 자리를 옮기기로 결정하신 뒤 매주 한 번씩 직접 분만장에 심장병이 있는 산모와 같이 오셔서 산부인과 의사들에게 태아심에코를 보여주시기까지 하셨습니다. 영상의학과 조정연 교수님은 산전 초음파 진단에도 많은 도움을 주었을 뿐 만 아니라 산과 전임의들의 초음파교육까지 기꺼이 맡아 주어 내실 있는 집담회가 될 수 있게 도와주었습니다. 영상의학과 천정은 교수님은 해박한 지식을 바탕으로 산과 의사들에게 생소한 신생아의 영상 진단 증례들을 명쾌하게 지적하여 새로운 배움의 기회를 주었습니다. 풍부한 경험을 바탕으로 생생한 현장을 느낄 수 있게 해 준 흉부외과 김웅한 교수님, 소아심장의 김기범 교수님과 권보상 교수님, 소아외과 김현영 교수님, 신생아의 김이경 교수님과 신승한 교수님에게도 감사드립니다.

　　Anomaly Conference는 서울대학교병원 산과 전임의, 서울대학교어린이병원 소아영상의학과 전임의, 소아심장 전임의 선생님들이 함께 준비해주셨습니다. 바쁜 일과에도 불구하고 집담회를 위한 선생님들의 헌신적인 수고가 없었다면 모임은 시작도 할 수 없었을 것인데, 단지 이름 석 자만 적게 되어 미안할 따름입니다.

● **산과 전임의**
　 강민지, 강지현, 강혜심, 고현주, 권정은, 김선민, 김수아, 김여랑, 김은나, 김은진, 박정우, 박지윤,
　 성효숙, 안태규, 양선혜, 양혜진, 엄유경, 오경준, 오수민, 이경아, 이승미, 이시은, 이준호, 이지연,
　 이채민, 임은선, 정선영, 정주연, 정희정, 황은주

● **소아심장 전임의**
　 권보상, 권혜원, 김기범, 김나연, 방지석, 백재숙, 송미경, 안경진, 안효순, 윤자경, 이상윤, 이선향,
　 이윤식, 제현곤, 최은영

● **소아영상의학과 전임의**
　 김유진, 김지영, 박지은, 신수미, 유선경, 이소미, 임윤정, 정아영, 조현숙, 조현혜, 최영훈

　　책의 집필을 부탁하였을 때 기꺼이 승낙하여 노고를 아끼지 않으신 선생님들께 다시 한 번 감사드리며 여러 선생님들을 대신해서 글을 남길 수 있음을 영광으로 생각합니다.

　　감사합니다.

2015년 8월
저자 대표 **전종관**

목 차

PART 01 중추신경계 및 척추 질환

PART 05 소화기계 및 복벽 질환

PART 06 신장 및 비뇨생식기계 질환

PART 07 근골격계 질환

PART 08 제대 질환

중추신경계 및 척추 질환
Central Nervous System and Spine

01 뇌실확장증
(Ventriculomegaly)

피지훈
전종관

기 형 태 아 를 위 한 카 운 슬 링

1. 빈도

1,000명 출상아당 2~9명의 빈도이며 남아에서 더 발생하는 것으로 알려져 있다.

2. 질병의 개요 및 발생 원인

뇌실확장증이란 단순히 뇌실이 늘어난 것을 기술한 것으로 병명이라기보다 소견이라고 하는 것이 더 맞다. 정상보다 약간 늘어나 있으면서 태어나서 전혀 이상이 없는 경우도 있지만 여러 가지 다양한 질환에 의해 뇌실확장증이 이차적으로 나타날 수 있다.

뇌량무형성증(agenesis of corpus callosum, ACC)은 비교적 자주 동반되기 때문에 뇌실 확장증이 있으면 항상 가능성을 염두에 두어야 한다. ACC는 뇌실사이중격공간(cavum septum pellucidum, CSP)이 형성되지 않았고 다른 뇌실확장증과는 달리 눈물 방울(teardrop) 모양으로 뇌실이 커져 있으면 진단할 수 있다. 실비우스 수도관(aqueduct of Sylvius)이 막혀서 발생할 수도 있으며 이때는 양측 뇌실이 매우 커지며 수도관(aqueduct) 이전의 뇌실은 매우 늘어나 있지만 제 4뇌실이 잘 안 보이면 진단의 가능성이 높아진다. 키아리(Chiari) 기형이 있으면 나타날 수 있어 척추를 자세히 살펴보아야 한다. 또한, 뇌 자체가 위축되면(brain atrophy) 뇌실이 늘어나 보일 수 있고 이 경우는 예후가 매우 나쁘다. 뇌실내 출혈 이나 태아감염, 특히 바이러스성 감염으로 나타날 수도 있다.

3. 산전 진단

뇌실의 atrium 부분이 10mm 이상이면 진단이 된다. 이때 정확한 초음파 단면(plane)을 잡는 것이 중요하다. 특히 탐측자에 가까운 부분의 뇌실은 반향 오류(reverberation artifact)로 정확히 측정되지 않는 경우가 많아 우측 뇌실, 좌측 뇌실을 정확히 표시한 뒤 추적관찰 시 태아가 자세를 바꾸면 더 정확히 측정할 수 있다.

4. 동반 기형

중추신경계를 벗어나면 많이 높아지지는 않는다.

5. 감별 진단

태아 감염에 대한 검사와 염색체검사가 필요하다. 특히 경한 뇌실확장증이 있는 태아에서도 태아감염(5%) 및 염색체 이상(2~5%)이 발견될 가능성이 있으므로 검사를 하는 것이 필요하다. 태아 감염에 대하여는 TORCH를 산모에서 시행한 뒤 산모의 감염이 의심되면 양수에서 PCR 검사로 확인할 수 있다.

6. 임신 중 검사

1) 태아 염색체 검사
2) 산모 혈청 TORCH
3) 양수 내 CMV PCR, toxoplasmosis

출생 후 관리

1. 검사

1) 초음파 및 MRI 검사로 중추신경계 이상에 대한 검사를 실시한다.
2) 임신 중 하지 못했던 원인에 대한 검사를 한다.

2. 치료

1) 뇌실확장증

출생 후에는 환아에 대한 직접적인 신체검진이 가능하므로 뇌실확장증이 압력증가를 동반하며 신경계 증상을 유발하는지 확인할 수 있다. 대천문이 융기되는지, 두개봉합선이 벌어지는지, 두위가 비정상적으로 커지는지 확인하고 경련(seizure)이나 무력증(hypotonia)이 나타나는지 확인한다. 이러한 뇌압상승의 증상과 증후가 없고 초음파에서 뇌실확장이 더 진행하지 않는다면 수두증이 아니라고 판단하고 관찰한다.

2) 수두증

(1) 뇌실-복강 단락술(ventriculoperitoneal shunt operation)

단순한 뇌실의 확장이 아니라 진행하는 수두증으로 진단된다면 적극적인 치료가 필요하다. 약물치료는 큰 효과가 없으며 수술이 필요하다. 뇌실-복강 단락술은 가장 널리 쓰이는 수술방법이다. 수술이 비교적 간단하고 확실한 효과를 보장하지만 이물질(foreign body)을 삽입해야 하고 수술감염율이 비교적 높으며(5~10%), 대부분의 환아에서 평생 단락을 유지해야 하기 때문에 수두증의 진단과 단락술의 시행에 신중을 기해야 한다. 뇌출혈이 있거나 복강수술을 받아서 단락술을 바로 시행할 수 없는 환자는 일시적으로 배액술을 하기도 한다.

(2) 내시경 수술(endoscopic third ventriculostomy)

뇌실에서 만들어지는 뇌척수액이 뇌표면의 지주막하공간으로 잘 흐르지 못하는 폐색지점이 있는 경우 비교통성 수두증이라 하는데 이 때는 내시경으로 제 3뇌실의 바닥을 뚫어주는 내시경 수술을 할 수 있다. 수술의 난이도가 다소 높으나 이물질을 삽입할 필요가 없고 복강으로 뇌척수액을 보내는 단락술보다 훨씬 자연스러운(physiologic) 방법이어서 널리 행해지고 있다. 특히 수도관 협착(aqueductal stenosis)인 경우 가장 좋은 수술법이다. 다만, 1세 이하 영아에서는 뇌척수액을 흡수하는 능력 자체가 부족하여 성공률이 낮기 때문에 3~6개월 이하에서는 잘 하지 않으며 6~12개월인 경우 선택적으로 시행한다.

(3) 척수수막류(myelomeningocele)가 있을 경우

척수수막류 환아의 90% 정도에서 뇌실확장증이 동반된다. 이분척추(spina bifida)의 위치가 천골쪽에 낮게 위치한 경우에는 뇌실확장증이 없을 수도 있다. 일부 환아에서는 뇌실확장이 천천히 진행되거나 멈추지만 많은 환아에서 수두증이 수일~수주 안에 진행하여 단락술을 필요로 한다. 결국 약 60~80%의 환아가 단락술을 받게 된다. 수두증이 출생 후에 빠르게 진행하는 경우가 있는데 이때는 척수수막류의 복원 수술을 받을 때 단락술을 동시에 시행한다. 이 경우 단락술이 수두증에서 뇌를 보호할 뿐만 아니라 복원 수술부위에서 뇌척수액이 새어 감염이 생기는 것을 막아줄 수 있다.

3. 경과

경증 뇌실확장증이 있더라도 동반된 기형이 없으면 좋은 예후를 보일 가능성이 높지만 동반 기형이 있으면 예후가 나빠진다. 뇌실확장증이 진단되었을 때 보이지 않았던 이상이 발견될 때 예후는 급격히 나빠질 수 있다. 뇌실확장증이 심하지 않고 빨리 진행하지 않는다면 퇴원하여 경과를 관찰할 수 있다. 뇌실확장증이 수두증으로 진행하는 경우 대부분 태어나서 수개월 이내에 나타나므로 처음에는 약 4~8주 간격으로 자주 외래진료를 보면서 뇌압상승의 징후가 나타나는지 관찰하고 필요한 경우 뇌초음파 검사를 병행한다. 뇌실확장의 진행여부만을 보기위해서는 뇌초음파 검사로 충분하며 다른 동반기형을 확인하기 위해서는 뇌MRI를 시행한다.

수두증이 확인되어 이미 단락술을 시행한 경우에는 단락술의 감염이나 폐색이 주로 수술 후 6개월 이내에 잘 발생하므로 처음에는 3개월 간격으로 외래진료를 보고 이후에는 6개월~1년 간격으로 할 수 있다. 단락술을 시행하면 환아의 대천문이 빨리 닫히므로 뇌초음파를 볼 수 있는 시간이 짧아지므로 이후에는 영상검사를 뇌MRI에 의존하게 된다. 특별한 증상이 없다면 영상검사를 자주할 이유는 없으며 두위측정과 신경학적 검진이 더 중요하다. 단락술 후에 두위가 작아지는 경향을 보이기 때문에 최근 대부분의 환자가 받는 programmable valve를 가지고 있다면 점점 압력역치를 올려서 단락에 대한 의존을 줄여야 장기합병증을 예방할 수 있다. 신경학적 이상은 경증 뇌실확장증에서도 약 10% 정도에서 나타날 수 있으며 12mm를 기준으로 더 많아진다는 의견도 있으나 신경학적 이상을 평가하는 방법 및 대상군에 따라 상당한 차이를 보인다.

[참고문헌]

1. Melchiorre K, Bhide A, Gika AD, Pilu G, Papageorghiou AT. Counseling in isolated mild fetal ventriculomegaly. Ultrasound Obstet Gynecol 2009;34:212-24

2. Salomon LJ, Bernard JP, Ville Y. Reference ranges for fetal ventricular width: a non-normal approach. Ultrasound Obstet Gynecol 2007;30:61-6

3. Oi S, Inagaki T, Shinoda M et al. Guideline for management and treatment of fetal and congenital hydrocephalus: Center Of Excellence-Fetal and Congenital Hydrocephalus Top 10 Japan Guideline 2011 Childs Nerv Syst 2011;27:1563-70

02 맥락막총낭종
(Choroid plexus cyst, CPC)

강민지
전종관

1. 빈도

임신 제 2삼분기에 약 1% (0.2~3.5%)정도에서 나타나는 소견이지만, 대부분 임신 32주 이전에 사라진다.

2. 질병의 개요 및 발생 원인

맥락막총(choroid plexus)의 상피세포에서 만들어진 뇌척수액이 낭종을 형성하게 된다. CPC의 1%에서 18번 삼염색체증 (에드워드 증후군, Edwards syndrome)이 원인이 되므로, 홀배수체(aneuploid)의 위험을 높인다고 알려져 있어 염색체 검사 여부가 중요한 관심사였다. 초음파상 다른 기형이 발견되면 염색체검사를 고려할 수 있지만 CPC만 있는 경우는 염색체검사의 적응증이 아니다. CPC는 다운증후군보다 에드워드증후군과 연관이 있다. 다운증후군은 정상 염색체군과 같은 빈도로 CPC가 나타나지만 에드워드증후군의 44~50%에서 CPC가 나타난다. 염색체 이상이 있는 CPC의 약 3/4은 에드워드증후군이고 1/4만이 다운증후군이다.

3. 산전 진단

관상면(coronal plane)에서 맥락막총 내 2~20mm 크기의 초음파 투과성의 경계가 명확한 벽(wall)을 가진 물혹이 있을 때 진단된다. 컬러 도플러 상에서 혈류는 없다.

4. 동반 기형

사지의 기형이나, 심장기형, 다른 뇌 구조의 이상, 제대탈장 등이 동반될 경우 18번 삼염색체증일 가능성이 높다.

5. 예후

홀배수체의 가능성은 다른 동반기형이 있는 경우에 높아지나, CPC의 크기나 양측성, 다발성 등은 위험을 높이지 않는다. CPC 단독으로만 있는 경우에는 정상 변이로 간주하며, 지능도 정상이다.

6. 감별 진단

맥락막총유두종(choroid plexus papilloma), 뇌실내출혈(intraventricular hemorrhage), 경증 뇌실확장증(mild ventriculomegaly)

7. 임신 중 필요한 검사

태아의 CPC가 있는 모든 산모에게서 동반 기형여부를 알기 위해 정밀 초음파 및 태아 심장 초음파를 시행하도록 한다. 염색체 검사는 모든 산모에서 할 필요는 없고, 산모의 혈청 선별검사결과에서 이상이 있는 경우, 산모의 나이가 35세 이상으로 많은 경우, 이전에 홀배수체 태아의 분만력이 있는 경우, CPC와 함께 다른 동반 기형이 있는 경우에 시행한다.

8. 예후

단독으로 있으면 정상 변이이며 동반 기형 여부에 따라 달라진다.

[참고문헌]

1. Walkinshaw SP. Fetal Choroid plexus cyst: are we there yet? Prenat Diagn 2000;20:657-62

03 거대대수조
(Mega cisterna magna)

기 형 태 아 를 위 한 카 운 슬 링

1. 빈도

산전 초음파에서 발견된 태아 후두개와(posterior fossa) 기형의 27%, 낭성(cystic) 후두개와기형의 50%를 차지한다.

2. 질병의 개요 및 발생 원인

정상 대수조(cisterna magna)는 소뇌 아래, 연수(medulla oblongata) 뒤에 위치한 뇌척수액으로 채워진 공간이다. 제 4뇌실로부터 뇌척수액이 흘러나오는 공간에 위치해 있는데 위쪽으로는 foramen of Magendie를 통해 제 4뇌실과 통해 있고 아래쪽으로는 연수주위 지주막하(subarachnoid) 공간과 통해 있다. 거대 대수조는 이 공간이 커져 있을 뿐 뇌척수액이 흐르는 통로가 막혀 있지 않으므로 수두증이 동반되지 않고(만약 동반된다면 다른 질환을 고려) 소뇌 충부(vermis) 이상도 없고 이러한 구조물들의 위치를 왜곡시키지도 않는다. 단독기형인 경우, 정상 변이(normal variant)로 간주되며 예후도 좋다. Trisomy 18에서 자주 관찰되므로 거대 대수조가 있는 경우 동반기형 여부의 확인이 중요하다.

3. 진단

소뇌 반구가 보이는 비스듬하게 기울인 축면(axial plane)에서 대수조의 정중 앞뒤 길이가 10 mm가 넘어가면 진단 된다. 이때 정확한 초음파 단면을 잡는 것이 중요한데, 초음파 영상 내에 투명중격강(cavum septum pallucidum)이 보여야 하고 제4뇌실과 소뇌 충부도 정상이

어야 한다. 각도를 관상면에 가깝게 많이 기울이면 정상임에도 거대 대수조로 보이거나 아래소뇌 충부 결손(vermian defect) 처럼 보일 수 있으므로 위양성에 유의한다.

4. 동반 기형

대개 단독기형이며, trisomy 18과 연관되었을 경우 다발성 기형 중 하나로 나타날 수 있다.

5. 감별 진단

후두개와 공간이 커진 다른 기형과 감별해야 한다. Blake's pouch cyst와는 달리 teg-mentovermian angle이 커지지 않는다. 즉 소뇌가 위로 밀려 올라가지 않는다. 소뇌 충부 이상이 없다는 점에서 댄디-워커 기형 또는 충부 무형성(vermian agenesis)과 구별이 가능하고 지주막낭(arachnoid cyst)에서 보일 수 있는 주변 조직의 종괴효과(mass effect)가 없다. 드물게 갈렌정맥기형과 감별해야 되는 경우가 있으나 이는 칼라도플러검사로를 확인하여 쉽게 구별이 가능하다.

6. 임신 중 검사

단독기형일 경우 추가검사 필요하지 않음.

7. 예후

단독기형인 경우 정상 변이로 간주되고 태아 이상과 관련되지 않는다. 동반기형이 있을 경우 trisomy 18과 같은 질환에서 여러 기형의 일부로 나타날 수 있다.

[참고문헌]

1. D'Antonio F, Khalil A, Garel C, Pilu G, Rizzo G, Lerman-Sagie T et al. Systematic review and meta-analysis of isolated posterior fossa malformations on prenatal ultrasound: nomenclature, diagnostic accuracy and associated anomalies. Ultrasound Obstet Gynecol. 2015. doi: 10.1002/uog.14900
2. Shekdar K. Posterior fossa malformations. Semin Ultrasound CT MR 2011;32:228-41

04 뇌량무형성증
(Corpus callosum agenesis)

피지훈
강민지

1. 빈도

10,000명 출생아당 3~7명의 빈도이며 산발적인(sporadic) 경우 남아에서 더 발생한다.

2. 질병의 개요 및 발생 원인

뇌량무형성증은 대뇌의 좌우 반구를 연결하는 뇌량(corpus callosum)이 전체적, 혹은 부분적으로 형성되지 않은 기형으로 비교적 흔하게 발견된다. 뇌량은 해부학적으로 앞에서부터 rostrum-genu-body-splenium으로 나뉘는데 genu와 anterior body가 가장 먼저 형성되고 이어서 posterior body, splenium, 마지막으로 rostrum의 순으로 형성된다. 따라서 남아 있는 뇌량의 부분을 보면 뇌량 형성의 어떤 시기에 문제가 발생해 무형성증이 초래되었는지 확인할 수 있으며, 외적손상에 의한 뇌량의 파괴와 구별할 수 있다.

유전적 원인이 주가 되나, 임신 중 환경적인 영향, 가령, 염증이나 약물 등의 원인에 의해 정상적으로 발달하던 뇌량이 일부 생성되지 않을 수 있고, 이런 경우 대부분 posterior portion이 부분적으로 생성되지 않게 된다. 대부분의 뇌량무형성증은 산발적으로 발생하지만 여러 유전질환과 연관되어 생길 수 있다.

3. 산전 진단

뇌량은 초음파의 coronal 또는 sagittal plane에서 볼 수 있다. 하지만 뇌량을 직접 확인하는 것보다 cavum septum pellucidum이 보이지 않으면서 측뇌실의 posterior horn이 확장되어 특징적인 'teardrop sign'이 보일 경우 잠정적 진단이 가능하다. 또한 제 3 뇌실이 확장되어 있고, 위쪽으로 치우쳐 있으며, 칼라 도플러로 pericallosal aterty가 정상적인 형태를 보이지 않으면 진단에 도움이 되며 꼭 필요하면 태아 MRI를 할 수도 있다. 보통 뇌량은 임신 18~20주에 발생이 완료되므로, 의심이 되어도 18주 이전에는 진단하지 않는 것이 좋다.

4. 동반 기형

뇌량무형성증 환자의 약 50~60%는 동반된 중추신경계의 기형을 가지고 있다. 댄디-워커 기형, 키아리 2형 기형, Rubinstein-Taybi 증후군, Aicardi 증후군, Andermann 증후군 등 여러 질환에서 중추신경계의 이상과 함께 뇌량무형성증을 관찰할 수 있다. 뇌량이 없는 자리에는 흔히 지방종(lipoma)이나 낭종이 대신 자리를 잡는 경우가 많다. 이러한 지방종은 일종의 과오종(hamartoma)으로서 뇌의 중앙선을 따라 흔히 발생한다. 그 외 안면기형, 심장기형, 요로계 기형, 위장관 기형, 호흡기계 기형, 근골격계 기형 등이 동반 될 수 있다.

5. 감별 진단

경증 뇌실확장증, 엽성 전전뇌증(lobar holoprosencephaly), 중격 시신경 형성이상(septo-optic dysplasia)과 구별해야 한다. 뇌량의 일부만 형성되지 않은 뇌량이형성증(dysgenesis of corpus callosum)의 가능성도 염두에 두어야 한다. 소아, 특히 미숙아에서는 뇌량이 충분히 발달하지 못하고 수초화(myelination)가 덜되어 얇게 보이므로 주의해야 한다. 수두증이 있는 경우 뇌량이 얇아져 보일 수 있다.

6. 임신 중 필요한 검사

원인불명의 뇌량무형성증은 대부분 산발적으로 발생하지만, 유선적 원인이 있을 수 있어 염색체 검사를 시행하도록 한다.

출생 후 관리

1. 검사

1) 뇌초음파 및 MRI 검사로 중추신경계 이상에 대한 검사를 실시한다.
2) 유전 증후군이 의심되는 경우 유전자 검사가 필요할 수 있다.

2. 출생 후 치료

뇌량무형성증은 증상의 정도가 매우 다양한데 무증상에서부터 경련, 발달지연, 소두증 등
이 있을 수 있다. 동반된 신경계 기형이 이러한 증상의 주원인인 경우가 많아서 뇌량무형성증
자체와 뇌량이 없는 자리를 차지한 지방종이나 낭종은 치료를 하지 않고 관찰하는 경우가 많
다. 간혹 뇌하수체부전증(hypopituitarism)이 동반되는 경우가 있으며 이 경우 호르몬치료가
필요하다.

3. 출생 후 경과

동반 기형 여부가 예후에 매우 중요하며, 뇌량무형성증만 있는 경우에는 비교적 경과가 양호
한 뇌의 기형으로서 70~87%까지 거의 정상적인 발달이 가능하며, posterior portion의 저형
성 정도에 따라 시각 기능 저하가 동반되기도 하나, 대부분 지능은 정상이다. 동반된 중추신경
계기형의 유무가 장기적인 예후에 중요하며 뇌량무형성증만 단독으로 있는 경우 예후가 좋다.
그러나 정상적으로 발달을 하는 경우에도 학동기에 들어서면 경도의 인지장애나 언어장애를
드러내는 경우가 적지 않다. 특히 뇌MRI에서 전교련(anterior commissure)이 잘 보이지 않은
경우에 인지장애가 나타날 가능성이 높다고 알려져 있다. 산전에 뇌량무형성증만 있는것으로
진단을 받았더라도 분만 후에 동반된 기형이 발견되는 경우가 20~30%까지 보고되고 있다.

[참고문헌]

1. Diagnostic imaging pediatric neuroradiology. 1st ed. Salt Lake City: Amirsys Inc.; 2007
2. Moutard ML, Kieffer V, Feingold J, Kieffer F, Lewin F, Adamsbaum C, et al. Isolated corpus callosum agenesis: a ten-year follow-up after prenatal diagnosis (how are the children without corpus callosum at 10 years of age?). Prenat Diagn 2012; 32:277-83
3. Goodyear PWA, Bannister CM, Russell S, Rimmer S.Outcome in Prenatally Diagnosed Fetal Agenesis of the Corpus callosum. Fetal Diagn Ther 2001;16:139-145

05 수도관협착증
(Aqueductal stenosis)

김은나
전종관

1. 빈도

1000 분만 당 0.3~1.5 례 발생한다. 선천성 수두증의 20% 를 차지하며, 남아 대 여아의 비율은 2:1이다.

2. 질병의 개요 및 발생 원인

정상적으로 뇌척수액은 뇌실 내에서 생성되어 한 방향으로 순환을 하게 된다. 측뇌실에서 몬로공을 거쳐, 제 3뇌실로 간 후, 여기에서 중간뇌수도관(aqueduct of Sylvius)을 거쳐 제 4뇌실을 통해 척수 내 지주막하 공간으로 들어가게 된다. 중간뇌수도관은 뇌척수액이 흐르는 길 중 가장 좁은 부분이며 제 3뇌실과 제 4뇌실 사이를 연결한다. 수도관협착증에서는 중간뇌 수도관이 막혀 뇌압이 상승하는 폐쇄성 수두증이 발생된다.

수도관이 좁아지는 정확한 기전과 시기는 잘 알려져 있지 않다. 수도관협착증은 천막 위(supratentorial) 뇌실 내 압력을 높여 제 3뇌실과 제 4뇌실 사이에 압력 차를 일으킨다. 정상적으로 나타나는 뇌척수액 내의 박동성이 대뇌 피질에 가해져 뇌실의 확장이 진행되게 된다.

협착은 염증 및 거대세포바이러스, 톡소포자충증, 풍진, 인플루엔자, 볼거리, 매독 등의 감염으로 발생하기도 한다. 또한 출혈, 종괴 등에 의해서도 발생할 수 있다.

유전적인 측면을 보자면, 대부분 산발성으로 나타나지만, 드물게 X 염색체 연관 수두증인 Bickers-Adams 증후군과 관련되는 경우가 있다. 이것은 neural cell adhesion molecule 을 만드는 Xq28 유전자의 돌연변이로 인해 발생하며, 남자에서 발생한 수도관협착증의 7%을 차지한다. 엄지손가락 내전이 보이고, 지능 저하를 갖게 된다.

3. 산전 진단

초음파에서 전체적으로 뇌실 내 압력이 증가하여 발생한 양측 측뇌실, 제 3뇌실의 확장 (15mm 이상), 매우 얇아진 뇌실질, 뇌실이 너무 늘어나 맥락막총(choroid plexus)이 측뇌실을 다 채우지 못하는 'dangling choroid' 소견, 반대편의 맥락막총이 늘어난 몬로공(foramen of Monro)을 통해 아래쪽 뇌실로 떨어지는 'double dangle' 현상을 보고 진단한다. 제 4뇌실, 후 두개와(posterior fossa)는 대부분 정상 크기이다. 물론 대수조(cisterna magna)는 심한 수 두증으로 눌려 있을 수 있다. 뇌량(corpus callosum)은 너무 얇아져 있거나, 잘 안보일 수 있 다. 심한 수두증으로 투명중격강(cavum septum pellucidum)의 벽이 뚫리게 되면, 투명중격 강이 없다. 머리둘레는 정상 범위 내에 있을 수 있으나 때로 매우 심하게 커지기도 한다. MRI 소견은 지주막하 공간이 없어지고 제 3뇌실보다 먼 쪽에 대뇌수도관이 보이지 않는 것이다.

4. 동반 기형

수두증이 있는 경우 뇌실의 확장과 태아 뇌 안팎의 다른 추가적인 기형이 동반될 수 있다. 뇌량무형성증 또는 댄디워커기형과 같은 뇌 내 기형이 동반될 수 있고, 뇌 밖의 이상도 약 2/3 에서 볼 수 있다.

5. 감별 진단

무뇌수두증은 뇌실질이 없고, 머리 크기가 정상 범위이다. 완전전뇌증(holoprosencephaly) 은 대뇌 겸(falx cerebri)이 없고, 시상이 융합이 되어 있으며, 얼굴 기형이 동반되어 있고, 머 리 크기가 커져 있지 않다. 키아리 2형 기형은 후뇌(hindbrain)가 탈출 되어 대수조를 막고 소 뇌가 굽어져 보이는 banana sign, 전두엽이 오목해지는 lemon sign 등이 보이게 된다. 뇌실 확장증은 뇌실 확장의 정도가 약하거나 중등도 이며, 머리 크기가 커지지는 않는다. 공뇌증은 뇌실질이 파괴되는 질환으로 주로 허혈성, 감염성 원인으로 인해 발생하며, 실질이 파괴되는 부 분이 국소적이고, 뇌실의 확장이 시간이 지나면서 악화되고, 머리 크기가 커지지 않는다.

6. 임신 중 필요한 검사

컬러 도플러로 눌려 있는 뇌실질 내 혈류와 중간 중간 대뇌동맥을 확인한다. X 염색체 연관 수두증의 가능성을 확인하기 위하여, 성별을 확인하고, 엄지 손가락의 움직임을 잘 확인한다.

2~3주마다 뇌실 확장이 악화되지 않는지 추적관찰을 한다.

MRI를 시행하면 대뇌 실질의 유무를 더 확실히 알 수 있고 뇌내 다른 기형이 동반되는지 알 수 있다. 중간뇌수도관을 확인하기 위해서는 midline sagittal view가 가장 좋다. 수두증과 관련이 있는 염색체 이상인 trisomy 9, 13, 18, triploidy가 있는지 알아보기 위해 양수 검사로 염색체 검사를 시행한다. 거대세포바이러스와 톡소포자충증 등에 대한 감염검사도 시행한다. 가능하다면 *L1CAM* gene 의 돌연변이 여부를 포함한 유전자 검사를 시행하는 것이 좋다.

만일 이전의 임신에서 수도관협착증이었다면, 다음 임신에서는 초기 초음파 검사 상 이상이 없었더라도, 초음파로 뇌의 병변 여부를 추적관찰 해야 한다. 임신 후반기 또는 출생 후에 수두증이 발생할 수도 있기 때문이다.

분만 방법은 모든 케이스에서 상황에 맞게 정해야 한다. 만일 태아의 머리 크기가 너무 심하게 커지면, 폐 성숙을 확인하고 나서 제왕절개로 분만을 고려하여야 한다.

7. 예후

댄디-워커 기형, 이분척추 등과 같은 일차적인 원인에 의한 심한 수두증이 예후가 매우 나쁜 것에 비하면, 수도관협착증에 의한 심한 뇌실확장증은 이보다는 좋은 예후를 갖는다. 그러나 신경학적인 후유증으로 시각상실, upgaze palsy, 시상하부 기능 이상, 지능 저하, 강직 등이 발생할 수 있다. 적절한 시기에 치료하지 않으면 신생아는 성장 실패, 발달 지연, 무호흡, 서맥, setting sun sign 등을 보이며, 신생아 사망률은 약 10~30%, 발달 지연은 약 90% 에 이른다.

X-염색체 연관 수두증인 경우에는 심각한 지능 저하가 올 수 있고, 여아인 경우에는 보인자가 될 수 있으나, 남아라면 50% 에서 다음임신에 재발 위험이 있다. X 염색체 연관 수두증이 아니라면, 약 4% 에서 재발할 위험이 있다.

출생 후 관리   – 뇌실확장증 참조

[참고문헌]

1. Bianchi DW, Bianchi DWF. Fetology : diagnosis and management of the fetal patient. 2nd ed. ed. New York: McGraw-Hill Medical ; London : McGraw-Hill; 2010: 134-140

2. Cardoza JD, Filly RA, Podrasky AE. The dangling choroid plexus: a sonographic observation of value in excluding ventriculomegaly. AJR Am J Roentgenol 1988;151:767-70

3. Levitsky DB, Mack LA, Nyberg DA, Shurtleff DB, Shields LA, Nghiem HV, et al. Fetal aqueductal stenosis diagnosed sonographically: how grave is the prognosis? AJR Am J Roentgenol 1995;164:725-30

4. Schrander-Stumpel C, Fryns JP. Congenital hydrocephalus: nosology and guidelines for clinical approach and genetic counselling. Eur J Pediatr 1998;157:355-62

5. Takechi T, Tohyama J, Kurashige T, Maruta K, Uyemura K, Ohi T, et al. A deletion of five nucleotides in the L1CAM gene in a Japanese family with X-linked hydrocephalus. Hum Genet 1996;97:353-6

6. Weller S, Gartner J. Genetic and clinical aspects of X-linked hydrocephalus (L1 disease): Mutations in the L1CAM gene. Hum Mutat 2001;18:1-12

06 댄디-워커 기형
(Dandy-Walker malformation, Dandy-Walker complex, DWM)

피지훈
강민지

1. 빈도

여아에서 더 자주 나타나며 출생아 1/25,000~30,000의 빈도로 발생한다. 영아 수두증 (infantile hydrocephalus)의 4~12%에서 진단된다.

2. 질병의 개요 및 발생 원인

유전적 요인이 중요하다. 동반될 수 있는 유전적 질환으로 13, 18, 21 삼염색체, 터너 증후군, 멕켈-그루버(Meckel-Gruber) 증후군, 워커-왈버그(Walker-Warburg) 증후군이 있다. 댄디-워커 기형 단독으로 존재할 경우 6p deletion이 많다는 보고도 있으며 non-Hispanic 흑인이거나, 불임의 기왕력이 있으면 발생률이 증가한다는 연구 결과도 있다. *ZIC1*/*ZIC4*유전자가 위치한 3q2 부위 염색체 결손이 발견되기도 하며 PHACE증후군의 약 80%에서 댄디-워커 기형을 동반한다. PHACE 증후군은 얼굴 부위에 혈종(hemangioma)과 동반된 신경피부 증후군으로 후두와 기형, 동맥 기형, 심장 기형, 눈 기형 등이 동반되는 질환이다. 아직 증거는 불충분하나 환경적인 요인인 풍진, 거대세포바이러스, 감염, 술, 당뇨, 와파린 혹은 isotretinoin 복용 등이 원인으로 거론되고 있다. 대부분의 댄디-워커 기형은 산발적으로 발생하나 가족력이 있다는 보고도 있다.

3. 산전 진단

산전 초음파에서 제 4뇌실의 확장, 소뇌 충부(cerebellar vermis)의 무형성이 보이면 진단할 수 있다. 댄디-워커 기형은 소뇌 충부가 제대로 형성되지 않아 소뇌가 작아지면서 제 4뇌실의 출구가 넓어져 낭종과 같은 형태로 보인다. 낭종에 의해 후두와(posterior fossa)의 부피가 커지면서 정맥동 합류(confluence of sinuses; torcular Herophili)가 내려오지 못하여 정맥동 합류의 위치가 두개골의 람다(lambda)보다 위에 위치하게 된다(torcular-lambdoid inversion). 제 4뇌실의 출구와 함께 중뇌수도관이 막히면서(aqueductal stenosis) 뇌실확장증을 흔히 동반한다.

임신 18주까지는 대수조(cisterna magna)가 넓어 보이고 소뇌 충부가 충분히 형성되지 않을 수 있으므로 이른 시기에 댄디-워커 기형이 의심되더라도 추적관찰 하는 것이 좋다. 또한 초음파 단면이 가파를수록 대조는 늘어나 보일 수 있어 정확한 소뇌 단면(cerebellar plane)을 잡는 것이 중요하다. 또한 산전 초음파로는 후두와 특히 소뇌충부의 아래 부분을 정확히 볼 수 없는 경우가 종종 있어 진단에 주의를 요한다. 태아 MRI가 다른 뇌의 동반 기형 여부 및 소뇌 충부의 저형성 정도를 진단하는데 어느 정도 도움이 될 수 있지만 확실한 진단이 어려운 경우도 있다.

4. 동반 기형

댄디-워커 기형 환자의 약 2/3에서 중추신경계에 이상을 동반하고 약 1/4에서 전신적인 이상을 동반한다. 중추신경계에서는 뇌량무형성증(agenesis of corpus callosum)이 가장 흔하고 뇌류(encephalocele), 신경관 결손, 전전뇌증(holoprosencephaly), polymicrogyria, heterotopias 등 뇌신경이주장애(neuronal migration disorder)도 동반될 수 있다. 전신적 이상은 두경부의 모세혈관종(capillary hemangioma)과 심장기형이 가장 흔하며 구순-구개열, 신장기형, 사지기형 등이 동반될 수 있다.

5. 감별 진단

전형적인 댄디-워커 기형과 유사한 소뇌 발달이상으로는 댄디-워커 변형(Dandy-Walker variant, DWV)이 있다. 댄디-워커 기형과 유사하나 소뇌 충부가 비교적 남아있고 뒤쪽으로 회전이 덜 심하며 후두와의 크기가 정상이다. 블레이크 파우치 낭종(Blake pouch cyst, BPC)은 소뇌 충부의 모양이 거의 정상이나 뒤쪽으로 회전만 되어있고 제 4뇌실의 출구가 열려있는 형태이다. 거대 대조(mega cisterna, MCM)는 소뇌와 제 4뇌실의 모양이 다 정상이고 소뇌 뒤쪽의 지주막하공간이 확장되어 소뇌를 앞쪽으로 누르는 형태를 보인다. 이들 발달 이상들을 모아서 전형적인 댄디-워커 기형과 함께 'Dandy-Walker spectrum'이라고도 부른다. 소뇌와 제 4뇌실, 후두와의 변형이 심한 순서로 DWM 〉 DWV 〉 BPC 〉 MCM라고 이해하면 된다. 가끔 지주막낭종(arachnoid cyst) 으로 오진하는 경우도 있다.

6. 임신 중 필요한 검사

염색체 이상이 50%정도에서 발견되므로, 모든 산모에게 염색체 검사를 시행하며, 동반기형 여부를 알기 위해 정밀초음파 및 태아심초음파를 시행한다. 24주 이전에 진단이 되면 임신 종결도 고려할 수 있다.

출생 후 관리

1. 검사

1) 뇌초음파 및 MRI 검사로 중추신경계 이상에 대한 검사를 실시한다.
2) 동반된 수두증이 있다면 뇌압상승의 징후를 살피고 정기적으로 두위를 측정하여 수두증이 진행하는지 여부를 확인한다.
3) 다른 장기와 기관에 기형이 동반되었는지 확인한다.

2. 치료

수두증이 동반되어 있다면 수술적 치료가 필요하다. 과거에는 후두와쪽 개두술을 하고 낭종을 제거하는 수술을 하였으나 지금은 이런 수술은 거의 하지 않으며 주로 션트를 이용하여 환자에게 부담이 적고 효과적인 방법으로 치료한다. 그러나 구체적인 수술방법은 다양하여 여러 가지 방법이 존재한다: 1) 위쪽 측뇌실에 션트, 2) 아래쪽 제 4뇌실에 션트, 3) 양쪽에 함께 션트 방법이 모두 가능하고 여기에 더하여 내시경을 이용하여 제 3뇌실천공술을 하거나 중뇌수도관에 스텐트를 넣어 개통시키는 방법도 있다. 어떤 수술법이 더 효과적인지에 대해서는 아직 확립되지 못하였다. 한 번의 수술로 수두증이 완전히 해결되지 않으면 다른 수술을 추가하거나 두 가지 수술법을 동시에 시행하는 다양한 치료전략이 존재한다. 어쨌든 대부분의 환자에서 수두증이 비교적 작은 수술들로 해결가능하다는 것은 분명하다.

3. 경과

댄디-워커 기형의 정도가 심할수록, 이른 주수에 진단될수록 예후가 좋지 않다. 약 80~90%는 1년 이내에 수두증의 형태로 증상이 나타난다. 댄디-워커 기형이 생후에 진단되는 경우는 동반된 기형이나 증후군에 대한 검사를 하거나 수두증에 대한 평가를 하면서 발견된다. 대부분 생후 3개월 이내 진단되며 간혹 일 년이 지나서 발견되기도 한다. 치료의 발달로 근래의 문헌에는 사망률이 10% 이하로 보고되고 있으며, 현재는 이보다도 더 낮을 것으로 보고 있다. 수두증의 유무와 동반된 신경계 및 전신기형의 유무가 예후에 중요하다. 따라서 신경계에 대한 평가, 발달력의 평가와 함께 동반된 질환이 있는지 살펴야 한다. 동반된 심한 기형이 없다면 예후는 전반적으로 양호한 편이다.

수두증은 대부분 수술치료가 필요하며 션트수술을 받은 경우 션트를 가진 다른 환자들처럼 진료하면 된다. 수두증이 수술로 잘 해결된다면 남아있는 소뇌조직의 발달정도와 동반된 뇌의 기형유무가 인지기능 발달에 중요한 예후인자이다.

경한 정도부터 심각한 정도까지 정신 지체가 나타날 수 있다. 염색체 이상이 동반되지 않은 댄디-워커 기형 환자의 35~50%는 비교적 정상 지능을 보인다고 알려져 있다. 운동 기능 장애도 근육 강직(muscle stiffness), 경련을 동반한 하지 마비(spastic paraplegia)의 형태로 종종 나타난다. 시각 및 청각 장애를 동반하기도 한다.

[참고문헌]

1. Diagnostic imaging pediatric neuroradiology. 1st ed. Salt Lake City: Amirsys Inc.; 2007
2. Choutka O, Mangano FT. Dandy-Walker syndrome. In: Winn HR. Youmans neurological surgery. 6th ed. Philadelphia (PA): Saunders; 2011. p.1906-10
3. Reeder MR1, Botto LD1, Keppler-Noreuil KM2, Carey JC1, Byrne JL1,3, Feldkamp ML1 et al. Risk factors for Dandy-Walker malformation: A population-based assessment. Am J Med Genet A. 2015 May 1 (Epub)
4. Guibaud L1, Larroque A, Ville D, Sanlaville D, Till M, Gaucherand P et al. Prenatal diagnosis of 'isolated' Dandy-Walker malformation: imaging findings and prenatal counselling. Prenat Diagn. 2012;32:185-93

07 지주막낭
(Arachnoid cyst)

피지훈
김수아

기 형 태 아 를 위 한 카 운 슬 링

1. 빈도

부검 연구에서 인구집단의 0.1% 정도가 지주막낭을 가지고 있는 것으로 보고되었고 MRI 영상 연구에서는 약 1%의 사람들에서 지주막낭이 발견된다. 전체적으로 증상이 있는 경우보다 뇌 영상검사에서 우연히 발견되는 비율이 높다. 남아에서 여아보다 약 2:1로 많이 발생하는 것으로 알려져 있다.

2. 질병의 개요 및 발생 원인

지주막낭은 뇌를 둘러싸는 지주막하 공간에 뇌척수액으로 채워진 낭이다. 가장 흔하게 발견되는 위치는 측두엽에 인접한 중두개와(middle cranial fossa), 제 3뇌실 주의의 터키안상부(suprasellar), 그리고 후두와(posterior fossa) 이다. 많은 경우 증상을 유발하지는 않는다. 산전에 크기가 일정하게 유지되면 안정적이나 크기가 커지면 수두증을 유발할 수 있다.

임신 15주경에 제 4뇌실이 되는 부위로부터 뇌척수액이 흘러나와 그때까지 한 층으로 존재하던 meninx primitiva를 안쪽의 연막(pia mater)과 바깥쪽의 지주막(arachnoid membrane)으로 나누면서 지주막하 공간을 형성하게 된다. 이 과정에 문제가 발생하면 연막과 지주막 사이에 뇌척수액이 차있는 낭과 같은 공간이 형성되어 지주막낭이 생긴다는 가설이 지배적이다. 후천적으로는 출혈, 외상, 감염의 합병증으로 지주막낭이 생길 수 있다고 알려져 있다.

3. 산전 진단

초음파상으로 산전에 대뇌반구간열(interhemispheric fissure)에서 단방성의 무반향성 (echolucent)의 공간으로 발견되며 뇌실질과 교통이 없는 특징을 갖는다. 크기는 다양하나 때로 낭이 큰 경우에는 정상 뇌실질을 밀어버려 다른 뇌질환으로 오인될 수 있다. 실제 낭 외의 뇌조직은 정상이다. 도플러 초음파상에서 혈관조직이 없음을 확인할 수 있다. 지주막낭은 천막위(supratentorial)에서 2/3가, 후두와에서 1/3이 발견되며, 앞서 언급한 것처럼 산전에는 대뇌반구간(cerebral interhemisphere)에서 주로 보인다.

4. 동반 기형

대부분의 지주막낭은 독립적으로 발생하나 마르팡 증후군, 제 1형 신경섬유종증, glutaric aciduria type 1과 상염색체우성 다낭성신증후군(polycystic kidney disease) 등 몇몇 유전질환에서 빈도가 높게 보고되고 있다.

5. 감별 진단

후두와에 생기는 경우 거대대수조(mega cisterna magna)와 감별을 요하는데, 거대대수조의 경우는 대뇌 반구에 종괴효과(mass effect)라든지, 수두증을 일으키지 않는다. 또한 댄디-워커 기형(Dandy-Walker malformation)과도 구분이 어려울 수 있는데, 뇌량무형성증 (agenesis of corpus callosum)이 존재하는 경우는 댄디-워커 기형을 시사한다. 또한 공뇌증낭(porencephalic cyst)의 경우는 손상받은 뇌조직의 괴사로 생긴 낭으로 뇌조직의 파괴로 구분할 수 있다.

6. 임신 중 검사

1) 초음파 검사: 낭의 크기 변화 및 뇌수종 발현
2) 태아 MR: 동반된 중추신경계 이상이 있을 경우(optional)
3) 태아 염색체 검사: 지주막낭만 있을 경우는 대상이 되지 않는다.

출생 후 관리

1. 검사

1) 임신 중에 발견된 경우 뇌초음파로 지주막낭의 크기 변화와 수두증의 발생을 점검한다.
2) 머리둘레를 재고 뇌압상승의 징후가 없는지 확인한다.
3) 다른 낭성 질환과 감별하거나 동반된 뇌의 이상을 확인하고자 할 때는 MRI를 촬영한다.

낭성 종양이나 지주막하 공간에 종종 발생하는 유피낭종(epidermoid cyst)이 주요 감별대상이다. 지주막낭은 대부분 측두엽부위, 대뇌반구간, 터키안상부, 소뇌교뇌각(cerebellopontine angle)과 같이 특정한 위치에 나타나므로 특징적인 위치와 모양으로서 비교적 쉽게 감별할 수 있다. 낭성 종양과 달리 벽이 매우 얇고 조영증강되지 않으며 벽에 석회화된 부분도 없다. 또한 내부를 가로지는 혈관이나 벽에서 안쪽으로 자라는 종괴가 없다. 내부의 액체가 CT나 MRI에서 뇌척수액과 거의 같은 정도의 음영을 보인다. 종양이나 유피낭종의 낭에는 단백질이 많은 액체가 차있는 경우가 흔해서 뇌척수액과는 현저하게 다른 신호를 보이거나 확산강조 MRI (diffusion-weighted MRI)에서 확산제한(diffusion restriction)을 보이는 점이 지주막낭과 다르다.

2. 치료

지주막낭의 대부분은 양성의 경과를 밟으며 일부에서 커지면서 주위 뇌조직을 압박하거나 기능이상을 일으켜 치료를 요하게 된다. 어떤 지주막낭을 치료해야하고 어떤 경우는 관찰해야 하는지 많은 논란이 있으나 몇 가지 원칙이 존재한다.

첫째, 나이가 어릴수록 지주막낭의 크기가 커질 확률이 높으며 나이가 들면 이러한 가능성이 현저히 떨어지게 된다. 5세가 넘은 환자에서 지주막낭은 거의 대부분 크기가 변하지 않는다고 알려져 있다. 따라서 태생기에 발견되거나 영아기에 발견된 지주막낭은 면밀히 추적검사를 할 필요가 있으나 나이든 소아나 청소년에서 처음 발견된 경우 크기의 변화가 없을 가능성이 크다.

둘째, 터키안상부나 quadrigeminal cistern과 같이 뇌 중앙부위에 위치한 지주막낭은 뇌척수액의 흐름을 방해하여 수두증을 동반하거나 뇌압상승을 일으키는 경우가 발생하므로 주의 깊게 관찰해야 한다. 가장 흔한 지주막낭인 측두엽 부위의 지주막낭은 수두증이 동반되는 경우가 거의 없다. 특히 터키안상부 지주막낭은 영아나 어린 소아에서 대부분 발견되며 수두증 뿐만 아니라 60%에서 성조숙증이나 성장지연과 같은 내분비증상을 동반하여 수술적 치료를 요하는 경우가 많다.

셋째, 수두증을 제외하면 지주막낭이 일으키는 주 증상은 두통, 경련(seizure), 신경학적 결손이다. 이들 증상이 있으면 수술적 치료를 고려하게 된다. 마비와 같은 신경학적 결손은 비교적 연관성이 명확하나, 보다 흔한 두통과 경련이 정말 지주막낭에 의해 나타나는가는 불확실한 경우가 많아 수술적 치료에 신중을 기해야 한다. 지주막낭의 빈도가 비교적 높고 대부분은 우연히 발견된다는 사실을 고려하면 두통과 같은 비특이적인 증상에 대해 바로 수술을 결정하는 것은 적절하지 않다.

따라서 지주막낭의 치료를 결정할 때는 환자의 연령, 증상의 유무, 증상의 정도, 증상과 병변의 관련성을 고려해야 하며 또한 몇 차례의 영상검사를 통해 지주막낭이나 수두증이 진행하는가 여부를 확인하는 것이 중요하다. 우연히 발견된 무증상의 지주막낭이나 나이든 소아에서 지주막낭이 발견된 경우, 반복적인 검사에서 크기 변화가 없는 경우는 관찰하는 것이 우선이다.

수술은 이전에는 지주막낭에 션트를 삽입하여 복강으로 연결하는 방법을 많이 사용하였으나 션트수술의 부작용 때문에 최근에는 내시경을 이용하여 낭을 터뜨려 지주막하공간과 연결해주는 수술을 많이 하고 있으며, 작게 개두술을 하여 낭을 지주막하공간과 연결해주기도 한다.

3. 경과

대부분의 지주막낭은 추적관찰만으로 양호한 결과를 얻는다. 앞에서 설명한 바와 같이 임신 중 발견되거나 신생아기, 영아기에 진단된 경우, 뇌 중심부위에 있는 경우, 뇌실주변에 생겨 뇌실확장과 수두증이 의심되는 경우에는 환자의 증상과 낭 크기의 변화를 관찰하면서 수술여부를 결정한다. 내시경이나 개두술로 수술한 경우 낭 크기의 축소와 증상의 호전을 보이지만 결과를 예측하기 어려운 경우가 많으며 수술 합병증도 적지 않으므로 수술여부를 결정하는데 신중함을 요한다. 발달과 지능은 보통은 정상 범위이며 동반된 기형이 없는 경우는 예후가 좋다. 수두증이나 경련(seizure) 발생하면 장기적 예후는 좋지 않다.

[참고문헌]

1. Chen CP. Prenatal diagnosis of arachnoid cyst. Taiwan J Obstet Gynecol. 2007;46:187-98
2. Pilu G, Falco P, perolo A, Sandri F, Cocch G, ancora G et al. Differentiral diagnosis and outcome of fetal intra-cranial hypoechoic lesions: report of 21 cases. Ultrasound Obstet Gynecol. 1997;9;229-36
3. Wetjen NM, Walker ML. Arachnoid cysts. In: Winn HR. Youmans neurological surgery. 6th ed. Philadelphia (PA): Saunders; 2011. p.1911-17
4. Choi JW1, Lee JY, Phi JH, Kim SK, Wang KC. Stricter indications are recommended for fenestration surgery in intracranial arachnoid cysts of children. Childs Nerv Syst. 2015;31:77-86

08 뇌류
(Cephalocele)

김수아
전종관

기 형 태 아 를 위 한 카 운 슬 링

1. 빈도

전두부 뇌류의 경우 10,000명에 1명의 빈도이며 백인에 호발 하는데 반하여, 후두부 뇌류는 10,000명 출생아 중 2명의 빈도로 동남 아시아인에서 호발 한다.

2. 질병의 개요 및 발생 원인

뇌류란 두개골의 결손부위로 뇌조직이 탈출(herniation)된 것으로 뇌조직 없이 수막 (meninges)만 빠져나온 경우도 포함한다. 뇌류의 경우 생기는 위치에 따라 크게 전두부 뇌류와 후두부 뇌류로 나눌 수 있다. 후자의 경우가 더 흔한데, 후두부 뇌류의 경우 발생학적으로 신경구멍의 닫힐 때 결손이 일어난다고 알려져 있다. 유발인자로는 임신부의 비만, 당뇨나 멕켈-구르버 증후군과 같은 유전질환이 있다.

3. 산전 진단

초음파상으로 머리에 붙은 혹을 발견한 후 두개골의 결손 부위를 찾으면 된다. 임신제 1분기에는 주수에 비해 머리가 작거나 둥글지 않으면, 의심하고 찾아 볼 수 있으며 "cyst within cyst"의 형태를 보인다.

4. 동반 기형

뇌실확장증이 80%에서 동반되며, 1/4 에서는 소두증이 발견된다.

투명중격강(cavum septum pellucidum)의 결손, 뇌량무형성증(agenesis of corpus cal-losum), 댄디-워커 기형 등이 동반될 수 있다.

5. 감별 진단

두피의 혹(scalp mass)의 경우 여러 각도에서 확인하여 온전한(intact) 두개골을 확인하여 구분할 수 있다. 후두부 뇌류 중 수막류(meningocele)는 낭성 수종(cystic hygroma)과 감별이 어려울 수 있는데, 낭성 수종은 뼈의 결손이나, 다른 신경계의 기형은 거의 없으며, 대부분 격막구분(septation)이 동반되어 나타난다. 태아 양막대증후군(amniotic band syndrome)에 의한 경우 는 두부 외에도 다른 부위에 침범이 있으며, 비대칭적 특징을 가진다.

6. 임신 중 검사

1) 모체 AFP: 뇌류가 피부로 둘러싸여 있어 정상인 경우가 많다.
2) 태아 염색체 검사: 신경관결손은 다인자성 유전이므로 태아염색체검사를 모두 해야되는 것은 아니다. 뇌류는 6~9%의 염색체이상을 가능성이 있으므로 염색체검사를 하는 게 좋다.
3) 태아 MRI: 동반된 기형이 의심되면 할 수 있다.(optional)

7. 출생 후 경과 – 뇌실확장증(ventriculomegaly) 참조

뇌류의 경우 탈출된 혹의 크기 및 뇌실확장증 또는 소두증의 여부와 다른 동반 기형의 유무에 따라 예후가 다르다. 하지만 통계적으로는 태아 시기에 80%의 치사율과 신생아기에 40%의 치사율을 가지며, 살아남은 경우에도 80%에서 신경학적 장애(neurologic impairment) 즉, 발달 장애와 간질이 나타난다. 임신 중 중요한 결정이 필요한 경우 산전에 태아 MRI를 통한 정확한 진단이 도움이 될 수 있다.

[참고문헌]

1. Budorick NE, Pretorius DH, McGahan JP, Grafe MR, James HE, Slivka J. Cephalocele detection in utero: sonographic and clinical features. Ultrasound Obstet Gynecol. 1995;5:77-85
2. Chatterjee MS, Bondoc B, Adhate A. Prenatal diagnosis of occipital encephalocele. Am J Obstet Gynecol. 1985;153:646-7
3. Simpson DA, David DJ, White J. Cephaloceles: treatement, outcome, and antenatal diagnosis. Neurosurg. 1984;15:14-21

09 갈렌정맥기형
(Vein of Galen aneurysmal malformation, VGAM)

피지훈
김수아

기 형 태 아 를 위 한 카 운 슬 링

1. 빈도

뇌혈관기형의 1% 미만으로 드물며 남아에서 더 호발하는 것으로 알려져 있다.

2. 질병의 개요 및 발생 원인

태생기에 신경계에는 맥락총혈관(choroidal artery)과 중뇌사상판혈관(quadrigeminal artery)이 가장 먼저 발달하면서 뇌의 중앙에서 하나의 정맥으로 이어지는 혈액의 흐름이 생기는데 이 혈관이 정중전뇌정맥(median prosencephalic vein)이다. 뇌혈관계가 발달하면서 정중전뇌정맥은 퇴화하고 일부분만 남아 갈렌정맥이 된다. 갈렌정맥기형은 이 태생기의 동맥계와 정중전뇌정맥의 연결이 퇴화하지 않고 남아서 커다란 동정맥루(arteriovenous fistula)를 형성한 것을 지칭한다. 특정한 원인은 밝혀지지 않았으며 대부분 산발적으로 발생하고 유전성 경향이 거의 없다. 정중전뇌정맥이 남아있는 경우 직정맥동(straight sinus)이 발달하지 않고 주로 겸상막정맥동(falcine sinus)으로 연결되며, 동정맥루를 통해 션트현상이 일어나 다량의 혈류가 흐르면 S상정맥동(sigmoid sinus)과 경정맥구(jugular bulb)가 잘 발달하지 않고, 시간이 지나면서 서서히 막히는 현상이 일어난다. 갈렌정맥기형에서 정맥동이 막히는 이유는 잘 알려지지 않는다. 또한 상대정맥을 통해 우심방으로 돌아오는 혈류의 양이 비약적으로 증가하여 심부전이 발생한다. 전신으로 가는 동맥혈류가 뇌의 동정맥 션트와 심부전에 의해 줄어들면 말초기관에 부전이 발생하여 간비대, 신부전, 대사성산혈증이 발생한다.

뇌에서는 정맥동압이 높아지면서 정맥성고혈압이 발생하여 뇌부종 및 허혈성뇌손상을 일으킨다. 정맥성고혈압의 정도에 따라 발달지연, 경련, 뇌출혈이 일어나기도 하며 장기간 지속되면 뇌의 황폐화가 진행된다. 높은 정맥동 압력으로 인하여 뇌척수액의 흡수가 저해되어 수두증이 발생할 수 있으며 대두증(macrocrania)를 보이고 뇌압상승으로 인해 뇌손상을 가속화시킨다.

3. 산전 진단

초음파상에 두드러지는 뇌 정중앙의 혈관구조를 확인한다. 초음파상에서 낭성조직을 확인한 후 컬러 도플러상에서 혈관조직임을 확인하면 진단 내릴 수 있다.

4. 동반 기형

드물다. 갈렌정맥기형으로 인한 심부전, 수두증 등 2차적인 이상이 나타날 수 있다.

5. 감별 진단

뇌의 중앙에 생길 수 있는 낭성조직과 감별을 요하는데 지주막낭(arachnoid cyst)이나 뇌반구사이의 낭종(interhemispheric cyst)의 경우는 뇌량무형성증이 동반되며, 무엇보다도 컬러 도플러를 사용하여 혈관유무로 구분할 수 있다. 또한 심비대증이나 울혈성 심부전의 증후가 확인되면 갈렌정맥의 기형을 더 확신할 수 있다.

정중전뇌동맥이 아닌 갈렌정맥이 확장되어 있는 것을 갈렌정맥확장(vein of Galen aneurysmal dilatation)이라 하여 갈렌정맥기형과 구별한다. 갈렌정맥확장은 대부분 중뇌사상판부위에 동정맥기형(arteriovenous malformation)이 있고 갈렌정맥이 이 동정맥기형의 정맥 역할을 하여 확장됨으로서 나타난다. 갈렌정맥기형의 정중전뇌동맥은 정상적인 뇌조직의 정맥계와 독립되어 존재하는 순수한 동정맥루이지만 갈렌정맥확장의 갈렌정맥은 정상적인 뇌심부 정맥계와 연결되어 있으므로 정맥쪽으로 접근하여 막는 경우 심각한 정맥성고혈압을 유발하므로 정맥쪽으로 접근하는 것이 금기이다.

6. 임신 중 검사

1) 초음파검사
2) 태아 MRI
3) 태아 심초음파

출생 후 관리

1. 검사

1) 연령, 체중, 신장이 심기능평가와 뇌중재시술에 중요한 변수가 된다.

2) 심장기능에 대한 정확한 평가가 필요하다.

3) 뇌 MRI, MR angiography (MRA), MR venography (MRV)로 갈렌정맥기형의 구조에 대한 정보를 얻는다. 또한 수두증이 있는지, 뇌손상이 진행되었는지 확인한다.

4) 말초기관, 특히 간과 신장에 기능적 손상이 있는지 확인한다.

2. 출생 후 치료

갈렌정맥기형의 치료 목표는 동정맥루를 완전히 막아서 동정맥루 및 확장된 정중전뇌정맥을 (영상에서) 사라지도록 하고, 환자가 신경학적으로 정상적인 발달을 하도록 하는 것이다. 과거에는 수술로 제거를 시도하였으나 사망률이 매우 높아서 지금은 거의 하지 않으며, 1980년대부터 중재적 시술로 성공적인 치료 사례들이 보고되면서 현재 대부분의 환자에서 중재적 시술로 동정맥루를 막고 있다.

치료의 시기가 중요한데 병변의 형태와 션트의 양이 이를 결정하게 된다. 갈렌정맥기형이 많은 공급동맥과 연결된 소위 choroidal type의 경우 션트의 양이 많아서 신생아기에 심부전을 일으키는 경우가 많다. 심기능, 신기능에 대한 평가를 바탕으로 이뇨제와 승압제와 같은 약물을 적절히 사용하여 환자를 혈역학적으로 안정시키는 것이 우선이다. 환자가 약물치료로 안정된다면 퇴원하여 외래에서 정기적으로 발달 상태, 수두증의 발생여부, 뇌허혈의 증거를 관찰하면서 생후 5~6개월까지 기다렸다가 중재적 시술을 시행한다.

신생아기에 심부전이 약물치료에 반응하지 않는 경우에는 응급 중재적 시술을 해야하는데, 혈역학적 불안정, 작은 접근 혈관의 직경과 제한된 조영제 사용량 등으로 시술에 어려움이 크며 공급동맥이 많은 경우 한 번에 막을 수 없고 여러 번 나누어 시술을 해야 한다. 시술이 성공적인 경우 심부전 증상이 개선되고 환자는 안정된다. 경과관찰을 하면서 4~6 개월 뒤 다시 시술을 하여 동정맥루를 최대한 막는 것을 목표로 한다.

시술전이나 여러 번 시술 사이에 외래에서 경과관찰을 하는 동안에는 심부전이 다시 심해지는지, 발달이정표를 따라가고 있는지 관찰해야 하며, 두위가 비정상적으로 증가하거나 두피 정맥이 두꺼워지는 수두증의 징후가 없는지 확인해야 한다. 보통 매월 외래를 방문하고 3개월 마다 뇌 MRI+ MRA+ MRV를 찍어 뇌실질의 상태, 뇌실의 크기와 갈렌정맥기형의 크기와 모양을 확인하면서 중재적 시술의 시기를 정한다. 수두증이 진행한다면 즉시 중재적 시술을 해야하며 시술이 성공하여 정맥동압이 감소하면 수두증이 해결되어 션트수술을 피할 수 있다.

공급동맥이 적은 소위 mural type의 경우 대부분 심부전이 없이 신생아기 이후에 수두증의 증상을 일으키고 한 번의 중재적 시술로 치료가 가능한 경우가 많아 경과가 양호하다.

3. 출생 후 경과

갈렌정맥의 동정맥루 크기가 임상증상을 결정하는데 중요하다. 단락현상으로 인해 심박출량의 반 이상이 동정맥루로 흐르게 되면 울혈성 심부전(congestive heart failure)를 유발할 수 있다. 또는 갈렌정맥기형이 중뇌수도(sylvian aqueduct)를 막음으로써 수두증을 유발할 수 있다. 또한 갈렌정맥기형이 뇌출혈 또는 뇌경색을 유발할 수 있다. 출생 후 단락(shunt)의 양은 증가하게 되므로 출생 후 적극적인 치료가 필요하며, 살아남은 경우도 만성 허혈로 인해 인지장애가 생길 수 있다.

신생아기에 심부전이 나타난 경우 션트의 양이 많고 동정맥루가 복잡하여 치료가 어렵고 예후가 나쁘다. 영아기 이후에 발현한 경우 상대적으로 예후가 좋다. 처음 발견되었을 때 이미 뇌손상이 심하여 뇌실질에 석회화가 다발성으로 있는 경우나 뇌위축이 심하여 황폐화된 경우 치료의 의미가 저하되며 중재적 시술을 해야 하는지 고민해야하는 경우가 있다. 따라서 갈렌정맥기형을 가진 환아는 진단시에 뇌의 기능, 동정맥루의 성상, 심장 및 전신기능에 대한 정확한 평가가 필요하며 이에 기반하여 적절한 치료의 시기와 방침을 정해야 한다.

갈렌정맥기형은 최근까지도 문헌에 높은 사망률을 기록하고 있으나 산전 진단, 신생아 관리, 심부전 치료 및 중재적 시술의 발달로 치료율이 향상되고 있다. 중재적 시술을 끝내고 환자가 안정되면 3~6 개월 간격으로 MRI+ MRA+ MRV를 촬영하고 발달과정을 잘 따라가고 있는지 점검한다. 최종 치료로부터 1년 정도 경과되면 혈관조영술을 하여 동정맥루가 사라졌는지 확인한다.

[참고문헌]

1. Diagnostic imaging pediatric neuroradiology. 1st ed. Salt Lake City: Amirsys Inc.; 2007
2. Berenstein A, Niimi Y. Vein of Galen aneurysmal malformation. In: Winn HR. Youmans neurological surgery. 6th ed. Philadelphia (PA): Saunders; 2011. p.2150-65

10 무뇌증
(Anencephaly)

김수아
전종관

기 형 태 아 를 위 한 카 운 슬 링

1. 빈도

전체 신생아 출생의 0.03~0.1%에서 발생하며 여아에서 더 호발하는 것으로 알려져 있다.

2. 질병의 개요 및 발생 원인

무뇌증은 안와뼈 위로 신경조직(neural tissue)과 두개골(cranial vault)이 결손되어 있는 것으로 신경관결손(neural tube defect)의 대표적 질환이다. 무뇌증이 발생하는 것은 다인자적(multifactorial) 요인 즉, 유전자적, 환경적, 대사적 그리고 영양학적 요인이 기여한다. 발생학적으로는 전방 신경구멍(anterior neuropore)이 닫히는 과정의 결손으로 생긴다고 보고 있다. 이 때 엽산 부족이 이 과정에 중요하게 관여할 것으로 생각된다. 다른 요인으로는 임산부가 제 1형 당뇨병이 있을 때, 비만일 때, 임신 초기에 고열에 노출되는 것을 들 수 있다.

3. 산전 진단

무뇌증은 초음파상에서 안와뼈가 두드러지게 보여 개구리 눈 일명 "Mickey Mouse"처럼 보이면 바로 진단할 수 있다. 무뇌증의 전 단계는 태아뇌증(exencephaly)으로 두개골이 뇌조직을 둘러싸고 있지 않아서 경계가 명확하지 않은 태아의 머리로 확인할 수도 있다. 임신 제 1분기에는 머리엉덩길이(crown-rump length)를 측정해 보면 주수에 비해 짧은 것을 확인할 수 있다. 임신 제 2분기에는 양수에 노출된 뇌조직이 용해되고 파괴되어 두개골 윗부분이 관찰되지 않는 것으로 쉽게 진단내릴 수 있다. 이 때 태아는 과운동성(hyperactive)의 경향을 보이며, 양수과다증이 동반되는 경우가 많다.

4. 동반 기형

1/3 정도에서 동반기형을 동반한다. 심장기형 4%, 비뇨생식기계 16%, 구순구개열 10%, 위장관계 6%로 알려져 있다.

5. 감별 진단

무뇌증의 경우 태아 양막대증후군(amniotic band syndrome)과 감별을 요하는데, 양막대증후군의 경우는 두개골 및 뇌조직 외에도 신체 다른 부위를 침범하며 비대칭적(asymmetric) 경향을 보인다. 또한 무뇌증과는 달리 양수과소증이 동반되는 경우가 있다. 뇌류(encephalo-cele)의 경우는 두개골은 존재하는데 결손이 있어 뇌조직이 일부 돌출되는 것이다.

6. 임신 중 검사

초음파로 진단되면 추가적인 검사가 필요하지 않으나 동반 기형이 있을 경우 다음 임신을 위하여 분만시 제대혈을 이용한 염색체검사를 할 수도 있다.

7. 예후

무뇌증은 치명적(lethal) 질환으로 생존할 수 없으며 유전학적 상담과 임신종결이 고려된다. 다음 임신에서는 엽산을 저위험군에서 권장하는 400 mcg보다 10배 많은 4000 mcg (4 mg)을 복용하도록 한다.

[참고문헌]

1. Medical Task Force on Anencephaly. The infant with anencephaly. N Eng J Med.1990;332:669-74
2. Mitchell LE. Epidemiology of neural tube defects. Am H Med Genet C semin Med Genet. 2005;135C:88-94
3. Obeidi N, Russell N, Hiqqins JR, O'Donoghue K. The natural history of anencephaly. Prenat Diagn. 2010;30:357-60

11 완전전뇌증
(Holoprosencephaly)

박정우
전종관

1. 빈도

16,000 출생아당 1명꼴로 발생한다. 자연유산에서 1/150의 발생률을 보이고 당뇨병 임신부에서는 1%의 발생위험이 있다.

2. 질병의 개요 및 발생 원인

완전전뇌증은 배아기 전뇌(prosencephalon)의 곁주머니형성(diverticulation) 부전으로 발생하며 전뇌가 좌우 대뇌반구(cerebral hemisphere)와 간뇌(diencephalon)로의 분할이 불완전한 정중부 분리(midline separation) 장애가 특징이다. 앞서 언급했던 얼굴 기형이 자주 동반된다. 대부분은 단독기형(isolated)이고 산발성(sporadic)이다. 이러한 경우에는 대개 태아염색체는 정상이다. 동반기형이 있거나 Smith-Lemli-Opitz증후군, CHARGE증후군, DiGeorge증후군 등과 같은 증후군의 일부로 나타나기도 한다. 염색체 이상은 40%에서 발견되며, 이중 70%는 trisomy 13이다. 당뇨병이 있는 임신부에서 위험도는 200배 증가한다.

3. 산전 진단

중증도에 따라 무엽성(alobar), 반엽성(semilobar), 엽성(lobar)으로 나누어 진단한다. 초음파 진단을 위해서는 반드시 정중관상면(mid-coronal plane)에서 해부학적 이상을 확인하는 것이 필수이다. Alobar 완전전뇌증은 뇌실의 frontal horn이 하나로 합쳐진 단일뇌실(mono-ventricle)의 형태로 보이고, 따라서 정중부위 구조물 즉 투명 중격강(cavum septum pellucidum), 대뇌겸(falx cerebri), 반구간열(interhemispheric fissure), 제 3뇌실(third ventri-cle), 뇌량(corpus callosum)이 없으면서 융합 시상(fused thalami), 융합 뇌활(fused for-nix)을 확인하면 진단된다. 제 1삼분기에는 정상적으로 보이는 맥락얼기의 'butterfly sign'이 관찰되지 않고 뇌실이 하나로 보이면 의심할 수 있다. 특징적인 안면기형으로 cyclopia, pro-boscis, ethmocephaly, cebocephaly, hypotelorism, single nostril, midline cleft, sin-gle central incisor (mildest form) 등이 자주 동반된다. Semilobar 완전전뇌증은 alobar type보다는 경미한 형태로 투명중격강은 존재하지 않지만 주로 뇌의 뒷 부분에 반구간열, 뇌량, 대뇌낫의 일부만 존재하는 형태이고 시상과 뇌활의 융합도 부분적으로 되어 있을 수 있다. Lobar 완전전뇌증은 가장 경미한 형태로 초음파에서 대부분의 구조물이 정상적으로 관찰되나 투명중격강이 존재하지 않으면서 뇌활 융합(forniceal fusion)이 있으면 진단된다.

4. 동반 기형

중추신경계와 얼굴기형 외에 심장기형, 신장형성이상(renal dysplasia), 다지증(post-axial polydactyly), 위장관계 기형 등이 흔히 동반되며 이러한 경우 태아염색체 이상이 동반되는 경우가 많다.

5. 감별 진단

Alobar 완전전뇌증은 무뇌수두증(hydranencephaly), 무종뇌증(atelencephaly), 무전뇌증(aprosencephaly), 공뇌증(porencephaly), 심한 수두증(hydrocephalus)과 산전 초음파 소견이 유사할 수 있어 감별이 필요하다. 무뇌수두증은 정상 대뇌조직이 전혀 없고 대뇌겸이 존재한다는 점에서 차이가 있다. 무종뇌증과 무전뇌증은 가장 심한 형태의 완전전뇌증이라고도 볼 수 있는데, 늘어난 단일뇌실 주위로 대뇌조직이 전혀 없고 시상도 없거나 흔적 조직으로 관찰된다. 공뇌증은 대게 비대칭적 뇌실 확장 소견을 보이고 시상 융합도 관찰되지 않는다는 점이 감별점이 되겠고 수두증에서는 태아머리가 크고 이 또한 좌우 시상 분리는 정상적이다. 거대 교상의세포낭종(glioependymal cyst)도 비슷하게 보일 수 있어 주의가 필요하다. Lobar 완전전뇌증은 단독투명중격강결여증(isolated absent cavum septum pellucidum), 중격시신경형성이상(septo-optic dysplasia), 뇌량무형성증(agenesis of corpus callosum)과 감별하여야 하는데 투명중격강이 보이지 않는다는 점이 공통된 소견이나 완전전뇌증에서만 보일 수 있는 융합 뇌활 소견이 가장 중요한 감별점이다. 뇌량이 대개 잘 유지되므로 뇌량무형성증에서 보일 수 있는 뇌실의 눈물방울(teardrop) 징후와 양측 뇌실의 anterior horn이 삼지창 모양으로 보이는 특징적인 소견이 관찰되지 않는다.

6. 임신 중 검사

태아 염색체검사

7. 예후

Alobar 및 심한 semilobar type인 경우 출생 후 1년 이내 대부분 사망하고 일부 생존하더라도 심한 정신지체를 동반한다. 반면 lobar 또는 경증 semilobar type인 경우, 단독기형이고 염색체 이상이 동반되지 않은 경우 50% 이상에서 정상 기대여명(life expectancy)이 가능하고 말하기와 정상시력을 보일 수 있다. 그러나 이러한 경우에도 다양한 정도의 정신지체가 동반될 수 있고 동반기형, 증후군, 염색체 이상이 동반될 경우 예후는 불량하다. 특히 산전에 경증 lobar 완전전뇌증으로 의심하였더라도 이중 약 30%에서 출생 후 뇌영상에서 감별해야할 다른 질환으로 진단되는 경우가 있으므로 산전예후 상담시 이와 같은 내용을 포함하여야 한다. 태아 염색체 이상이 없는 경우 다음 임신에서 재발률은 6% 정도이며 증후군의 일부로 나타난 경우 해당 증후군의 재발률을 따른다.

[참고문헌]

1. Dubourg C, Bendavid C, Pasquier L, Henry C, Odent S, David V. Holoprosen-cephaly. Orphanet J Rare Dis 2007;2:8
2. Marcorelles P, Laquerriere A. Neuropathology of holoprosencephaly. Am J Med Genet C Semin Med Genet 2010;154C:109-19
3. Peebles DM. Holoprosencephaly. Prenat Diagn 1998;18:477-80
4. Pilu G, Hobbins JC. Sonography of fetal cerebrospinal anomalies. Prenat Diagn 2002;22:321-30

12 공뇌증
(Porencephaly)

김은나
전종관

기 형 태 아 를 위 한 카 운 슬 링

1. 빈도

매우 드문 질환으로 빈도가 정확히 알려져 있지 않다.

2. 질병의 개요 및 발생 원인

공뇌증이란 정상 뇌 실질 안에 파괴성 병터가 발생하여 낭을 형성하는 것을 말한다. 낭은 뇌척수액으로 차 있으며, 뇌실 등 뇌척수액이 있는 공간과 연결 되어 있다. 원인으로는 첫째, 외부 요인으로 인한 손상으로 뇌실질의 액화변성과 흡수가 일어나 발생되는 경우, 둘째, 뇌갈림증(schizencephaly)과 같이 일차적인 뇌실질 형성의 이상으로 인하여 신경세포의 형성과 이주가 되지 않아 발생하는 경우가 있다.

외부 손상 요인으로는 태아의 정맥 울혈 또는 폐색으로 인한 출혈 경색(hemorrhagic infarct)이 가장 흔하다. Factor V Leiden deficiency, protein C deficiency 등 혈전성향증, alloimmune thrombocytopenia, von Willebrand disease와 같은 출혈성 경향과도 관련이 있다. 이외 산모의 외상, 태반 조기 박리, 태아 뇌출혈, 단일 융모막 쌍태아 중 한 태아의 자궁 내 사망, 심한 태아–태아간 수혈 증후군, 코카인과 같은 산모의 약물 남용, 아나필락시스 등으로 인한 산모의 심한 저혈압, 일산화탄소 중독으로 인한 산모의 심한 저산소증, 거대세포바이러스,톡소포자충증, 단순헤르페스감염, 수두, 콕사키바이러스, 양수 천자 시 태아의 두개골 천공, 비타민 A 과 같은 기형 유발 물질의 노출 등도 원인이 된다.

3. 산전 진단

공뇌증은 초음파로 태아의 정상 뇌실질 안에 액체로 찬 무혈관성 공간이 보일 때 진단된다. 측뇌실 또는 지주막하 공간과 연결 되어 있기도 하다. 공뇌증낭(porencephalic cyst)은 종괴효과가 없이 단측성인 경우가 많다. 낭이 위치한 곳의 뇌실은 줄어든 뇌실질의 부피를 보상하기 위하여 커져 있는 경우가 많으므로, 현저하고 비대칭적인 뇌실확장증이 있다면 공뇌증의 가능성을 생각하여야 한다.

4. 동반 기형

신장, 사지와 같은 타 장기에도 뇌와 비슷한 허혈성 손상이 있을 수 있다. 감염이 원인일 경우에는 간, 두개 내 석회화가 있을 수 있으며, 태아부종도 동반된다.

5. 감별 진단

낭성 병변인 지주막낭(arachnoid cyst)과 감별해야 한다. 지주막낭은 주로 가쪽에 위치하고 정상 뇌실질을 밀고 있으며, 파괴적이지 않는다. 낭성 변화를 보이는 종양도 감별해야 한다. Dandy walker continuum 과 Chiari II malformation, 수도관협착증(aqueductal stenosis) 등으로 인한 수두증과도 감별해야 한다. 만일 심각한 수두증이 동반된다면, 무뇌수두증(hydranencephaly)이 아닌지 확인해야 한다. 무뇌수두증은 뇌실질이 파괴된 공뇌증의 극단적인 형태로 생각된다.

6. 임신 중 필요한 검사

가족력을 자세히 확인하는 것이 중요하다. 뇌졸중, 혈전증, 혈전색전증에 대한 가족력이 있는지 확인하고, 반복적인 공뇌증의 병력여부를 확인한다. 산모의 코카인 등의 마약투약, warfarin 사용, 감염, 출혈 성향여부, 그리고 산모에 타 부위 출혈이 없는지 확인한다. 산모의 거대세포바이러스, 톡소포자충증, 콕사키바이러스에 대한 혈청검사, 출혈성 경향을 검사한다. 병변은 시간이 지나면서 심해질 수 있으므로, 10~14일 후에 다시 초음파로 추적 관찰해야 한다. 뇌실 주변 백질에 음영이 달라지지 않았는지, 태반 조기박리가 있지 않은지 확인한다. 컬러 도플러로 낭과 연관된 혈관 병변 및 다른 혈관 기형이 있는지 확인한다. MRI는 다양한 낭성 병변 중 공뇌증을 정확히 구별할 수 있으므로 공뇌증이 의심되는 모든 경우에 시행하도록 한다.

아직까지 공뇌증과 염색체 이상이 관련이 있다는 보고가 없기 때문에 염색체 검사를 위한 양수검사는 적응증이 되지 않는다. 하지만 양수의 양을 모니터 해야 한다. 허혈성 손상이 신장에도 동반된다면 양수 과소증이 될 것이고, 대뇌 손상으로 인하여 삼킴이 잘 되지 않는다면 양수 과다증이 될 것이다.

Breedveld 등은 상염색체 우성의 형태를 가진 공뇌증 가족력에 대한 보고를 하였다. 2005년에 Gould 등은 COL4A1 유전자에 돌연변이가 생긴 마우스에서 혈관의 결손이 생겨 주산기 대뇌 출혈이 발생하고 공뇌증으로 발전함을 보였다. 그리고 여러 연구에서 상염색체 우성 공뇌증 가족력이 있는 가족에게서 COL4A1 유전자의 돌연변이가 확인되었다. 그러므로 공뇌증의 가족력이 있다면, COL4A1 유전자에 대한 분자 유전적 검사를 시행하는 것을 추천한다. 이 외에 독일에서 이루어진 환자대조군 연구에서 Factor V Leiden 돌연변이가 공뇌증과 관련이 있음을 보였다. COL4A1 와 Factor V Leiden (G1691A) 돌연변이가 있는 가족이라면, 잠재적으로 50%의 재발 위험이 있다.

7. 경과 및 예후

허혈성 변화가 있다고 하여 일찍 분만하는 것은 예후에 도움이 되지 않는다. 급성으로 악화 중일 때에 응급 분만을 하는 것도 예후에 영향을 미치지 않는다. 오히려 조산으로 인한 뇌 손상의 위험이 커질 뿐이다. 24주 이내에 발견된다면, 임신을 종결 시키는 것이 추천된다.

일차적인 뇌실질 형성의 이상으로 발생한 공뇌증은 예후가 더욱 나쁘기 때문에 산모의 건강을 위하여 질식분만을 먼저 고려하고, 외적인 요인 및 파괴되는 과정으로 발생한 공뇌증, 특히 COL4A1 유전자의 돌연변이인 경우에는 분만 외상을 최소화하기 위하여 제왕절개 분만을 하여야 한다. 아직까지 공뇌증에 대한 태아 중재적 시술은 도움이 되는 것이 없다. 특히 혈관성 병변으로 인한 손상이라면, 시술이 추가적인 손상을 줄 것이므로 피해야 한다.

다만 공뇌증을 예방할 수 있는 경우가 하나 있는데, 그것은 단일융모막 쌍태아 중 한 태아가 사망하려고 할 때, 그 전에 분만을 시키거나, 이상 소견이 있는 쌍태아 중 한 명의 탯줄을 태아경을 이용하여 소작시키는 방법이 있다. 이것으로 한 태아의 사망 시에 발생하는 심각한 저혈압을 예방하여 공뇌증의 발생을 막을 수 있다.

예후에 대한 정보가 크게 없어 산전 상담을 할 근거가 매우 적다. 분만 전의 자연 경과로는, 31~36주 사이에 공뇌증이 큰 낭종을 형성하며 심하게 악화된 케이스 보고가 있다. 장기간 예후는 손상부위의 위치와 크기에 따라 달라지나, 일반적으로 예후가 매우 나쁘다. 특히 심한 대뇌 실질의 파괴가 있는 경우 생존아의 장기간 예후는 극히 나쁘다. Cross 등의 보고에 따르면 공뇌증인 태아 15명 중 14명이 생후 6주 안에 사망 하였고, 8명은 분명한 신경학적 이상소견을 보였으며, 유일한 생존아는 12개월에 심각한 신경학적 결손을 보였다. 신경학적인 결손으로는 강직성 사지마비, 시력 상실, 음성 장애, 심각한 발달 지연, 약으로 조절되지 않는 심한 간질 등이 있다.

[참고문헌]

1. Breedveld G, de Coo IF, Lequin MH, Arts WF, Heutink P, Gould DB, et al. Novel mutations in three families confirm a major role of COL4A1 in hereditary porencephaly. J Med Genet 2006;43:490-5

2. Bianchi DW, Bianchi DWF. Fetology : diagnosis and management of the fetal patient. 2nd ed. ed. New York: McGraw-Hill Medical ; London : McGraw-Hill ; 2010;172-6

3. Cross JH, Harrison CJ, Preston PR, Rushton DI, Newell SJ, Morgan ME, et al. Postnatal encephaloclastic porencephaly--a new lesion? Arch Dis Child 1992;67:307-11

4. Gould DB, Phalan FC, Breedveld GJ, van Mil SE, Smith RS, Schimenti JC, et al. Mutations in Col4a1 cause perinatal cerebral hemorrhage and porencephaly. Science 2005;308:1167-71

5. Levine D, Barnes PD, Madsen JR, Li W, Edelman RR. Fetal central nervous system anomalies: MR imaging augments sonographic diagnosis. Radiology 1997;204:635-42

6. Woodward PJ. Diagnostic imaging : Obstetrics. Philadelphia(PA); [Oxford]: Elsevier Saunders; 2005

13 평평뇌증 (Lissencephaly)

안태규
전종관

1. 빈도

매우 드물어 알려져 있지 않다.

2. 질병의 개요 및 발생 원인

평평뇌증은 type I과 II 두가지 그룹으로 나누어진다. type I은 조직학적 검사에서 정상적으로 보이는 6개층의 대뇌 겉질(cortex)이 비정상적으로 두꺼운 4개의 층으로 된 대뇌 겉질(cortex)로 치환된 경우이며, Miller-Dieker 증후군 혹은 Norman-Roberts 증후군과 연관되어 있다. Type II는 층이 없는 대뇌 겉질을 특징으로 하며 뇌 수두증이 빈번한 Walker-Warburg 증후군과 연관되어 있다. 평평뇌증을 일으키는 원인으로 명확하지는 않으나 여러 가지 유전자들이 밝혀졌으며, type I을 일으키는 유전자에는 *LIS1, DCX, RELN, ARX, VLDLR, TUBA1A*가 있으며, type II를 일으키는 유전자에는 *FCMD, FKRP, POMT1, POMT2, LARGE, POMGNT1*가 있다.

3. 진단

태아의 대뇌고랑(sulcus) 특히 두정후두열(parieto-occipital fissure)이나 실비안 열/섬이랑(sylvian fissure/insula)의 발달에 대한 정상 초음파 소견을 아는 것이 평평뇌증을 의심하는데 필수적이며, 이르게는 임신 제 2삼분기 후반부터 병변의 유무를 의심해볼 수 있다. 적절한 태아 나이에 특징적인 대뇌고랑이 보이지 않거나 이상 소견을 보일 경우 대뇌 피질 발달의 지연이나 이상의 가능성을 의심해 볼 수 있다. 대뇌고랑이나 열(fissure)은 초기에 뇌 표면에서 작은 점으로 관찰되며, 후반기에는 V자 형태를 띄다가 결국에는 뇌안쪽으로 Y자 구조의 에코성 선으로 나타나게 된다. 경미한 뇌실확장증이 뇌 성숙 지연의 초반 징후일 수 있으므로, 임신 중반기(19~21주)에 단독으로 나타나는 경미한 뇌실확장증이 발견된 경우 24~26주에 대뇌고랑의 평가를 하는 것이 추천된다. 평평뇌증의 심각 정도에 따라 대뇌 침범 정도가 다양하며, 가장 심각한 형태만이 초음파로 진단할 수 있다. 경미한 정도로 대뇌를 침범한 경우 진단이 매우 어려울 수 있어 MRI가 진단적으로 유용한 기구이며, 대뇌 이랑 질환(gyral disorder)을 진단하는데 초음파보다 보다 정확하다. MRI의 사용은 임신 23~24주 이후가 적당하다. 소두증(microcephaly)은 약 16%에서 보이며, 대뇌고랑(sulci)과 대뇌이랑의 발달부족, 뇌실의 확장, 머리 형태 이상 등이 있을 때 평평뇌증을 의심해볼 수 있다.

4. 동반 기형

평평뇌증은 뇌량무형성증, 댄디워커기형, 소악증(micrognanthia), 배꼽탈장(omphalocele), 다지증, 관상동맥질환, 요관 결손, 양수과다증 등이 동반될 수 있다.

5. 감별 진단

뇌의 발달은 출생 후까지 이어지므로 이른 시기에 진단내리는 것은 신중해야 한다. 특히 임신 20~22주까지는 완만한 대뇌 표면이 정상 소견일 수 있다. 모든 환자에서 대뇌고랑을 평가해야 하는 것은 아니다. 하지만 이전에 뇌의 병변이 의심되거나 이전 임신에서 평평뇌증 신생아를 분만했던 산모에서는 Parieto-occipital fissure, Calcarine fissure, Sylvian fissure and insula 등의 형성을 임신 주수별로 주의 깊게 추적 관찰하는 것이 바람직하다.

6. 임신 중 검사

1) 태아 MRI
2) 유전자 분석; FISH for 17p13.3 deletion (Miller-Dieker region)

7. 예후

예후는 보통 불량하며, 정신 지체, 근위축증, 경련, 생후 5년 이내에 사망 등의 경과를 보인다.

[참고문헌]

1. Ghai S, Fong KW, Toi A, et al. Prenatal US and MR Imaging Findings of Lissencephaly: Review of Fetal Cerebral Sulcal Development. Radiographics. 2006;26:389-405

2. Greco P, Resta M, Vimercati A, et al. Antenatal diagnosis of isolated lissencephaly by ultrasound and magnetic resonance imaging. Ultrasound Obstet Gynecol 1998;12:276-9

3. Aslan H, Gungorduk K, Yildirim D et al. Prenatal Diagnosis of Lissencephaly: A Case Report. J Clin Ultrasound. 2009;37:245-8

14 무뇌수두증
(Hydranencephaly)

김은나
전종관

기 형 태 아 를 위 한 카 운 슬 링

1. 빈도

4,000~10,000 분만 당 한 명 발생한다.

2. 질병의 개요 및 발생 원인

무뇌수두증은 대뇌 반구의 피질이 사실상 없는 것을 말한다. 원래 정상이었던 대뇌 피질이 거의 완전히 파괴되고, 뇌척수액이 담긴 막으로 이루어진 낭이 된다. 무뇌수두증은 공뇌증과 뇌갈림증의 가장 심각한 형태이다.

무뇌수두증의 원인 중 가장 널리 받아 들여지는 기전은 양측의 경동맥이 막혀 발생한 뇌경색이다. 다른 원인으로는 톡소포자충증, 거대세포바이러스, 풍진, 단순헤르페스감염 등의 바이러스 감염, 가족성 factor XIII 결핍과 같은 출혈성 경향과 혈액응고장애, 혈소판 감소증으로 인한 출혈, 태아 및 산모의 저혈압과 자궁 내 저산소증, 독성물질(toxin), 방사선 조사 등이 있다. 유전적인 요인으로 드문 상염색체 열성 유전질환인 Fowler 증후군이 있고, 염색체 16p13.3-12.1와 관련된 근친가족에서 발생하는 경우도 있다.

3. 산전 진단

대뇌 실질이 아예 없어서 보이지 않고, 그 대신 액체로 채워진 큰 낭이 두개 내 천막 위(supratentorial) 공간을 채우고 있을 때 진단한다. 때로 전두엽의 안와면, 후두엽 안쪽, 측두엽 내측은 혈액 우회 순환이 있으므로 뇌실질이 남아있다. 시상, 소뇌, 뇌간도 유지된다. 낭종

안으로 뇌간이 튀어나와 보이기도 한다. 뇌막, 두개골, 후두개와(posterior fossa)는 잘 유지되어있다. 머리 크기도 대개 정상 범위이나 맥락막총(choroid plexus)이 계속 뇌척수액을 만들고 있기 때문에 대두증이 발생하기도 한다. 대뇌 겸(falx cerebri)도 보통 보이지만 부분적으로 보이거나 보이지 않는 경우도 있다. 무뇌수두증은 임신 1분기에도 진단 가능하다.

4. 동반 기형

전형적인 무뇌수두증은 추가적인 다른 이상 없이 단독으로 나온다. 하지만 여러 가지 증후군, 즉 13번 삼염색체증, agnathia malformation complex, hypoplastic thumbs, lethal multiple pterygium syndrome, bilateral renal aplastic dysplasia 와 polyvalvular developmental heart defect 등과 무뇌수두증이 동반되는 것이 보고된 바 있다. 무뇌수두증 4 증례에서 심한 신장 형성 이상과 연관되었다는 보고가 있었다. 일차적인 선천성 뇌의 rhabdoid tumor 와 연관되어 나타났다는 보고도 있다. 양수과다증이 같이 동반되기도 한다.

5. 감별 진단

수두증은 대뇌실질이 있지만, 무뇌수두증은 대뇌실질이 없다. Dandy walker continuum 과 Chiari II malformation로 인한 수두증은 후두개와(posterior fossa) 가 비정상적이다. 수도관협착증(aqueductal stenosis) 에서 발생하는 수두증은 주로 제 3뇌실이 늘어나있고, 머리 둘레가 크다는 점이 무뇌수두증과는 다르다. 하지만 수도관협착증이 너무 심하면 대뇌 피질이 너무 얇아져 보이지 않을 수 있어 감별이 어렵다. 약간의 대뇌피질이라도 있다면, 이것은 무뇌수두증이 아니라, 수두증이다. 이에 더하여, 수두증에서는 무뇌수두증에서 보이는, 낭성 구조 내로 뇌간이 튀어나오는 것이 보이지 않는다. 완전전뇌증(holoprosencephaly)은 대뇌 피질이 남아있고, 대뇌 겸, 제 3뇌실 등의 midline 의 구조가 없고, monoventricle이며, 시상이 유합되어 있다는 점이 무뇌수두증과 다르다. 머리둘레는 오히려 작고, 얼굴 기형이 동반된다. 뇌갈림증(schizencephaly) 양측에 거대한 갈림이 있으면 무뇌수두증과 비슷해 보일 수 있으나, 전두엽, 측두엽, 후두엽의 피질이 있으므로 무뇌수두증과 감별이 된다. 경막하 출혈이 매우 크게 오거나 양측성으로 오면 무뇌수두증으로 오인될 수 있다. 공뇌증과 무뇌수두증은 사실상 일종의 연속선상에 있는 질병의 스펙트럼이므로 이 둘을 나누기는 매우 어렵다.

6. 임신 중 필요한 검사

경색과 출혈의 소견은 대개 시간이 지남에 따라 초음파 소견이 달리 보일 수 있으므로, 무뇌수두증의 진단이 어려울 수가 있다. 최근 발생한 출혈은 초음파 상에서 echogenic 하게 보이고, 이후 시간이 지나 혈액이 응고된 것이 분해되면 무뇌수두증과 같이 anechoic 하게 변한다. 이렇게 무뇌수두증은 그 성상이 변하며, 또 대두증으로 발전할 수 있으므로 초음파로 추적관찰이 필요하다. 앞서 열거한 다양한 감별진단을 구별하여 확진을 하기 위하여 MRI 가 사용된다. 혈청학적 검사로 톡소포자충증, 거대세포바이러스, 풍진, 단순포진감염 등에 대한 검사를 해야 한다. 초음파 상에서 다른 이상이 동반된다면, 태아의 염색체 검사를 고려한다.

7. 예후

무뇌수두증의 예후는 매우 나쁘다. 산모에게 예후가 나쁨을 알려주고 임신의 종결에 대하여 상의하여야 한다. 정확한 진단이 중요하고, 확진이 되면 질식분만이 합당하다. 대부분의 증례는 재발위험이 없다고 본다. 가족성인 경우가 있기는 하나 지극히 드물다.

8. 임신의 관리

대두증이 동반되는 경우가 많으므로, 분만 시 18~20 게이지의 척추침(spinal needle)으로 태아 뇌척수액을 뽑기도 한다. 만일 무뇌수두증에 대한 진단이 확실하지 않은 경우에는 3차 의료 기관에서 소생술과 다양한 증후군에 대한 검사가 준비된 상태에서 분만을 해야 된다. 하지만, 진단에 의심이 없는 경우에는, 분만을 반드시 삼차 의료 기관에서 할 필요는 없다. 태아 감시는 적응증이 되지 않는다. 만일 태아 감시를 하여서 태아가사상태가 의심되는 소견(non-reassuring pattern)을 보이더라도 응급 제왕절개술은 추천되지 않는다.

[참고문헌]

1. Bianchi DW, Bianchi DWF. Fetology : diagnosis and management of the fetal patient. 2nd ed. ed. New York: McGraw-Hill Medical ; London : McGraw-Hill ; 2010: 129-133

2. Byers BD, Barth WH, Stewart TL, Pierce BT. Ultrasound and MRI appearance and evolution of hydranencephaly in utero: a case report. J Reprod Med 2005;50:53-6

3. Hahn JS, Lewis AJ, Barnes P. Hydranencephaly owing to twin-twin transfusion: serial fetal ultrasonography and magnetic resonance imaging findings. J Child Neurol 2003;18:367-70

4. Lam YH, Tang MH. Serial sonographic features of a fetus with hydranencephaly from 11 weeks to term. Ultrasound Obstet Gynecol 2000;16:77-9

5. Woodward PJ. Diagnostic imaging: obstetrics. Philadelphia, Pa.; [Oxford]: Elsevier Saunders; 2005

15 뇌갈림증 (Schizencephaly)

안태규
전종관

1. 빈도

매우 드물다. 70,000명의 출생아당 1명.

2. 질병의 개요 및 발생 원인

대뇌 반구에 길고 좁은 홈(slit or cleft)이 생기고 이렇게 갈라진 부분은 뇌척수액으로 차있다. 대뇌 반구의 한쪽 혹은 양쪽으로 모두 생길 수 있다.

발생 원인은 신경세포 이주 이상에 의한 것이라는 설이 가장 일반적으로 받아들여지고 있으나 명확하지는 않다. 가족적인 형태로 발생한 뇌갈림증이 보고된 적이 있으며, 이는 신경세포 이주 이상과 관련하여 유전적 원인의 가능성을 제시하였고, 관련된 유전자로 *EMX2* 유전자의 이질 접합 변이와 연관성이 보고되었다. 약물 남용이나 산모의 복부 충격에 따른 태아의 혈관 손상으로 초기 태아 손상이 발생한 경우도 있고, 거대세포바이러스의 감염에 의한 뇌갈림증이 보고된 적도 있다. 그러므로 뇌갈림증의 출현은 신경 세포 이상을 일으키는 여러 가지 원인에 의해 이차적으로 생겼을 가능성이 크다.

3. 산전 진단

대뇌 반구의 피질 부위부터 갈라진 병변이 있을 경우 의심할 수 있으며, 뇌척수액으로 채워진 이 병변들은 대뇌 피질로부터 뇌실까지 확장되어 있으면서, 이형성이 동반된 회색질에 의해 경계 지어지는 것이 특징이다. 뇌갈림증은 편측 혹은 양측성으로 발생하며, 결함 부위는 대뇌

반구내 어디든 생길 수 있고, 대개 실비안 주위(perisylvian)에서 발견된다.

4. 동반 기형

뇌갈림증은 혈관 발생학적인 원인으로 인해 여러 기형과 동반될 수 있다. 배아기 때 혈관의 막힘과 그로 인한 허혈성 병변들로 인해 댄디워커기형, 소뇌발육부전(cerebellar agenesis), 얼굴갈림증(facial clefts), 투명중격강무형성(absence of septum pellucidum), 뇌량무형성증, 중격시신경형성이상(septo-optic dysplasia), 뇌실확장증 등이 자주 동반되며 중추신경계 이외의 이상으로는 장폐색증, 배벽갈림증(gastroschisis)이 30%에서 보고되었다.

5. 감별 진단

대뇌 실비안 부위에 생긴 큰 크기의 공뇌증낭(porencephalic cyst)과의 감별은 매우 어렵다. 뇌갈림증은 보통 공뇌증낭처럼 둥글거나 혹은 불규칙적인 형태이기보다 wedge 모양이며, 회색질(gray matter)에 의해 대뇌 피질 병변이 경계 지어진다. 상대적으로 빈번한 중격시신경형성이상과의 연관성 때문에 lobar type의 완전전뇌증이나 단독으로 생긴 중격시신경형성이상과의 감별이 필요하다. 그 외 지주막낭, 뇌실확장증, 무뇌수두증(hydranencephaly)과의 감별도 필요하다. 뇌실확장증으로 오진하는 경우도 있다. 뇌실확장증이 대뇌 피질 부위부터 시작되었다면 뇌갈림증을 의심해야 한다.

6. 임신 중 검사

태아 MRI-진단이 어려울 경우

7. 예후

일반적으로 개방형 양측 뇌갈림증의 경우 간질 및 심각한 정신 지체와 연관성이 있다. 양측성 뇌갈림증과 다른 대뇌 기형이 같이 있을 경우 아주 나쁜 예후를 보인다. 질환의 심각 정도는 대뇌 피질의 병변의 크기에 따라 다르며, 질환의 양측성은 심각한 정신행동학적 지체와 관련성이 있다. 중경 시신경 형성 이상과 연관되어 있을 경우, 시력 상실이 생길 수 있다.

[참고문헌]

1. Denis D, Maugey-Laulom B, Carles D, Pedespan J, Brun M, Chateil J. Prenatal diagnosis of schizencephaly by fetal magnetic resonance imaging. Fetal Diagn Ther 2001;16:354-59

2. Kutuk MS, Gorkem SB, Bayram A, Selim Doganay. Prenatal Diagnosis and Postnatal Outcome of Schizencephaly. J Child Neurol. 2014;22:1-7

3. Oh KY, Kennedy AM, Frias AE Jr, Janice L. B. Byrne. Fetal Schizencephaly:Pre and Postnatal Imaging with a Review of the Clinical Manifestations. Radiographics. 2005;25:647-57

16 두개강내 기형종
(Intracranial teratoma)

피지훈
박정우

1. 빈도

매우 드물다. 그러나 임신 중에 발견되거나 신생아기(~생후 2~3개월까지)에 진단되는 소위 선천성 뇌종양에서는 가장 흔한 병리진단이 기형종이다. 두개강내 기형종은 대부분 남아에서 발견되나 선천성 기형종은 특이하게 여아에서 더 많이 발견된다.

2. 질병의 개요 및 발생 원인

두개강내 기형종은 선천성 뇌종양 중 가장 흔한 형태이며 정중부위 어느 곳에서도 발생할 수 있으나 대부분이 제 3뇌실 주변인 터키안상부(suprasella)와 송과체(pineal body) 부위에 발생한다. 크기도 다양하지만 보통 매우 큰 종양을 형성하여 뇌실과 전두엽, 측두엽으로 확장되고 두 개 내 뇌조직을 대체하는 거대 종양에서 두개골을 뚫고 안와(orbit), 부비동, 목부위까지 확장된 형태로 자라기도 한다. 뇌척수액 흐름을 방해하여 수두증을 흔히 동반한다. 또한, 작은 크기의 종양, 사산아의 부검에서 우연히 발견되는 형태까지 다양한 소견을 나타낸다. 조직학적 소견은 미성숙기형종, 성숙기형종, 악성기형종 순으로 진단되지만 양성종양도 악성과 마찬가지로 예후가 불량하다.

특별한 원인이 알려져 있지 않으나 미분화된 채로 뇌조직에 남아있던 배아줄기세포에서 잘못된 발생과정이 일어나 기형종이 생긴다는 가설이 유력하다. 선천성 기형종의 거의 대부분은 성선(gonad)이 아닌 두개강내 제 3뇌실 주변이나 천미추부위(sacrococcygeal region)에 생기는데 이들 부위는 신경관(neural tube)의 양쪽 끝에 해당된다. 신경관의 양쪽 끝에 왜 미분화된 배아줄기세포가 남아있는가는 여러가지 가설이 존재하지만 아직은 알지 못한다. 간혹 많이 분화하여 기관이나 개체의 형태를 갖춘 기형종이 발견되기도 하여(fetus in fetu) 두개강내 기형종이 일종의 conjoined twin의 한 형태라는 주장도 있다. 자궁내 태아사망과 출생 직후 사망이 흔하며 사망률은 90% 이상이다. 종양의 크기가 클수록 진단 당시 임신주수가 낮을수록 예후는 불량하며, 임신 30주 이전 진단되는 경우 사망률은 97%이다.

3. 산전 진단

산전초음파에서 도플러혈류(Doppler flow)를 동반한 고형종양(solid tumor)이 두개내에서 관찰되면 두개내 종양으로 진단이 가능하다. 그러나 여러 두개내 종양의 소견이 초음파에서 서로 중복되기 때문에 감별이 어려운 경우가 많고 대개의 경우 산전 감별이 반드시 필수적이지는 않다. 두개내기형종은 낭성 및 고형 성분이 혼재하는 복합 종괴로 종양 내 석회화 병변이 관찰되면 진단이 용이하나 석회화가 동반되지 않는 경우도 많다. 종양의 위치는 정중부위(midline)에서 전형적으로 발생한다. 두개내 종괴와 함께 대두증(macrocephaly), 수두증(hydrocephalus), 자궁내태아사망, 양수과다증 등이 흔히 동반되는 초음파 소견이다.

4. 동반 기형

대부분 단독기형이고 10%에서만 두개 외 기형이 동반되며 흔한 형태로는 입술 및 입천장갈림증이다. 산발성(sporadic)으로 발생하며 재발하지 않는다. 특정 염색체 이상과의 관련성은 확인된 바 없다.

5. 감별 진단

다른 선천성 종양들과의 감별이 필요하다. 두개강 내 기형종은 특징적인 발생위치가 있으나 종양 크기가 큰 경우 정확한 위치를 확인하기 어려운 경우가 많다. 기형종이 석회화된 부분과 작은 낭종을 많이 포함하고 있는 점이 감별진단에 도움이 된다. 그러나 시신경에서 발생하는 교종이 발생위치와 종양의 크기 및 모양이 비슷하여 구별하기 어려운 경우가 있다. 교모세포종(glioblastoma) 같은 악성종양은 크기가 크고 주변의 뇌를 침윤하면서 빨리 자라므로 구별이 가능하다.

6. 임신 중 검사

태아 MRI(필요하다고 판단되는 경우에만)

출생 후 관리

1. 검사

1) 임신중에 발견된 경우 뇌초음파로 종양의 크기 변화와 수두증의 발생을 점검한다.
2) 정확한 진단과 주변 뇌구조의 변형을 확인하기 위해 뇌 MRI를 촬영한다.
3) 제 3뇌실 주변에 위치한 경우 뇌하수체 기능저하증을 동반할 수 있으므로 호르몬기능을 확인해야 한다.

2. 치료

대부분의 기형종은 수술로 제거를 요한다. 신생아기에는 큰 뇌종양을 제거하는 수술이 쉽지 않고 특히 출혈이 많은 경우 위험하므로 1~2개월 동안 뇌초음파와 MRI로 종양의 크기 변화를 관찰하면서 지연 수술을 하는 경우가 있다. 양성의 성숙 기형종(mature teratoma)의 경우 주변 조직과의 경계가 비교적 좋으므로 전적출이 가능하고 기능적 보존도 종양 크기에 비해서 양호한 경우가 많다. 미성숙 기형종(immature teratoma)은 주변 뇌신경조직에 강하게 유착되어 있는 경우가 있으며 출혈도 많아서 수술에 주의를 요한다. 종양이 일부 남은 경우 환자가 성장하면서 종양도 빨리 재발하는 경우가 많아 추적 중에 종양이 자라면 다시 제거해야 한다. 미성숙 기형종은 종양의 재발이 잦고 신경계 내에서 전이되기도 하여 예후가 불량하다. 미성숙 기형종은 일반적으로 항암방사선치료가 필요하나 항암치료의 효과가 불투명하고 신생아기나 영아기에 뇌 방사선치료가 쉽지 않아서 치료가 어려운 경우가 많다.

3. 경과

수술로 완전히 제거된 성숙 기형종의 경우 장기생존이 가능하고 기능적 보존도 다른 종양보다 나은 편이다. 그러나 제 3뇌실에 큰 종양이 있는 경우 뇌하수체기능저하증이나 시상하부기능의 이상이 생기는 경우가 있으며 동반된 수두증에 대한 션트수술이 필요할 수 있다. 눈과 같은 얼굴부위를 침범한 경우 수술 후 재건(reconstruction)에 대한 고민이 필요하다. 미성숙 기형종의 경우 완전 적출이 되지 않으면 예후가 불량하다.

[참고문헌]

1. Isaacs H Jr. Fetal intracranial teratoma. A review. Fetal Pediatr Pathol 2014;33:289-92
2. Sandow BA, Dory CE, Aguiar MA, Abuhamad AZ. Best cases from the AFIP: congenital intracranial teratoma. Radiographics 2004;24:1165-70
3. Arslan E, Usul H, Baykal S, Acar E, Eyüboğlu EE, Reis A. Massive congenital intracranial immature teratoma of the lateral ventricle with retro-orbital extension: a case report and review of the literature. Pediatr Neurosurg. 2007;43:338-42
4. Oosterhuis JW, Stoop H, Honecker F, Looijenga LH. Why human extragonadal germ cell tumours occur in the midline of the body: old concepts, new perspectives. Int J Androl. 2007;30:256-63

17 척추갈림증/키아리 기형
(Spina bifida/Chiari maformation)

피지훈
박정우

1. 빈도

0.1%, 재발률 1~2%.

2. 질병의 개요 및 발생 원인

척추갈림증은 병변을 덮고 있는 피부의 결손 유무에 따라 개방형(open)과 폐쇄형(closed)으로 구분한다. 모체 위험인자로 비만, 항경련제 사용, 짧은 임신간격, 당뇨병, 호모시스테인 메틸화 관련 유전자의 돌연변이(mutation)가 관련된 것으로 알려져 있고, 임신전후 엽산의 복용이 질병 발생의 위험을 낮춘다. 개방척추갈림증은 모체혈청선별검사에서 태아알파단백이 상승하는 것으로 발견되는 경우가 많다. 최근 초음파 해상도가 향상되고 대부분에서 키아리 기형이 동반되므로 태아 염색체 확인 목적이 아닌 진단 목적을 위한 양수 알파태아단백 및 양수 아세틸콜린에스터분해효소(acetylcholine esterase) 검출은 대개 권고되지 않는다.

3. 산전 진단

개방형 척추갈림증(open spina bifida)은 거의 100%에서 키아리 II(Chiari II) 기형을 동반하므로 초음파로 쉽게 진단이 가능하다. Banana 징후 및 lemon 징후와 함께 뇌실확장이 종종 동반되고 척추 결손부위를 통해 돌출된 주머니를 확인하면 진단된다. 돌출된 주머니 안에는 수막 또는 수막과 신경조직이 들어 있다. 초음파 검사시 시상면, 가로면, 관상면 모두에서 돌출된 주머니와 내용물의 성상을 확인하고 병변의 크기와 범위 및 이환된 척추 수준을 확인해야 한다. 시상면에서 돌출된 주머니 및 피부결손이 잘 관찰되고 가로면에서는 척추가 바깥 방향으로 벌어져 보이는 V- or U-shape를 보인다. 수막류(meningocele)는 무에코(anechoic) 낭성종괴로, 척수수막류(myelomeningocele)는 복합(complex) 에코성 종괴로 지방척수수막류(lipomyelomeningocele)는 고에코(echogenic) 종괴로 보인다. 척추 수준의 확인은 마지막 늑골 위치를 통해 T12를 확인한다. 천골(sacrum)을 기준으로 할 때는 척추뼈몸통(vertebral body)의 골화중심(ossification center)이 고에코로 관찰되는 마지막 척추 부위가 제 2삼분기에는 S4, 제 3삼분기에는 S5까지 관찰되므로 이를 기준으로 하면 된다. 병변의 수준의 정의는 후방 골화중심이 벌어져 있는 가장 위쪽의 병변 위치를 의미한다. 이환된 척추 수준에 따라 출생 후 기능의 범위를 예측할 수 있기 때문에 반드시 확인하는 것이 산전상담을 위해 필요하다. 폐쇄척추갈림증(closed spina bifida)은 두개 징후(cranial sign)가 없고 모체혈청알파태아단백(MSAFP)이 상승하지 않기 때문에 산전에 진단되지 않는 경우가 많다.

4. 동반 기형

대부분 단독기형이며 염색체 이상이 있으면 동반 기형 위험이 높아진다.

5. 감별 진단

초음파에서 lemon 징후는 척추갈림증의 특이 소견이 아니며 뇌류(encephalocele), 치사성 난장이증(thanatophoric dysplasia), 두개골유합증(craniosynostosis) 등 다른 질환에서도 자주 보이는 소견이다. 천골이나 꼬리뼈(coccyx)의 종괴는 천미부기형종이나 여기서 기인한 다른 종양과 감별이 필요하다.

6. 임신 중 검사

태아 염색체 검사

출생 후 관리

1. 검사

1) 초음파 및 MRI 검사로 중추신경계 이상에 대한 검사를 실시한다.

2) 임신 중 하지 못했던 원인에 대한 검사를 한다.

2. 치료

개방형 척추갈림증 환자가 출생하면 노출된 신경판(neural placode)를 감염과 물리적 손상으로부터 보호해주어야 한다. 환자를 엎드린 자세로 유지하고 기도삽관과 같이 반드시 누운 자세가 필요한 경우에는 도넛형태의 베개를 이용하여 신경판부위를 보호해준다. 무균 생리식염수로 노출부위를 부드럽게 세척하고 생리식염수를 적신 거즈를 덮어 세균침입을 최대한 억제한다. 감염 위험이 높으므로 수술전부터 예방적 항생제를 투여하는 경우가 많다. 수막류환자들은 라텍스장갑에 대한 알러지반응을 쉽게 일으키는 것으로 알려져 있어서 처음부터 라텍스성분이 없는 장갑을 사용해야한다.

출생후 72시간 이내에 수막류 수술을 하는 것이 원칙이다. 72시간이 지나면 노출된 수막류 부위를 통한 신경계감염의 확률이 매우 높으며, 특히 동반된 수두증에 대한 단락수술(shunt surgery)을 하는 경우 단락 자체의 감염률이 높다. 신경계 감염이 되는 경우 사망률이 10%에 이르고 치료가 되어도 뇌기능에 손상을 일으켜 신경학적 장애를 남길 수 있다. 대부분의 수막류 환자들은 산전진단이 되고 있고 또 대부분 예정된 제왕절개수술로 태어나고 있으므로 미리 소아신경외과팀과 협력하여 조기에 수막류 수술을 할수 있도록 준비하는 것이 좋다. 사정이 여의치 않아 생후 72시간이 경과한 경우에는 노출된 신경판에서 세균배양검사를 하고 수막류 수술이후에 이에 맞추어 항생제를 바꾸어 사용하고 단락수술의 시기를 조율한다.

수막류 수술은 신경판과 주변 피부조직을 분리한 다음, 신경판을 척수신경의 모양처럼 동그랗게 만들어주고 주변의 경막(dura)과 근막, 피부층을 차례로 복원하여 감염과 손상으로부터 신경을 보호해준다. 노출된 신경판 부위는 척수신경의 기능을 거의 상실한 상태이므로 수막류 수술로 기능적 회복을 기대할 수는 없으나 치명적인 감염과 추가적인 손상을 방지하는 것이 목적이다. 수막류 부위가 넓은 경우 피부의 복원이 어려울 수 있어서 성형외과와의 협진이 필요할 수 있다.

개방형 척추갈림증 환자의 60~80%에서 치료가 필요한 수두증이 동반된다. 약 15%는 산전에 이미 수두증이 상당히 진행하여 태어나자마자 단락수술이 필요한데, 이 경우 단락수술을 하지않고 수막류 부위만 수술하면 뇌척수액이 수술부위에서 새는 것을 막기 어렵고 감염으로 이어지므로 반드시 단락수술을 해야 한다. 환자를 눕힌 상태에서 단락수술을 하고 바로 환자를 뒤집어서 수막류 수술을 이어서 한다. 한번 마취에 두가지 수술을 이어서 바로 하는 것과 분리하여 따로따로 하는 것에 대해 찬반의견이 존재하나 최근에는 한번에 해결하는 경향이 있다.

나머지 환자들에서는 생후 1~2개월내 수두증이 진행하여 단락수술을 시행하게 된다. 두위를 자주 측정하고 대천문을 항상 촉진하여 수두증이 진행하는지 보고 특히, 수막류 수술부위에서 뇌척수액이 새는지 확인해야 한다. 수술부위에서 뇌척수액이 샌다면 감염여부를 확인하고 임시로 뇌실외배액관(EVD)을 설치하거나 단락수술을 시행한다.

키아리 2형 기형은 거의 모든 개방형 척추갈림증 환자에서 나타나나 증상이 발현되는 경우는 다행히 적은 편이다. 수면무호흡, 연하곤란, 음식물 흡입, 천명(stridor)과 같은 뇌간기능의 이상을 보이는 경우 키아리 2형 기형에 의한 문제를 시사하므로 주의하여 검사해야 한다. 수두증에 의해 뇌압이 상승해도 비슷한 증상을 보일 수 있으므로 수두증이 진행하는지 혹은, 기존에 수술받았던 단락이 기능을 제대로 하는지 확인하여 수두증의 원인을 배제해야 키아리 2형 기형에 의한 증상을 진단할 수 있다. 증상을 보이는 키아리 2형 기형은 대후두공(foramen magnum)과 상부경추후궁(lamina of upper cervical spine)을 열어주는 감압술을 시행한다.

수술이 끝난 환자는 최대한 빨리 병실로 옮겨 보호자의 보살핌을 받도록 한다. 이는 부모의 환자에 대한 애착관계 형성이 중요하고 또 요도카테터를 이용한 방광관리와 같은 기술에 빨리 익숙해지도록 도와준다.

3. 경과

예후는 병변의 수준 및 중증도, 염색체이상의 동반 여부에 따라 결정된다. 동반기형이 없을 경우 염색체이상의 위험은 2.6%, 동반기형이 있는 경우 9.7%로 증가하며 trisomy 18, trisomy 13, triploidy가 흔한 염색체이상이다. 산전초음파에서 골화중심이 넓어져 있는 가장 상위 부위가 병변의 수준이 된다. 산전초음파에 의한 병변의 수준과 출생후 MRI로 확진한 병변의 수준을 비교해 보면, 38%에 일치, 78%에서 척추수준 one level 이내에서 일치, 96%에서 척추수준 two level 이내에서 일치하였다는 보고가 있다. 산전상담의 주요 이슈는 (1) 서 있거나 걷는게 가능할지, (2) 지능, (3) 배뇨 및 배변장애 유무이다. 이환된 척추 병변의 수준이 낮을수록 예후는 더 좋은 것이 일반적이다. 서 있기(to stand) 위해서는 최소 L3 운동기능이, 걷기(to walk) 위해서는 최소 L4-L5의 운동기능이 요구된다. 성기능(sexual function)이 가능하기 위해서는 최소 S2-S4 수준의 운동기능이 유지되어야 한다. 출생 후 5년 이내 사망률은 14~30%이다. 출생 후 지능을 예측하는 것은 거의 불가능하며 출생아의 25%에서 IQ 100 이상, 50%에서 학습장애(learning disability), 나머지 25%는 IQ 50 미만이었다. 키아리 2형 기형이 심할수록 사망률도 증가하고 연하곤란, 무호흡, 그렁거림(stridor) 등의 합병증이 자주 동반되고 뇌실확장, 이로인한 인지기능 저하가 유발된다. 신경인성방광(neurogenic bladder)의 합병증으로 인한 신부전(renal failure)이 증가하므로 출생 직후부터 적극적인 치료를 해야 한다. 분만 방법에 따른 신경 손상의 예후 차이가 있다는 보고도 있어 제왕절개가 선호되기는 하나 이는 논란이 있으며 개별 환자의 상태에 맞게 분만 방법에 대해 상담하는 것이 필요하다.

[참고문헌]

1. Ghi T, Pilu G, Falco P, Segata M, Carletti A, Cocchi G, et al. Prenatal diagnosis of open and closed spina bifida. Ultrasound Obstet Gynecol 2006;28:899-903
2. Cameron M, Moran P. Prenatal screening and diagnosis of neural tube defects. Prenat Diagn. 2009;29:402-11

18 척추후만증/척추측만증
(Kyphosis/Scoliosis)

유원준
천정은
안태규

기 형 태 아 를 위 한 카 운 슬 링

1. 빈도

0.1% 이며 여아에서 호발하는 경향이 있다.

2. 질병의 개요 및 발생 원인

척추의 선천적인 기형은 두 가지 그룹으로 나눌 수 있다. 첫 번째는 척추 형성의 장애로 생기는 기형으로 반척추뼈증(hemivertebra)이나 caudal regression syndrome과 같은 질환에서 보이는 척추 무형성증이다. 두 번째는 척추 분절 형성의 장애로 생기는 기형으로 융합 척추(fused vertebra)가 있다. 척추 측만증(scoliosis)은 어떤 원인에서든 척추 뼈의 측면 굴곡의 이상이 있는 경우이며, 척추후만증(kyphosis)은 척추 뼈의 전방 굴곡의 이상을 말한다. 이 둘이 같이 있는 경우 척추측후만증(kyphoscoliosis)라 부르기도 한다. 척추 굴곡 이상의 가장 빈번한 원인은 개방형 신경관 결손과 연관되어 있으며, 이런 신경관 결손 중 척수수막류(myelomeningocele)가 가장 흔하다. 다른 원인으로는 융합척추(fused vertebrae), 반척추뼈증(hemivertebra), 관절구축증(arthrogryposis), 근골격계 이형성증(skeletal dysplasia), VACTERL association, 양막대증후군(amniotic band syndrome), limb body wall complex 등이 있다. 그 외 산모의 당뇨, 임신 중 섭취한 항간질제가 가능한 원인으로 제기되기도 했으며, 유전적인 대물림이 선천적인 척추 기형의 원인으로 제시되었으나, 명확한 유전 원인 인자는 밝혀지지 않은 상태이다.

3. 산전 진단

시상면(sagittal scan)과 관상면(coronal scan)에서 척추 뼈의 형태를 관찰해 보았을 때 왜곡된 모양(distortion)이 있거나 비대칭적인 형태를 보일 때 의심해 볼 수 있다. 자궁 내에서 척추 뼈의 굴곡은 완만할 수도 있고 90도까지 클 수도 있으며, 태아의 근골격계는 유연하기 때문에 척추 뼈의 굴곡정도는 자궁 내 태아 자세나 주변의 힘에 의해 결정된다. 그렇기 때문에 양수 양이 감소된 상황에서는 태아의 척추 뼈가 변형되어 보일 수 있어 진단에 주의를 요한다.

4. 동반 기형 및 감별 진단

심장, 신장, 장관계 기형에 대한 면밀한 검사가 필요하다. 대략적으로 척추 뼈 기형을 가진 환자의 1/6에서 관련 기형이 발견되었으며, 증후군의 한 형태로 발견되기도 한다.

Jarcho-Levin syndrome, Klippel-Feil syndrome, VATER syndrome (vertebral anomalies, imperforate anus, tracheoesophageal fistula, and renal anomalies), VACTERL syndrome (VATER with cardiac and limb anomalies), OEIS (omphalocele, bladder exstrophy, imperforate anus, and spine anomalies), the Potter sequence, 개방형 신경관 결손 등이 그 예이며, 그 외에도 양막대증후군(amniotic band syndrome), 관절구축증(arthrogryposis), limb body wall complex 등도 척추 기형과 관련이 있으므로, 태아의 척추 기형이 초음파상 의심될 경우, 증후군과 관련된 기관들에 대한 정밀한 검사가 필요하다.

5. 임신 중 검사

척추 후만증이나 척추 측만증이 산전에 진단되면, 연관된 기형이 없는지 면밀한 검사가 필요하다. 3D 초음파 검사가 병변이 있는 척추 뼈를 기술하는데 유용할 수 있다. 연관 기형이 있을 경우, 염색체 검사가 필요하며 개방형 신경관 결손증이 의심될 경우는 양수 내 AFP 농도를 확인해 보아야한다. 태아 성장을 확인하기 위해 연속적인 초음파 검사가 추천되며 첫 검사에서는 없었더라도 추후 검사에서 개방형 신경관 결손증의 징후를 평가해 보아야한다.

출생 후 관리

1. 검사

단순 방사선 사진으로 진단할 수 있다. 척추 기형이 복잡한 경우 CT 촬영이 필요할 수 있다.

2. 치료 및 경과

치료는 만곡이 진행하는지 여부를 우선 파악하고 적절한 시기에 시작하여야 한다. 그러나, 선천성 만곡을 일으키는 여러 병리적 상태 중에 일측성 미분절 척추봉(unilateral unsegmented bar)의 경우에는 항상 만곡이 진행하며, 요천추부에 발생한 반척추(hemivertebra)는 보상성 만곡을 형성하지 못하여 심한 변형 및 체간 경사를 초래하기 때문에 이들은 발견 즉시 수술적 치료를 시행하여야 한다. 이러한 경우가 아니라면 만곡 진행 여부를 정기적으로 추시하여야 하는데 부위별로는 흉추 만곡이 요추 만족보다 진행할 확률이 더 높다. 만곡이 진행하지 않거나 느리게 진행하는 경우에는 보조기를 시행하는 경우가 있다. 보조기는 어린 나이에 넓은 범위에 걸쳐 척추 유합술을 시행할 때 발생할 수 있는 합병증을 피하기 위해 수술을 지연시키려는 목적으로 사용하거나, 혼합 기형이 있는 경우, 또는 보상성 만곡이 진행하는 것을 막기 위하여 사용하기도 한다. 보조기로는 Milwaukee 보조기가 사용된다. 그러나, 선천성 척추측만증에서는 만곡이 매우 경직되어 있기 때문에 보조기의 효과가 특발성 척추 측만증에 비해 제한적이다.

선천성 척추 변형에 대한 수술적 치료의 목적은 불균형적인 척추 성장을 정지시키는 것이다. 수술은 변형을 석고 붕대나 견인을 통해 교정한 후 또는 교정하지 않은 상태에서 후방을 유합시키는 술식, 내고정 기기를 통해 변형을 교정하고 후방을 유합시키는 술식, 견인 및 내고정 기기를 통해 변형을 교정하고 후방을 유합시키는 술식, 다양한 방법으로 변형을 교정한 후 전후방을 모두 유합시키는 술식, 변형 첨부 척추에 대한 골단판 유합술, 반척추 절제술 등 다양한 방법이 있다. 그러나, 어린 환아에서 길게 척추유합술을 시행하게 되면 유합된 부위 주변으로 만곡 범위가 확대되거나 유합되지 않은 추체의 일부가 부분적으로 성장하면서 변형이 악화되는 crankshaft 현상이 발생할 수 있어 좋은 예후를 기대하기 위해서는 치료자의 많은 경험과 전문성이 중요하다.

3. 예후

선천성 척추 기형인 측만증과 후만증은 매우 경직되어 있으며 약 75% 정도에서 만곡이 진행하며 약 50%에서 치료를 요한다. 골의 만곡과 더불어 척수의 이상이 동반되는 경우가 20% 정도에서 있기 때문에 신경 검사를 반드시 시행하여 확인하여야 한다. 또한 비뇨기계의 기형과 심장 기형이 각각 25~40%, 10~15% 정도 동반된다.

관련 기형, 병변이 있는 척추 부위, 영향 받은 척추 뼈의 수에 따라 예후는 달라지며, 단독으로 나타날 경우 예후는 아주 좋다. 단독으로 생긴 척추 측만증의 경우, 치료하지 않고 나둘 경우 25%에서 진행을 보이지 않았고, 50%에서는 서서히 진행했으며 나머지 25%에서는 성장하는 동안 빠른 진행을 보였다는 보고가 있다.

[참고문헌]

1. Hedequist D, Emans J. Congenital Scoliosis. J Pediatr Orthop. 2007;27:106-16
2. Keret D, Bronshtein M, Wientraub S. Prenatal Diagnosis of Musculoskeletal Anomalies. Clin Orthop Relat Res. 2005;434:8-15
3. Varras M, Akrivis C. Prenatal diagnosis of fetal hemivertebra at 20 weeks' gestation with literature review. Int J Gen Med 2010;3:197-201

19 천미부기형종 (Sacrococcygeal teratoma)

김현영
변제익
안태규

기 형 태 아 를 위 한 카 운 슬 링

1. 빈도

40,000명의 출생아당 1명의 빈도이며, 3:1정도로 여아에서 더 많이 발생하는 것으로 알려져 있다.

2. 질병의 개요 및 발생 원인

기형종은 세 개의 배엽층(germ layer)으로부터 기원한 요소들을 가지고 있는 생식세포종양 (germ cell tumor)이다. 그 결과, 다양한 상피세포, 중간엽세포, 신경 조직들을 포함하고 있고, 기형종 내 구성 물질로는 장벽이나 췌장 조직, 기관지 구조물, 뼈 구조물 등이 가능하다. 기형종은 배아기(embryonic) 혹은 배아외기(extraembryonic) 종양으로 분화될 수 있고, 배아기 종양에는 성숙 기형종과 미성숙 기형종이 있으며, 배아외기 종양에는 융모막암종(chorio-carcinoma)과 난황 기형종(yolk sac teratoma)이 있다. 기형종은 중간선(midline)에서 호발하는 경향이 있으며 천미부 부위에서 가장 많이 나타나고, 그 외 생식샘, 목, 앞측 종격동, 후복막강 등에서도 드물게 발생한다. 천미부기형종은 엉치앞 부위에서 발생하며, 꼬리뼈에 부착된 채 골반 내 혹은 복강 내까지 확대될 수 있다.

천미부기형종은 척추의 가장 아래쪽에서 자라기 시작하는 2~3개의 배엽으로부터 기원하는 다양한 조직으로 구성된 종양이다. 조직은 양성 혹은 악성세포로 구성되어 있을 수 있으나 악성 세포로 구성되어 있더라도 완전 절제하게 되면 재발하지 않는다. 따라서 악성의 여부는 세포 조직의 악성도로 평가하지 않고 원위 전이(distant metastasis)가 있는지 여부로 평가한다. 악성의 위험인자로는 발생위치와 크기 그리고 진단연령으로 알려져 있으며 복강 내로 자라거나 크기가 크거나 늦은 연령에 진단된 경우 예후가 좋지 않다.

3. 산전 진단

병변은 척추강의 끝부분에서 낭성 혹은 부분적 고형 혹은 완전 고형으로 관찰될 수 있다. 병변의 크기는 아주 클 수 있고, 경우에 따라서는 태아의 체구보다 클 수도 있다. 병변의 위치는 천추골을 넘어 체표면 바깥에 있을 수도 있고 아니면 골반 내 천추골 앞에 위치할 수도 있다. 종양이 골반내 공간에 위치할 경우 방광의 위치가 위쪽으로 이동될 수도 있다. 도플러를 이용한 초음파는 병변의 위치, 내용물, 잠재적인 혈역학적 영향을 기술할 수 있는 중요한 방법이며, 3D를 이용한 병변의 재구성 또한 종양의 구조를 이해하는데 도움을 줄 수 있다. 하지만 초음파만으로는 종양의 위쪽 경계를 밝히는데 어려움이 있을 수 있다. 이는 태아 골반뼈에 의한 음향 그림자가 골반내 종양을 확인하는데 영향을 줄 수 있기 때문이다. MRI는 종양의 해부학적 범위와 영향에 대한 정확한 평가에 유용할 수 있다. 일반적으로 MRI는 태아 위치 및 산모의 비만, 양수과소증에 상관없이 높은 해상도를 가지고 있고 천미부 기형종의 경우 MRI는 종양의 위쪽 경계에 대한 정보뿐 아니라 내용물에 대해서도 기술이 가능하다. 또한 연관된 구조적 기형이 있을 경우 그것에 대한 추가 정보도 제공 가능하다. 미국소아과학회에서는 천미부 기형종을 다음과 같이 네 가지 형태로 분류하고 있다.

Type I - external tumor with minimal presacral involvement

Type II - external tumor with intrapelvic extension

Type III - external tumor with pelvic mass extending into adbomen

Type IV - presacral mass with no external component

4. 동반 기형

기형종의 압박으로 요로계 폐쇄가 2차적으로 생길 수 있다. 기형종 내의 동정맥 기형이 심부전을 일으킬 수 있으며 태아 수종이 동반될 수 있다. 척추뼈의 기형 및 신경계 결손이 12~18%에서 동반되며, 항문폐쇄, 식도폐쇄, 수두증, 곤봉발 등도 동반되기도 한다.

5. 감별 진단

골반내 낭성 종괴에 대한 감별진단으로 우선적으로 낭성 기형종과 림프관종, 수막척수류/수막류 등이 포함된다. 난소 낭종, 창자간막낭(mesenteric cyst), 중복낭(duplication cyst)과 같은 다른 낭성 골반 종괴들은 골반밖의 확장이 드물기 때문에 가능성이 낮으며, 꼬리뼈와 붙은 채로 병변이 있을 경우 천미부기형종의 가능성이 높다.

6. 임신 중 검사

골반내 병변의 범위를 확인하기 위해 MRI 촬영술이 유용하다. 단독으로 발생한 천미부 기형종의 경우 유전자 이상이 드물기 때문에 관련 기형이 없을 경우 양수 천자술을 시행하지 않을 수 있다.

출생 후 관리

1. 검사

MRI 검사

2. 치료

생후 24시간 내 수술하는 것이 추천된다. 수술적 완전절제가 완치를 위한 치료이며 원위 전이가 있는 경우에는 항암치료를 시도해볼 수 있다.

3. 경과

신생아기에 발견된 천미부기형종의 예후는 보통 양호함에도 불구하고, 산전에 진단된 천미부기형종은 치사율이 30~50%정도로 예후가 좋지 않은 경향이 있다. 태아의 천미부기형종의 경과 과정을 예측하기는 어려우며, 어떤 종양은 안정적인 상태로 머무는 반면 어떤 종양은 급격히 크기가 커진다. 크기가 큰 것, 고형의 성질을 띈 것, 혈관 발달이 많은 것은 높은 치사율 및 유병율과 연관이 있다. 또한, 태아 빈혈 그리고 태반에서부터 종양으로 혈액 이동의 단락 형성(shunting)은 높은 심박출에 의해 심부전을 일으키고 이것은 양수과다증과 조기 진통을 종종 일으킨다. 여러 문헌을 종합해보면 종양의 크기가 7 cm미만이면서 혈관 발달이 저조한 경우 태아에 중대한 영향을 미치지 않았고, 이런 경우 만삭까지 주기적인 초음파를 시행하면서 관찰해볼 수 있다. 하지만 종양의 크기가 더 크거나 혈관 발달이 많은 경우 종양의 크기, 성장 속도,

종양 혈관 발달 정도, 양수양, 심혈관계 기능 평가 등에 좀 더 주의해서 관찰하여야 한다. 분만 방법의 경우 종양의 크기가 5cm 초과이거나 부피가 750 cm³초과일 경우 일반적으로 제왕절개의 적응증이 되며, 천미부기형종에 직접적인 손상의 가능성이 있거나 난산이 예상될 경우도 제왕절개가 선호된다. 장기 생존률은 조직 분화도에 따라 다르나 완전 절제되어 재발하지 않는 양성의 경우 95%이상을 보이고 있으며 완전 절제되지 않은 악성의 경우 5년 생존률이 80% 정도로 보고된다.

[참고문헌]

1. Akinkuotu AC, Coleman A, Shue E. Predictors of poor prognosis in prenatally diagnosed sacrococcygeal teratoma: A multi-institutional review. J Pediatr Surg. 2015;50(5):771-4
2. Gucciardo L, Uyttebroek A, De Wever I. Prenatal assessment and management of sacrococcygeal teratoma. Prenat Diagn. 2011;31:678-88
3. Makin EC, Hyett J, Ade-Ajayi N. Outcome of antenatally diagnosed sacrococcygeal teratomas: single-center experience (1993-2004). J Pediatr Surg. 2006;41:388-93
4. Rescorla FJ, Sawin RS, Coran AG, Dillon PW, Azizkhan RG. Long-term outcome for infants and children with sacrococcygeal teratoma: a report from the Childrens Cancer Group. J Pediatr Surg. 1998;33:171-6

PART 02

얼굴 및 목 질환
Face and Neck

최태현
정주연

01 구순열/구개열
(Cleft lip/Palate)

1. 빈도

1/500~1/700의 빈도로 발생하는 것으로 알려져 있으며 구순열(cleft lip)의 80%에서 구개열(cleft palate)을 동반하는 것으로 알려져 있다. 구순구개열은 남아에서 발생 빈도가 높으나 구개열 단독인 경우 여아에서 빈도가 더 높다.

2. 질병의 개요 및 발생 원인

구순구개열은 배아의 발생 과정에서 내측비융기(medial nasal processes)의 병합에 실패하여 발생하게 되고 이때 상악돌기(maxillary processes)의 병합 실패가 동반될 수 있다. 구개열 단독으로 발생하는 것은 1차 구개(palate)가 2차 구개와 융합하는 것에 실패하는 경우이다.

구순구개열의 발생 원인으로 알려진 것은 모체의 흡연, 음주, 유기용제의 남용과 관련이 있으며 이외에도 엽산이나 아연의 결핍과도 연관이 있다. 이외 항경련제(anticonvulsant) 복용 또는 풍진(rubella)의 감염이 원인이 될 수 있다. 구순구개열의 예후는 형태(type) 및 동반기형 유무에 따라 달라진다. 결손 부위가 큰 경우 미용적인 문제, 연하 및 호흡에 문제가 발생 할 수 있으며 청력 장애도 발생 할 수 있다. 결손 부위가 크지 않고 동반 기형이 없는 형태라면 수술적 교정으로 좋은 예후를 기대할 수 있다. 연하의 장애로 인해 양수과다증이 관찰 되는 경우도 있다.

3. 산전 진단

구순열은 관상면(coronal plane)에서 선상의 결손이 콧구멍에서 입술까지 연장되는 것을 관찰함으로써 진단할 수 있다. 구개열은 결손 부위가 경구개(hard palate), 비강(nasal cavity) 등으로 연장 된 경우 진단할 수도 있으나 정확한 산전 진단은 어렵다. 산전에 치조융선(alveolar ridge)이 갈라져 있다고 구개열이 있다고 할 수는 없다. 산전에 구개열이 있다고 진단하기 위해서는 시상면(sagittal plane)에서 컬러 도플러로 구강과 비강 사이에 양수로 인한 액체의 움직임을 관찰을 확인해야 한다.

4. 감별 진단

양막대증후군(amniotic band syndrome) 또는 안면부 종양을 일으킬 수 있는 질환과의 감별이 필요하다. 안면부에 종양의 형태로 관찰되는 질환은 코나 구강에서 발생하는 기형종(teratoma), 안면부 뇌낭류(encephalocele), 혈관종(hemangioma) 등이 있다.

출생 후 관리 ─ 구순열

1. 검사

1) 구순열이 있는 아이는 동반된 유전적 질환에 대하여 반드시 감별해야 하며 소아과적 평가가 반드시 필요하다.
2) 치조열, 구개열 등의 동반 여부를 확인해야 한다.
3) 진단 기준
   (1) 완전(complete): 입술 전체와 콧구멍 바닥(nostril sill)까지 침범한 구순열
   (2) 불완전(incomplete): 입술의 일부분만을 침범하거나, 콧구멍 바닥을 침범하지 않은 구순열
   (3) 미세(microform): 입술이 갈라져있지 않으나, 선천적 반흔 양상으로 함몰 혹은 흔적이 있거나(안의 구륜근은 갈라져 있음), 홍순피부접합부(vermilio-cutaneous junction)에 국한된 구순열

2. 치료

1) 수술 전 비치조 교정(Presurgical nasoalveolar molding)

수술 전에 넓은 완전 치조열 환자에서 구강 내 장치를 사용하여 상악 치조 분절의 올바른 정렬을 유도한다. 수술전 비치조 교정의 궁극적인 목적은 구순열 부위에서 뼈와 연부조직 간에 이상적인 조화를 이루도록 하여 최종적인 구순열 수술 결과가 향상 되도록 하는 것이다. 생후 2주 또는 그 전에 시작할 수 있으며 대개 3~4개월 정도 유지한다.

2) 입술 성형술(Cheiloplasty)

(1) 시기

수술전 비치조 교정을 하지 않으면, 생후 3개월에 시행한다. 수술전 비치조 교정을 한 경우, 교정이 끝나고 치조열이 좁아지고 코의 변형이 개선된 후 시행한다. 수술전 비치조 교정은 생후 3개월 이상에서 효과가 없기 때문이다.

(2) 수술 목표

정상적인 입술 기능과 정상적인 입술의 해부학적 구조를 재건하는데 있다.

(3) 수술 시간

편측성은 약 1시간 30분~2시간, 양측성은 약 3시간~3시간 30분이 소요된다.

3. 경과

일반적으로 수술 후 5일째 봉합사 제거 후 퇴원하게 된다. 수술 후 1개월간 환아가 빨아먹지 않도록 교육시키며 손가락을 입에 넣는 것을 방지하기 위해 1개월간 팔에 부목을 댄다. 치조열을 동반한 경우 생후 36개월부터 치과 진료를 받으면서 교합 이상 유무를 확인하게 되며, 필요한 경우 8~11세경 장골 이식술을 시행한다. 입술 성형술 시행 후에도 이차적 변형으로 입술 변형, 코 변형(notching on Cupid's bow, vertical discrepancy of the lateral lip, horizontal shortness of the lateral lip, wide nostril, infrasill depression, flared ala-facial groove) 등이 발생할 수 있으며, 이에 대한 수술이 필요한 경우 5~6세 이후에 시행할 수 있다.

출생 후 관리 – 구개열

1. 검사

1) 구개열 환아는 다발성 기형과 다양한 증후군을 동반하는 경우가 많다. 특히 구순열 없이 구개열만 가진 환아의 경우, 약 50%에서 증후군을 동반하므로 이에 대한 감별이 반드시 필요하다.

2) 증후군을 동반할 경우, 심장 기형이 함께 있을 확률이 높으므로 소아과적 평가가 반드시 필요하다.

3) 진단 기준

   (1) 경구개 구개열(hard palate cleft palate)

     – 완전(complete): 절치공(incisive foramen)부터 후비극(posterior nasal spine)에 이르는 구개열

     – 불완전(incomplete): 위의 완전 경구개열의 범위에 미치지 못하는 구개열

   (2) 연구개 구개열(soft palate cleft palate)

     – 완전(complete): 후비극으로부터 목젖(uvula)에 이르는 구개열

     – 불완전(incomplete): 위의 완전 연구개열의 범위에 미치지 못하는 구개열

   (3) 미세 구개열(microform cleft palate): 점막하구개열 또는 목젖갈림증(bifid uvula)

4) Digital subtraction radiography (DSR)는 구개 성형술 후 구개인두폐쇄부전(velo-pharyngeal insufficiency)의 진단에 유용하다.

2. 치료

1) 목적

(1) 성장(Growth)

구개열 환아와 정상 환아의 출생 체중은 비슷하나 구개 성형술을 받기 전까지 구개열 환아의 체중 증가 속도는 상대적으로 늦다. 구개 성형술을 받은 후 구개열 환아의 성장속도는 정상 환아와 비슷해지다가 6세가 지나면서 다시 성장 속도가 늦어지는데 이는 출생 초기의 수유에 대한 어려움, 그리고 본질적으로 내재된 성장 방해 요인, 잦은 호흡기 감염과 중이염, 성장 호르몬 저하 등이 원인이 되는 것으로 생각된다.

(2) 수유(Feeding)

입천장은 기도와 소화관 사이에서 장벽 역할을 한다. 그리고 음식을 삼키기 위하여 입안의 음압생성을 위해 연구개가 후방 이동하여 인두를 폐쇄하여야 하나, 구개열 환아는 구개인두 폐쇄부전으로 인하여 정상적인 수유가 힘들다. 그래서 특수한 젖병이 필요한 경우가 많다.

(3) 언어(Speech)

구개 성형술의 일차적 목적은 정상적인 언어기능을 갖게 하는 것이다. 구개 성형술 없이도 구개열 환아의 성장은 일어날 수 있지만, 언어 기능은 수술 없이 정상화될 수 없다. 소리를 낼 때 구강 인두와 비인두가 확실히 분리되어야 정상적인 언어 기능을 발휘할 수 있다. 입천장은 소리를 낼 때 상승하여 구강 인두에 양압을 만들어낸다. 만약 입천장의 기능이 정상적이지 않다면 구개 인두 폐쇄 부전이 발생하여 과잉 비음이 발생되고 이를 극복하기 위해 보상 조음이 나타나기도 한다.

2) 수술 시기

구개 성형술의 적절한 시기에 대해서는 아직 논란이 있으나, 언어를 습득하는 시기인 생후 12개월 이전에 수술을 시행하여야 최상의 언어기능이 발휘된다는 것에 대부분 동의한다.

3) 수술 시간

약 1시간 30분~2시간 30분이 소요된다.

3. 경과

수술 직후에는 환아의 호흡을 잘 살펴야 한다. 정상보다 커져있던 기도에 익숙해 있는 구개열 환아는 수술 후 좁아진 기도와 출혈에 의하여 호흡에 어려움을 겪을 수 있다. 수술 후 저산소혈증이 드물지 않으나 대체적으로 24~48시간 안에 회복된다. 퇴원은 호흡이 정상이고, 1회 먹는 양이 수술 전의 절반 이상으로 증가하면 가능하고, 대략 수술 후 3일 전후이다. 구개 성형술 후 4주간 빨아서 먹는 것을 금하도록 교육시키며, 4주간 유동식 식이를 준다. 환아가 손가락을 입에 넣는 것을 방지하기 위해 4주간 팔에 부목을 댄다.

구개 성형술 후 약 85~90%에서 언어 기능이 성공적으로 나타나지만, 증후군을 동반한 환아의 경우 약 50~60%로 상대적으로 낮은 성공률을 보인다. 상악골의 정상적인 성장 또한 구개 성형술의 중요한 목표이며, 증후군을 동반하지 않은 환아의 경우 약 10~40%에서 상악골 성장에 지장이 있어서, 성장이 완료되는 18세경에 양악수술 등 악교정 수술(orthognathic surgery)이 필요하다. 하지만 역시 증후군을 동반한 환아에서 상악골 저형성 비율이 더 높다. 생후 36개월부터 언어평가 및 치료를 시작한다.

[참고문헌]

1. 강진성, 강진성성형외과학 2004;53: 2342-83
2. Neliigan, Peter C., Plastic surgery, 2012;Vol3;23: 519-548, 572-581
3. Matthew RG, Liliana C, Joseph EL. Evidence-Based Medicine: Unilateral Cleft Lip and Nose Repair. Plast. Reconstr. Surg. 2014;134:1372-6

02 낭성활액증
(Cystic hygroma, Neck lymphangioma)

김현영
변제익
정주연

기 형 태 아 를 위 한 카 운 슬 링

1. 빈도

낭성활액증(cystic hygroma)의 빈도는 임신 주수에 따라 다르나 만삭에 이르면 그 빈도가 매우 적다. 문헌에 따라 차이는 있으나 11주에서 14주 사이에 1/285의 빈도로 발생한다고 알려져 있으며 여아에서 발생 빈도가 높다.

2. 질병의 개요 및 발생 원인

낭성활액증은 피부와 피하조직 림프계(lymphatic system)의 선천적인 림프관 형성 이상으로 발생하는 다낭성의 양성종양이다. 다양한 부위에 발생할 수 있으나 80%에서 목(nuchal)에 발생하며 나머지 20%가 다른 부위에서 발생한다. 이중 70%가 액와(axillary)부위이며 나머지 30%는 체간(trunk) 및 사지(limb)에서 발생할 수 있다.

3. 산전 진단

낭성활액증은 초음파상 목의 뒤나 옆쪽에서 내부에 다수의 선상(linear) 중격(septation)을 갖는 낭성 종괴가 관찰되는 경우 진단 할 수 있다. 종괴 사이즈는 대개 태아의 머리보다 크게 관찰되나 다양한 크기가 가능하며 종종 태아수종과 동반된다.

4. 동반 질환

목덜미투명대(nuchal translucency)를 관찰하는 시기에 낭성활액종이 발견 된 경우 51%에서 염색체 이수성(aneuploidy)이 관찰되었고 34%에서 심각한 기형(주로 심장 및 골격계 이상)을 보였으며 8%에서 자궁내 사망을 하였다. 단지 17%에서 intact survival을 보였다.

5. 감별 진단

혈관종은 동일 계통의 질환으로 분류하며 산전에 진단이 거의 불가능하다. 액와의 림프관종 낭성종괴는 팔과 흉곽 사이에서 발견되며 이는 팔 아래로 확장될 수 있으며 이차적으로 임파부종을 흔히 일으킨다.

6. 임신 중 필요한 검사

1) 정밀 초음파
2) 심초음파
3) 염색체 검사: 융모막검사 혹은 양수검사(amniocentesis)

출생 후 관리

1. 검사

1) 초음파
2) MRI
3) 세침흡인(needle aspiration): 가장 큰 낭(주머니)에서 실시

2. 치료

증상이 없는 미숙아이거나 저체중아의 경우 수술을 연기할 수 있으나 대부분의 경우 바로 수술적 치료를 시행하는 것이 좋으며 수술하지 않는 경우 감염이나 주변부로 지속적 성장, 연하곤란, 호흡곤란, 주변 혈관조직으로 미란과 같은 합병증이 생길 수 있다. 수술적 절제가 가

장 좋은 치료방법으로 알려져 있으나 OK-432 나 bleomycin 과 같은 경화제를 이용하여 성공적인 치료를 한 케이스들이 보고되고 있다. 최근에는 단방성이거나 큰주머니의 경우 경화제 사용을 첫 번째 치료로 시도해 볼 수 있다고 알려져 있다.

3. 경과

1/200의 빈도로 자연유산(spontaneous abortion)이 발생하며 1/1750의 경우 정상출산을 한다. 산전에 진단된 태아의 거대림프관종이 상부기관폐쇄를 유발할 것으로 예상되면 분만시 치료를 요한다. 다낭성 병변의 경우 완전절제시에도 10~20%정도 재발이 보고되고 있으며 재발한 병변에 대해서 재수술이나 경화요법을 고려할 수 있다.

[참고문헌]

1. Malone FD, Ball RH, Nyberg DA, et al. First-trimester septate cystic hygroma: prevalence, natural history, and pediatric outcome. Obstet Gynecol 2005;106:288-34
2. Okazaki T, Iwatani S, Yanai T, Kobayashi H, Kato Y, Marusasa T, Lane GJ, Yamataka A, Treatment of lymphangioma in children: our experience of 128 cases. J Pediatr Surg. 2007; 42: 386-9

최태현
정주연
전종관

03 양안과다격리증(안와먼거리증)
(Hypertelorism)

기 형 태 아 를 위 한 카 운 슬 링

1. 빈도

알려져 있지 않다.

2. 질병의 개요 및 발생 원인

양안과다격리증은 독립된 질병이라기보다 craniofacial deformity의 한 형태로 나타난다. 특별한 원인 없이 산발적(sporadic)으로 나타나는 경우가 있으며 그 이외에는 전두비골이형성증(frontonasal dysplasia), 두개골유합(craniosynostosis)증후군, 두개골전두비골 이형성증(craniofrontonasal dysplasia), 정중 두개안면열(midline clefts) 등의 증상으로 나타난다. Orbital hypertelorism은 안구의 뼈자체가 서로 떨어져 있는 상태를 말한다. 즉 내측 안각간 거리가 늘어날 뿐만아니라 외측 안각간 거리도 늘어나며 이와 함께 동공간 거리도 늘어나는 경우를 말한다. 따라서 외측 안각(canthus)과 외이도 사이의 거리가 짧아지게 된다. 안구의 측면 위치는 변화가 없으면서 내측 안각간거리(inner canthal distance, ICD)가 넓어지는 변화는 외상이나 naso-orbital region의 종양으로 생기기도 한다. 이러한 위양안과다격리증(pseudo-hypertelorism)을 'telecanthus'라고 부른다.

3. 산전 진단

태아에서 안와가 떨어져 있는 기준이 확립되어 있지 않기 때문에 산전에 진단을 하기는 어렵다. 양안과다격리증이 의심되면 내측 및 외측 안구간거리를 측정하는 것이 도움이 될 수 있다.

4. 동반 기형

원인 질병에 따라 다양하게 나타날 수 있다.

5. 임신 중 검사

유전적 요인이 의심될 경우 유전자검사를 할 수 있다.

출생 후 관리

1. 검사

1) 눈구석주름(epicanthal fold)이 큰 경우, 넓은 미간, 납작코 등으로 인하여 양쪽 안쪽눈구석(medial canthus) 사이가 먼 것으로 오인될 수 있으므로, 이러한 변형들과의 감별진단이 요구된다.

2) 정중안면개열(Median facial clefts), Crouzon's syndrome, Pfeiffer's syndrome, Apert's syndrome 등의 환아에서 나타날 수 있으므로 동반 질환에 대한 감별이 요구된다.

3) 안와간 거리

정면 머리뼈계측 방사선사진(cephalogram)상에서 누골점(dacryon)을 기준점으로 삼아 양쪽 누골점 간의 거리를 측정하는 방법을 사용한다. 대체로 안와간 거리가 30 mm이상이면 비정상적이라고 본다. 정상 성인의 안와간 거리는 한국 성인 남성은 27.5±1.6 mm, 여성은 25.2±1.4 mm이다.

4) 수술하기 전에 머리뼈계측 방사선사진과 삼차원 CT 스캔으로 안와간 거리, 양쪽 안와 사이의 모양, 안쪽 안와벽, 조롱박구멍(pyriform aperture), 뼈안와(bony orbit)에 관한 정보를 얻어야 한다.

2. 치료

치료 계획은 양안과다격리증의 심한 정도, 상악골의 구조, 환자의 나이 등에 따라 달라진다.

1) 수술 시기

예전에는 수술 후 재발을 우려한 나머지 초등학교 입학 후 수술을 권유하였으나, 안와는 일찍 성장하므로 최근에는 좀 더 이른 나이에 수술하여 환아나 가족들의 심리적 부담을 줄여준다. 대체로 2~6세경에 수술한다.

2) 수술 방법

(1) 교합이 정상인 경우: 안와골을 이동시키는 방법
   - 커져있는 양안와 사이 중앙 부위의 뼈를 절제하고 안와 아래 관골과 상악골에서 절골하여 양쪽 안와를 en bloc으로 중앙으로 이동시킨다.
(2) 상악골의 가로 구조에 이상이 있는 경우: 안면골을 2등분하여 양쪽 hemiface를 중앙으로 이동시켜 양안과다격리증과 아치형 구개를 함께 교정하는 방법
   - 안와 아래에서 절골하지 않고 zygomatic arch, pterygomaxillary junction, palate에서 절골하며, 절골 후 골이동시 회전이 일어나도록 중앙에서 "V"모양으로 뼈를 절제한다. 골이 이동할 때, 회전이 일어나면서 상악골의 아치가 넓어지는 효과를 나타낸다.

3. 경과

양안과다격리증 수술을 위해 코·위턱부위(nasomaxillary portion)의 뼈 일부를 절제해도 코·위턱뼈복합체(nasomaxillary complex)의 성장에는 지장이 없다. 수술 후 급성기 합병증으로 출혈, 뇌척수액 누출, 감염, 결막 부종, 드물게 시력 상실 등이 나타날 수 있으며, 장기적으로 안쪽 눈구석 부위의 연부 조직 이완으로 인한 저교정 현상이 나타날 수 있고 이의 교정을 위하여 2차적 수술이 필요할 수 있다. 두개골의 성장이 완료된 4세 이후에 수술이 시행된다면 수술 후 재발은 흔하지 않다.

[참고문헌]

1. 강진성, 강진성 성형외과학 2004;56: 2574-86
2. Neligan Peter C. Plastic surgery, 2012;Vol 3;32: 687-700
3. Sharma RK. Hypertelorism Indian J Plastic Sur 2014;47:281-94

흉곽 질환
Chest

01 선천성횡격막탈장
(Congenital diaphragmatic hernia)

김현영
강혜심

기 형 태 아 를 위 한 카 운 슬 링

1. 빈도

선천성 횡격막 이상은 1,500~4,000명 출생 당 1명의 발생빈도를 보이며 그 중 선천성횡격막탈장이 가장 흔하다. 90% 정도는 Bochdaleck 형태이고 그 외 Morgagni 와 식도열공탈장, 횡격막전위가 적은 빈도로 발생한다. Bochdaleck 구멍이 우측에서 좌측보다 더 빨리 폐쇄되므로 좌측 결손이 더 흔하다.

2. 질병 개요 및 발생 원인

횡격막을 형성하는 늑막복막주름(pleuro-peritoneal fold)에 생긴 결손을 통하여 복강내 장기가 흉강으로 올라가는 현상으로 보통 태생기 8~10주 사이에 생긴다. 횡격막은 발생학적으로 여러 조직이 융합하여 단계적으로 이루어지는데, 발생기전은 횡격막의 폐쇄가 늦어지거나 융합이 불완전 하면 압력이 낮은 흉강내로 장이 빠져나가 생기는 것으로 알려져 있다. 흉강내로 이동한 장이 태생기의 폐를 압박하게 되므로 정상적인 폐의 형성을 저해하며 폐의 혈관 평활근이 두꺼워져 폐동맥압이 상승되고 우좌단락이 발생한다. 최근에는 이러한 폐 발육부전이 탈장된 장기의 압박에 의해 생기는 것이 아니라 태생기에 선천성횡격막탈장이 발생하기 이전에 이미 나타나기 때문에 이 질환을 단순한 '횡격막에 생긴 구멍'이 아니라 전반적인 배아병증(global embryopathy)으로 보는 가설도 있으나 아직 논란의 여지가 있다.

3. 산전 진단

진단은 산전초음파를 이용해서 빠르면 임신 15주 정도에 진단할 수 있다. 횡격막의 불완전한 융합이나 넓어진 횡격막의 결손부 열공을 통해 복강내 장기들이 흉강내로 탈장 되는 것으로 초음파에서 복강 내 장기가 흉강에서 관찰될 경우 진단할 있다. 왼쪽 탈장의 경우 초음파에서 심장을 오른쪽으로 밀어내는 종격동 변위, 흉곽내 위 음영 혹은 장 음영 등이 보이고, 간이 탈장된 경우에는 횡격막 위에서 컬러도플러로 간문맥의 연결을 확인할 수 있다. 오른쪽 탈장은 진단이 어려우며 폐에 고형 종괴가 보여 선천성 낭성 선종양기형(CCAM)과 감별이 필요하다. 양수과다증이 관찰될 수 있다.

4. 동반 기형

동반기형의 빈도는 보통 22~40% 정도로 보고되며, 심혈관, 위장관, 비뇨생식계 기형 순으로 보인다. 염색체 이상의 빈도는 7.7~21%로 다양하게 보고되며, 삼염색체 13 이나 18, Fryns 증후군, Coffin-Siris 증후군, Denys-Drash 증후군의 한 소견으로 보고되기도 한다. 동반기형은 생존률에 심각한 영향을 준다.

5. 감별 진단

식도열공탈장은 식도 열공을 통하여 위의 일부 또는 위 전체가 후종격동으로 탈장되는 것으로 활주형(sliding hiatal hernia, 1형)은 식도부위 횡경막이 약화되고 복압이 증가되는 상태에서 위분문부가 흉강내로 탈출되지만 복강내근막(endoabdominal fascia)이 정상이므로 대개 임상적으로 문제를 일으키지 않으나 식도주위열공탈장(paraesophageal hernia, 2형)은 합병증으로 급성 폐색, 염전, 교액, 감돈, 출혈, 천공 등 위급한 상황이 발생할 수 있고 수술적 교정이 필요하다.

선천성횡격막전위는 횡격막 근육의 일부가 결합조직으로 대체되어 근섬유가 감소해 근육층의 발달장애가 나타나고 따라서 횡격막의 일부 혹은 전체가 비정상적으로 흉강내로 올라간 것을 말하며 횡격막 탈장과 달리 횡격막 자체의 결함은 없는 상태이다. 우측 부분 전위의 경우 대부분 증상이 없어 보존적 치료를 하고 횡격막이 높게 위치하여 심한 호흡기 또는 위장관 증상이 나타날 때 수술적 치료로 주름성형술 등을 하게 된다. 동반기형이나 염색체 이상, 폐형성 부전의 정도에 따라 예후는 결정되며 다른 증상이 없는 경우 예후는 양호하다.

6. 임신 중 검사

1) 태아 염색체 검사
2) 정밀 초음파
3) 태아 심초음파

출생 후 관리

1. 검사

1) 염색체 검사
2) 심초음파 검사
3) 뇌 및 복부 초음파 검사

2. 치료

선천성횡격막탈장증 환아를 가진 산모는 반드시 신생아집중치료실과 소아외과 전문의가 있는 3차의료기관으로 옮겨서 분만해야 한다. 태어나서 24~48시간 동안 증상이 없는 허니문기간(honeymoon period)을 갖는 경우는 예후가 좋은 것으로 알려져 있다. 치료는 세 단계로 나누어 생각하는데 첫 단계는 환아의 상태를 안정시키고 수술전 처치를 하는 것이고, 두 번째 단계는 수술을 시행하는 것이며, 세 번째 단계는 수술후 호흡순환대사 보조요법과 영양공급을 하는 것이다. 수술은 흉강경을 이용하여 하는 방법과 흉골하절개로 개복술을 하는 방법이 있으며, 개복술을 하는 경우 장회전이상을 교정할 수 있는 장점이 있다.

3. 예후

병태생리학적으로 매우 복잡한 과정을 거치고 질환의 중증도와 스펙트럼이 다양하여 기관이나 기간에 따라 생존률에 대한 보고가 다르다. 사망률은 폐형성부전증의 정도와 정비례하며 특히 반대편 폐에도 형성부전증이 있거나 심장기형이나 염색체이상이 있는 경우에는 사망률이 더욱 증가한다. 최근 고빈도환기요법(high frequency oscillatory ventilation, HFOV), 일산화질소 흡입요법(inhaled nitric oxide, iNO), 체외막산소화요법(extracorporeal membrane oxygenation) 등의 발달로 생존률이 향상되어 2012년 유럽 보고에서는 88%에서 수술이 가능했고 이 중 79%가 생존하였으며, 2007년 서울대병원 보고에서는 수술은 77%가능했고 생존률은 89%였다. 그러나 생후 탈장된 장기로 인한 압박으로 생긴 폐 형성 저하나 지속성 폐고혈압 등으로 사망률은 여전히 높은 편이고 호흡 부전, 위식도 역류, 신경발달지연, 행동장애, 청력장애 만성폐질환, 성장부진 등의 장기간 합병증도 높은 편이다. 위장관 운동능력저하나 위배출지연이 대부분에서 발생하며 만성 폐질환은 생존자의 50%에서 발생하는 것으로 알려져 있다. 신경발달 측면에 있어서 신경축외 수분축적이 30%, 경련장애가 12%에서 있으며 보청기가 21%에서 필요하고 유아기 신경발달장애가 45%에서 발생하는 것으로 발표된 바 있다.

좋지 못한 예후와 관련된 것으로 알려져 있는 초음파상 지표로는 이른 주수(임신 25주이내)의 진단, 양수과다, 흉강 내 간의 탈장, 흉강 내 위 탈장, 오른쪽 결손, 작은 폐-머리둘레 비, 동반 기형, 심장 이상 등이 있다. 동반기형은 생존률에 심각한 영향을 준다.

[참고문헌]

1. Kim DH, Park JD, Kim HS, Shim SY, Kim EK, Kim BI et al. Survival rate change in neonates with congenital diaphragmatic hernia and its contributing factors. J Korean Med Sci 2007;22:387-92
2. Peetsold MG, Heij HA, Kneepkens CM, Nagelkerke AF, Huisman J, Gemke RJ. The long-term follow-up of patients with a congenital diaphragmatic hernia: a broad spectrum of morbidity. Pediatr Surg Int. 2009;25:1-17

02 횡격막전위
(Diaphragmatic eventration)

김현영
변제익
강창현
강혜심

1. 빈도

선천성 횡격막 이상은 1,500~4,000명 출생당 1명 발생하며 횡격막전위는 이 중 약 5% 정도이며 남아에게 호발한다.

2. 질병 개요 및 발생 원인

횡격막전위는 선천적이거나 후천적으로 횡격막신경(phrenic nerve)의 마비가 있어 한쪽 횡격막이 올라가거나 위치가 비정상적인 질환이다. 선천성 횡격막전위는 횡격막 근육의 일부가 결합조직으로 대체되어 근섬유가 감소해 근육층의 발달장애가 나타나고 따라서 복부 장기의 일부가 약한 횡격막을 위쪽으로 밀어 흉곽내로 올라가게 되나 횡격막 탈장과 달리 횡격막 자체의 결손은 없는 상태이다. 아직까지 환경적 요인에 의한 발생은 알려져 있지 않다.

횡격막전위의 증상은 무증상에서 심한 호흡곤란까지 다양하며 향후 유아기에 폐렴이나 기관지염으로 나타날 수 있다. 간혹 유아기에 상복부불편감이나 구토를 호소하기도 한다. 흔히 난산이 동반되는 경우가 많으며 신생아 일과성 빠른 호흡(transient tachypnea of newborn)이나 청색증으로 나타나기도 하며 흉부 X-ray 검사로 진단할 수 있다.

3. 산전 진단 및 감별 진단

선천성횡격막탈장과 출생 후 처치 및 예후가 다르기 때문에 산전에 감별하는 것이 중요하나 진단이 쉽지 않다. 태아 심장이 보이는 위치에서 위가 같이 보일 수 있어 선천성횡격막탈장으로 진단했다가 출생 후 검사에서 횡격막전위로 진단이 바뀌는 경우도 종종 있다. 복강내 장기가 주머니(sac)로 둘러싸인 형태로 나타나기도 하며 이때 sac type 선천성횡격막탈장이라고 부르기도 한다. 이 경우 좋은 예후를 기대할 수도 있지만 항상 그런 것은 아니다. 심한 횡격막전위가 있으면 폐형성부전과 호흡부전증이 나타날 수 있지만 경한 환자는 기침이나 폐렴 등의 증상으로 나타나기도 하며 때로는 X-ray 검사에서 우연히 발견되기도 한다. 횡격막전위가 선천성 횡격막탈장 환자에서 동시에 나타나는 것으로 미루어 동일한 원인으로 발생한다는 주장도 있다. 횡격막전위는 횡격막 근육 형성의 결함으로 전위된 얇은 횡격막 음영을 초음파로 확인하는 것이 힘들기 때문으로 최근 MRI가 도움이 된다는 보고가 있다.

4. 동반 기형

17.5%에서 폐형성 부전, 선천성심혈관기형, 위장관질환(위염전), 안면기형(구순구개열), 근골격계이상, 비뇨기 이상(말굽콩팥, 잠복고환) 등이 있다. 염색체 이상(trisomy 18)이 동반될 수 있다.

5. 임신 중 검사

1) 태아 염색체 검사
2) 정밀 초음파
3) 태아 심초음파

출생 후 관리

1. 검사

1) 흉부 X-ray
2) 투시검사(fluoroscopy)
3) 상부위장관조영술(upper gastrointestinal contrast fluoroscopy)
4) CT 혹은 MRI
5) 초음파

2. 치료

증상이 있는 환아의 경우 주름잡기수술(plication)을 통하여 교정하며 수술 후 예후는 좋은 편이다. 폐형성 부전이 심한 횡격막전위의 경우 불량한 예후를 보이기도 한다.

3. 경과

우측 부분 전위의 경우 대부분 증상이 없어 보존적 치료를 하고 횡격막이 높게 위치하여 심한 호흡기 또는 위장관 증상이 나타날 때 수술적 치료로 주름성형술 등을 하게 된다. 동반기형이나 염색체 이상, 폐형성 부전의 정도에 따라 예후는 결정되며 다른 증상이 없는 경우 예후는 양호하다.

대규모의 추적 연구에서 166명의 환아 중 증상이 없었던 환아는 80명, 수술을 했던 환아는 86명이었다. 폐렴과 늑막염이 합병된 경우가 각각 15%, 6%였다. 대부분 수술 후 1달 이내에 증상이 없어졌으며 1년까지 증상이 지속된 예는 없었다.

[참고문헌]

1. Wu S, Zang N, Zhu J, Pan Z, Wu C. Congenital diaphragmatic eventration in children: 12years' experience with 177 cases in a single institution. J Pediatr Surg. 2015 Jan 29 [Epub ahead of print]

03 선천성낭종성선종양폐기형
(Congenital cystic adenomatoid malformation of the lung, CCAM)

강창현
박지윤

1. 빈도

8,500~35,000명 출생아 당 한명의 비율로 발생한다.

2. 질병의 개요 및 발생 원인

1949년에 선천성낭종성선종양폐기형(CCAM)을 0형(Type 0)부터 4형까지 분류하여 사용하였으나 일부 유형이 병인론적(pathogenetic)으로 CCAM과 다르다고 밝혀져 최근에는 대낭성(macrocystic or large cyst type) 혹은 소낭성(microcystic or small cyst type)과 같이 두 가지 분류체계만을 사용하는 것이 합당하다는 주장도 있다. CCAM은 폐의 발달과정 중 말단세기관지(terminal bronchiole)의 과성장으로 인해 발생하는데, 조직학적으로 정상 폐포(alveolus)가 결여되어있는 말단 세기관지의 과증식 및 낭성 확장을 특징으로 한다. 유전적인 원인은 알려진 것이 없으며 주로 산발적으로 발생한다고 알려져 있다.

3. 산전 진단

초음파에서 낭성(cystic) 조직의 형태에 대하여 기술하는 것은 폐에 생기는 다른 질환과의 감별을 위해서 매우 중요하다. 산전 초음파에서 태아 폐의 원래 음영과 다른 부분이 발견되면 CCAM을 의심하게 되는데 주로 주변보다 고음영으로 나타나게 된다. 매우 작은 낭성 조직인 경우 고형의 종괴로 보이는 경우도 있으며, 다양한 낭성 형태를 보이기도 한다. 가장 큰 낭(cyst)의 크기를 측정하여 직경이 2 cm보다 큰 경우 대낭성 CCAM으로 분류할 수 있다. 폐분리증(pulmonary sequestration)과의 감별을 위하여 종괴에 공급되는 혈관을 확인하는 과정이 필요한데, CCAM의 경우는 폐동맥으로부터 혈류를 공급받고, 폐분리증의 경우 체순환, 즉 대동맥에서 나오는 비정상적인 혈관이 형성되어 혈류를 공급받게 된다. 이를 확인하기 위하여 컬러도플러 검사를 시행하는 것이 필수이며, 이 때 속도척도(velocity scale or pulse repetition frequency)를 낮추어 검사를 시행해야 정확한 확인에 도움이 된다. 병변이 클 경우 폐형성 부전(pulmonary hypoplasia)이 동반되거나 종격동이동(mediastinal shift)이 나타나기도 한다. 태아수종(hydrops fetalis)이 있는지 살펴보는 것도 예후를 예측하는데 중요하다. 병변의 부피를 측정하여 태아 머리둘레를 통해 주수를 보정한 CVR(CCAM volume ratio, (Length × Height × Width × 0.52)/head circumference in centimeter)을 측정하기도 하는데, 예후를 예측할 수 있는 수치 기준에 대하여는 정확히 정해진 바가 없다.

4. 동반 기형

약 10% 미만으로 폐 이외의 기관에서 기형이 동반될 수 있다는 보고가 있으나 일반적으로 염색체 이상과 관련은 없는 것으로 알려져 있다.

5. 감별 진단

CCAM은 위에서도 언급한 것과 같이 폐분리증과 감별해야 한다. 초음파에서 어떤 혈관으로부터 혈류 공급을 받는가를 확인하는 것이 중요한데, 엽성외 폐분리증(extralobar pulmonary sequestration)의 경우 기도가 식도나 위로 이어져있는 기형과 동반되는 경우가 있어 감별진단하는 것이 필요하다. 서울대학교병원에서 산전초음파를 통해 CCAM을 진단받은 환자들 중에서 수술 후 병리학적인 진단이 실제로 CCAM이 나온 경우는 82.8%였고 나머지 10.3%는 폐분리증으로 나타났다. 이 외에도 산전 초음파에서 태아 폐의 낭성 병변이 보일 경우 기관지원성낭포(bronchogenic cyst)나 늑막폐아세포종(pleuropulmonary blastoma)과 같은 드문 종양성 질환에 대한 가능성도 염두에 두어야 한다. 서울대학교병원에서 폐병변이 발견된 경우 중 1례는 산전초음파에서 폐와 간 모두에서 낭성 병변을 보여 전이성 종양으로 진단하였던 경우가 있는데 출생 후 수술에서 병리 소견 상 소아황색육아종(juvenile xanthogranuloma)으로 확진되었다.

6. 임신 중 필요한 검사

1) 초음파 검사: 병변의 추적 관찰 및 태아수종 발생여부 확인
2) 정밀 초음파

출생 후 관리

1. 검사

출생 후 검사는 흉부 초음파, 흉부 CT, 혹은 흉부 MRI 등을 고려할 수 있다. 출생 후 초음파 검사는 정확한 병변의 위치와 크기 그리고 주위 장기와의 관계 등을 정확히 확인하기 어려운 단점이 있다. 흉부 CT가 가장 흔히 사용되는 검사 방법이나 신생아에서 x-ray 노출을 피하기 위해 증상이 없는 경우는 신생아에서 시행하지 않고 일정 정도 성장 후 시행하기도 한다. 흉부 MRI는 x-ray 노출을 피할 수 있다는 장점이 있으나 흉부 CT 보다는 폐병변을 정확히 확인하기 어려운 단점이 있어 주로 흉부 CT 시행 후 추적 관찰 검사에서 많이 사용한다.

2. 치료

태아가 임신 기간 동안 특별한 문제가 없이 출생한 경우 수술적 치료의 대상이 된다. CCAM이 진단되면 적절한 치료 시기를 결정해야 하며 신생아 시기에 큰 크기의 종괴나 낭종 형태로 출산하여 반대측 폐와 심장에 압박을 가하는 경우에는 나이에 관계없이 신속하게 절제술을 시행하여야 한다. 그러나 대부분의 환아는 증상이 없는 경우가 많으므로 환아의 성장을 기다린 후 수술 일정을 정하는 것이 일반적이다. 일반적으로 1세 미만의 영아 시기에는 폐렴의 발생 빈도가 높고, 수술 후 합병증이 증가하며, 재원기간이 긴 경향을 보이므로 만 1세가 지나면 수술을 고려하게 된다. 수술은 CCAM의 범위에 따라 결정되며 단일 폐엽에 존재하는 경우는 폐엽절제술을 시행하나 그 범위가 구역에 한정되어 있는 경우에는 구역절제술을 시행할 수도 있다. 여러 폐엽에 걸쳐있는 CCAM이 가장 수술이 어려운 경우에 속하며 이때에는 전폐절제술을 피하기 위해 여러가지 구역절제술을 혼합한 복합 수술을 시행하기도 한다. 과거에는 개흉술로 수술을 시행하였으나 최근에는 흉강경 수술이 많이 시행되고 있는 추세이며 흉강경 수술이 개흉술에 비해 합병증 감소, 재원기간 감소, 우수한 미용 효과 그리고 성장에 따른 흉부 변형 예방 등의 여러 장점을 가지고 있는 것으로 알려져 있다.

3. 경과

CCAM은 20주 후반이 되어서 병변이 작아지거나 사라지는 경우가 많은데, 출생 후까지 지속되는 비율에 대하여 연구마다 차이를 보이고 있다(54~86%). 태아수종이 동반되거나 병변의 크기가 큰 경우(일부 연구에서는 CVR이 1.6보다 큰 경우) CCAM이 출생 후에도 지속될 가능성이 높고, 주산기 이환율을 높인다는 연구가 있다.

1999년 1월부터 2015년 4월까지 서울대학교병원 산부인과를 방문하여 CCAM 진단을 받았던 72명의 환자들에서 태아수종은 5.6%에서 동반되었고, 외래 진료 과정에서 병변이 작아지거나 없어진 경우는 18.1%로 나타났다. 총 69명이 본원에서 분만을 하였는데, 1명은 다발성 기형이 동반된 경우로 사산하였고, 분만한지 1년 미만인 경우 중 10명이 현재 소아청소년과 외래 진료를 통하여 수술 없이 추적관찰 중이었다. 3명은 출생 후 더 이상 병원을 방문하지 않았고, 나머지 55명 중에서 수술로 CCAM 병변을 제거한 경우는 65.5%(36명)였다. 태아수종이 동반된 경우는 모두 출생 후 수술을 받았다. 병변이 지속적으로 크거나 주변 장기를 압박하는 소견이 있는 경우, 잦은 호흡기 감염을 겪은 경우 수술의 적응증이 되었고, 평균 수술을 시행받은 연령은 1.3세(출생 후 482일)로 나타났다.

CCAM 환아의 1%에서 폐암이 발생하는 것으로 알려져 있다. 그러나 대부분 CCAM 환아들이 수술적 치료를 받는 것을 고려하면 절제하지 않을 경우 폐암 발생율은 이보다 더 높을 것으로 추정된다.

서울대학교 어린이병원 흉부외과에서 2005년 11월부터 2015년 6월까지 총 142명의 CCAM 환아가 폐절제술을 시행 받았다. 평균 나이는 34개월(2개월~18세)이며, 흉강경 수술이 131명(92.2%)에서 이루어 졌고, 126명(88.7%)에서 폐엽절제술을, 4명(28.1%)에서 이엽절제술을, 그리고 12명(8.5%)의 환자에서 폐부분절제술을 시행하였다. 수술 후 사망은 없었으며, 현재까지 모든 환자가 생존하여 있다.

4. 수술 예후

영유아 시기에 폐절제술을 받은 환아들의 장기 예후는 매우 양호한 것으로 알려져 있다. 폐 기능적 측면을 고려하면 완전 성장 후 폐기능과 폐용적이 일반 정상인과 비교하여 큰 차이가 없으며 기능적인 장애는 없는 것으로 보고되어 있다. 흉곽 성장의 측면에서는 과거 어린 나이의 영아시기에 개흉술을 시행한 경우 흉부 골격 성장의 이상이 발생할 수 있다는 보고가 있었으나, 최근에는 흉강경 수술이 보편화됨으로써 이러한 한계점도 극복된 상태이며 대부분의 환아는 수술 후 정상적인 생활을 영위하게 된다.

[참고문헌]

1. Kotecha S, Barbato A, Bush A, Claus F, Davenport M, Delacourt C, et al. Antenatal and postnatal management of congenital cystic adenomatoid malformation. Paediatric Respiratory Reviews 2013;13:162-71
2. Stanton M, Njere I, Ade-Ajayi N, Patel S, Davenport M. Systematic review and meta-analysis of the postnatal management of congenital cystic lung lesions. Journal of Pediatric Surgery 2009;44:1027-33

04 폐분리증
(Pulmonary sequestration)

강창현
박지윤

기 형 태 아 를 위 한 카 운 슬 링

1. 빈도

매우 드물기 때문에 정확한 발생빈도는 알려져 있지 않으나, 전체 산전에 진단되는 선천성 폐병변 중에서 0.15~6.4%까지 보고된다.

2. 질병의 개요 및 발생 원인

1946년에 처음 보고된 폐분리증은 정상적인 기관지폐조직으로 둘러싸인 일부 폐실질이 독립적으로 떨어져 나와 체순환으로부터 혈류를 공급받는 종괴성 병변을 말하며, 주로 하대동맥 중에서 흉부대동맥이나 복부대동맥에서 나온 기형적인 혈관으로부터 혈류를 공급받는다. 발생 기전은 완전히 알려져 있지 않지만 대동맥과 폐실질 사이의 배아시기에 형성된 발생학적 연결이 비정상적으로 남아있는 것으로 추측하고 있다.

3. 산전 진단

폐분리증은 체순환에서 혈류공급을 받는 폐 실질에서 독립된 종괴성 병변이며 일측 폐의 종괴 형태로 발견된다. 산전 초음파에서 높은 음영의 종괴성 폐병변이 발견되면 가장 흔한 선천성 낭종성선종양폐기형(congenital cystic adenomatoid malformation, CCAM)과 폐분리증에 대한 가능성을 염두에 두어야하는데, 병변의 특징은 두 가지 질환에서 크게 다르게 나타나지 않는다. 다만 폐분리증의 경우 체순환, 즉 대동맥에서 나오는 비정상적인 혈관이 형성되어 혈류를 공급받고, CCAM의 경우는 폐동맥으로부터 혈류를 공급받으므로 이를 확인하기 위하여 컬러도플러 검사를 시행하는 것이 필요하다. 폐분리증은 병변의 해부학적 위치에 따라 내엽성(intralobar) 폐분리증과 외엽성(extralobar) 폐분리증으로 나눌 수 있다. 약 75%의 폐분리증은 내엽성 형태를 보이며 이 경우 쐐기 모양으로 좌측 폐의 하부엽(lower lobes)에 위치하는 경우가 가장 흔하며 초기에는 증상이 없는 경우가 많다. 외엽성 형태의 경우 정상 폐실질 바깥쪽에 따로 독립된 막(visceral pleura)을 형성하게 되는데 주로 횡격막 주변에 가장 흔하게 나타난다.

4. 동반 기형

동반기형의 비율은 14~59%까지 다양하게 보고되고 있으며, 특히 외엽성 형태의 경우 선천성횡격막탈장, 선천성심기형, 기타 위장관계의 기형, 척추기형, 폐형성 부전을 동반하는 경우가 더 많아지는 것으로 알려져 있다. 위에서 언급한 동반기형이 있지 않다면 폐분리증 자체로 염색체 이상의 빈도가 증가하지는 않는 것으로 보고되고 있다.

5. 감별 진단

태아 시기에 발견되는 폐병변 중 가장 흔한 CCAM과 감별하는 것이 중요하며 이 외에도 폐병변이 있을 때 의심할 수 있는 선천성폐기종(congenital emphysema)이나 신경아세포종(neuroblastoma)과 같은 드문 질환에 대하여 염두에 두고 초음파 검사를 시행한다.

6. 임신 중 필요한 검사

1) 초음파 검사: 병변의 추적 관찰 및 태아수종 발생여부 확인
2) 정밀 초음파

출생 후 관리

1. 검사

CCAM 참고

2. 치료

감염 등의 증상이 있는 경우 수술적 절제술의 적응이 되며 정상 폐장과 분리가 되어 있으므로 상대적으로 쉽게 절제가 가능한 경우가 많다. 폐내엽 폐분리증은 폐외엽 분리증과 달리 성장함에 따라 증상을 나타내는 경우가 많으며 폐분리증 내의 감염으로 인한 폐렴과, 체순환 혈관의 변성에 의한 객혈 등의 증상을 호소하게 된다. 진단이 되면 수술적 치료를 시행해야 되며 폐엽절제술을 시행하는 것이 일반적이며 폐엽에 연결된 체순환 동맥을 같이 결찰해 주는 것이 필요하다. 과거에는 개흉술을 이용하여 수술을 시행하였으나 최근에는 흉강경 수술을 이용하여 절제하는 것이 보편화 되고 있는 추세이며, 흉강경 수술을 이용한 경우 합병증 감소, 재원기간 단축, 그리고 우수한 미용 효과 등의 장점이 있다.

3. 경과

폐분리증의 경우 산전초음파에서 진단이 되어도 병변이 작아지거나 사라지는 경우가 일부 보고되고 있으며, 대부분의 경우 출생 직후 신생아에서는 증상이 나타나지 않는다. 태아수종을 동반한 경우 주산기 이환률이 높아질 수 있다고 알려져 있다. 출생 후 흉부초음파, CT, MRI 등의 영상검사를 통하여 폐분리증으로 진단이 되어도 잦은 호흡기 감염이나 토혈 등 증상이 없는 경우는 장기간 추적관찰을 하기도 한다.

2002년 1월부터 2015년 4월까지 서울대학교병원을 방문하여 시행한 산전 초음파에서 폐분리증 진단을 받았던 환자들은 총 9명으로, 이들 중 태아수종이나 종격동이동(mediastinal shift)이 동반된 경우는 없었다. 2명은 외래 진료 과정에서 병변이 작아지거나 없어졌다. 총 7명이 본원에서 분만을 하였는데, 이 중 3명은 출생 후 증상이 없어 현재까지 추적관찰 중이며, 나머지 4명은 잦은 호흡기 감염을 보여 수술로 병변을 절제하였다. 이들 중 분만 직후 신생아 중환자실에 입원한 경우는 한 례도 없었다. 수술을 시행한 평균 연령은 약 1세(출생 후 349일)로 나타났다. 수술 후 병리소견에서 2명은 내엽성 폐분리증, 1명은 외엽성 폐분리증, 그리고 나머지 1명은 CCAM으로 진단되었다.

서울대학교 어린이병원 흉부외과에서 2005년 11월부터 2015년 6월까지 총 56명의 폐분리증 환아에서 폐절제술을 시행 받았으며, 평균나이는 26개월(4개월 ~ 12세) 이었으며 흉강경 수술이 54명(96.4%)에서 시행되었다. 38에서 폐엽절제술을(70.4%) 12명에서 폐외분리증 절제술(22.2%), 6명에서 폐부분 절제술을(11.1%) 시행하였다. 수술과 관련된 사망은 없었으며, 현재까지 모든 환아가 생존하여 있다.

4. 수술 예후

CCAM 참고

[참고문헌]

1. Kotecha S, Barbato A, Bush A, Claus F, Davenport M, Delacourt C, et al. Antenatal and postnatal management of congenital cystic adenomatoid malformation. Paediatric Respiratory Reviews 2013;13:162-171
2. Mautone M, Naidoo P. A case of systemic arterial supply to the right lower lobe of the lung: imaging findings and review of the literature. Radiology Case 2014;8:9-15

05 선천성 상기도 폐쇄 증후군 (Congenital High Airway Obstruction Sequence, CHAOS)

권택균
권정은

1. 빈도

매우 드물다. 남아와 여아에서 발생 빈도는 비슷하다.

2. 질병의 개요 및 발생 원인

선천성 상기도 폐쇄 증후군이란 기도나 후두 등 상기도가 부분 혹은 완전히 폐쇄됨에 따라 폐내 액체의 흐름을 막고 기관 내 압력을 높이며 기관 및 기관지가 확장되고 폐가 확장됨에 따라 결과적으로 기관지연화증(tracheobronchomalacia), 호흡곤란증후군(respiratory distress syndrome) 등을 일으키게 된다. 또한, 커진 폐에 의해 심장이나 큰 혈관이 눌리면서 심부전이 발생하고 복수, 수종 등이 함께 생길 수 있다.

이러한 증상을 일으킬 수 있는 원인으로는 가장 흔한 것이 후두폐쇄증(laryngeal atresia)이며, 이 외에도 후두협착(laryngeal stenosis), 성문하협착(subglottic stenosis), 기관무형성증(tracheal aplasia) 및 기관협착(tracheal stenosis) 등이 있다.

3. 산전 진단

대칭적으로 양측 폐가 고에코성을 띄며 비대되어 있는 것을 확인할 수 있다. 횡격막은 편평하거나 역위되어 있고 기도는 늘어나 있으며 흔히 복수나 태아 수종을 동반하고 있다. 양수과다 혹은 과소증이 모두 동반될 수 있으나 양수과다증이 더 흔한 소견이다.

4. 동반 기형

약 50%에서 동반기형이 관찰된다. 팔로4징증이나 폐동맥폐쇄증 등이 발견되기도 하고 VACTERL 증후군의 한 형태로 나타나기도 한다.

5. 감별 진단

기관폐쇄증(tracheal atresia)이나 후두폐쇄증과 함께 신장무형성증(renal agenesis), 소안구증(microphthalmia), 잠재안구증(cryptophthalmos), 다지증(polydactyly), 합지증(syn-dactyly) 등이 함께 발견되는 경우 프레이저 증후군(Fraser syndrome)을 생각해야 하며 이는 상염색체 열성 질환이므로 임상적으로 중요하다.

6. 임신 중 검사

1) 정밀 초음파
2) 태아 심초음파

7. 출생 후 관리

예후는 대부분 좋지 않다. 선천성 상기도 폐쇄가 초음파 등으로 산전 진단되면 분만 시 탯줄이 잘리게 되면 상기도 폐쇄로 인해 원활한 호흡이 어려우므로 탯줄을 자르기 전에 기도를 확보하는 EXIT 시술(ex utero intrapartum treatment)이 필요하므로 철저한 분만 계획을 세우는 것이 필수적이다. 하지만 그렇다고 해도 장기예후는 불량하다. EXIT 시술은 태아의 탯줄이 산모에 연결된 상태로 산모의 자궁에 절개를 한 이후 시행되는 일련의 치료 행위로 정의되며, 산모와 태아가 탯줄로 연결되어 있어 산소 공급을 위한 혈액순환이 유지되므로 기도확보의 과정 없이 60~90분간 태아의 생존을 위하여 수술적인 치료가 가능하다.

일단 산부인과 의사가 먼저 제왕절개를 실시하며 만들어진 틈을 통하여 태아의 머리와 어깨까지 외부로 노출 시킨 후 그 자세를 유지하면서 내시경을 이용한 기도에 대한 검진(후두내시경 laryngoscopy 및 기관지내시경 bronchoscopy)을 시행하게 된다. 내시경을 이용하여 간단한 낭종이나 후두망(laryngeal web)에 대한 제거도 가능하며 기도를 압박하고 있는 종물을 관혈적으로 제거할 수도 있다. 필요 시 기관절개술을 실시하여 우선적으로 기도를 확보한 후 출산을 진행하며 향후 추가적인 치료 계획을 수립하게 된다.

기도가 확보되면 탯줄을 외과용 겸자로 잡은 후 잘라 내게 되며, 이후 태반을 분리하고 태아는 중환자실에서 신생아전문의에게 맡겨져 출생 후 평가 및 치료를 진행된다. 선천성 상기도 폐쇄가 있는 환아들은 근골격계나 비뇨생식기계, 순환기계 등에 동반 질환이 있을 가능성이 있어 이에 대한 평가가 필요하다.

선천성 상기도 폐쇄 신생아 치료에 있어 가장 중요한 것은 기도 확보 및 유지이며, 상기도 폐쇄의 해부학적 위치(level)에 대한 진단 및 그에 따른 추후 치료 방침 수립이 필요하다. 다만 이러한 환자에서 재건 수술이 언제 이루어져야 하는지에 대해 정립된 바는 아직 없으며, 추후 후두에 대한 완전한 재건 수술 및 충분한 발성이 불가능할 수 있다는 것에 대해서는 주지해야 한다. 최근에는 이에 대해 산전 계획 수립 및 이후 치료를 위한 다학적(multidisciplinary) 접근의 중요성이 강조되고 있다.

[참고문헌]

1. http://www.cincinnatichildrens.org/service/f/fetal-care/conditions/chaos/exit-airway/
2. Lim FY, Crombleholme TM, Hedrick HL et. al. Congenital high airway obstruction syndrome: natural history and management. J Pediatr Surg. 2003;38:940-5
3. DeCou JM, Jones DC, Jacobs HD et. al. Successful ex utero intrapartum treatment (EXIT) procedure for congenital high airway obstruction syndrome (CHAOS) owing to laryngeal atresia. J Pediatr Surg 1998;33:1563-5
4. Hedrick MH, Ferro MM, Filly RA et. al. Congenital high airway obstruction syndrome (CHAOS): a potential for perinatal intervention. J Pediatr Surg. 1994;29:271-4

PART 04

심장 질환
Heart

01 심방중격결손
(Atrial septal defect)

권보상
김웅한
전종관

기 형 태 아 를 위 한 카 운 슬 링

1. 빈도

700~800명 출생아 당 1명의 빈도로 발생한다.

2. 질병의 개요 및 발생 원인

심방중격결손은 심방 간에 구멍이 있는 선천성 질환이다. 태아에서 심방 간에 존재하는 난원공(foramen ovale)은 1차중격(septum primum)과 2차중격(septum secundum)의 형성 및 흡수 과정에서 생긴다. 형태로는 2차공(ostium secundum) 결손이 가장 많고 그 이외에 1차공(ostium primum) 결손, 정맥동결손(sinus venosus) 결손, 관상정맥동(coronary venosus) 결손 등이 있다. 2차공 결손은 일차공의 흡수가 과도하거나 2차공의 발달 장애로 난원공의 판막이 짧아져서 생길 수 있다. 1차공 결손은 단순한 심방결손이외에 방실중격결손으로 나타날 수 있다. 태아 시기에 심방사이에 존재했던 구멍은 태어나서 오래지 않아 저절로 막히나 만일 막히지 않고 유지된다면 심방중격결손이 된다. 발생 원인은 확실하지 않으며 아마도 유전과 환경적 요인 모두 관여하는 다인자성 원인일 것으로 생각된다.

3. 산전 진단

태아는 난원공을 통한 심방사이의 혈액순환이 있으므로 산전 진단은 쉽지 않다.

출생 후 관리

1. 검사

산전 초음파에서 심방중격결손으로 진단받은 환자들은 출생 후 적절한 시기에 심장 초음파를 시행하게 된다. 심장 초음파 검사를 통하여 심방중격의 결손이 가장 흔한 이차공 형태인지 일차공 형태인지 또는 정맥동형(sinus venous defect) 형태인지를 파악하게 되고, 결손의 크기를 정확히 측정하게 된다.

2. 치료

결손의 크기기 크지 않는 경우는 일반적으로 특별한 증상을 일으키지 않기 때문에 치료 대상이 되지 않는다. 결손의 크기가 매우 커서 영아기에 심부전 증상을 보인다면 위치에 상관 없이 흉부 절개를 통한 수술적 교정으로 결손을 폐쇄하게 된다. 심부전 증상이 없이 영아기를 지난 환자들 중에서 이차공형 결손은 최근에는 주로 대퇴정맥을 통해서 기구를 삽입하는 비수술적 결손 폐쇄술을 진행한다. 심방중격결손에 대한 시술 및 수술 성적은 좋아서 시술 및 수술 후 사망율은 0%에 가까우며 심각한 합병증도 0~1.5%에 불과한 것으로 알려져 있다.

3. 경과

아주 큰 심방 중격 결손이 아니라면 3~5세 전에 진단을 받아도 수술이 급하지 않으므로 진단을 못 받았다고 환자에게 해가 되는 경우는 거의 없다. 작은 구멍은 생후 1세 이전에 많은 수에서 자연히 막히게 되며, 큰 구멍의 경우라도 10대까지는 보통 증세가 없이 건강하게 지내게 되나 치료하지 않고 성인이 되면 일부 환자에서 심방 부정맥, 우심실 기능 부전, 폐동맥 고혈압 등의 문제가 발생할 수 있다. 중등도 정도의 크기라 하더라도 대개 10대까지는 대부분 자각 증상이 없어 심장 초음파를 시행하지 않는 한 진단을 할 수가 없다. 때로는 어릴 때는 모르고 건강하게 지내다가, 성인연령이 되어서야 처음으로 진단되기도 한다.

[참고문헌]

1. 최정연. 심방중격결손 In: 최정연. 태아 심초음파 서울: 서울대학교출판부; 2010

02 심실중격결손
(Ventricular septal defect, VSD)

권보상
김웅한
이지연

기 형 태 아 를 위 한 카 운 슬 링

1. 빈도

1,000명 출생아 당 1~3명의 빈도로 발생한다. 심장기형 중 가장 흔하며 선천성 심장병의 약 32%를 차지하는 것으로 알려져 있다.

2. 질병의 개요 및 발생 원인

심실중격결손은 결손의 위치에 따라 4가지로 분류할 수 있다. 좌심실유출로에 발생하는 막양부 결손이 80%로 가장 흔하며, 중격의 근성부 결손이 10~20%, 대동맥 및 폐동맥의 판막 아래에 발생하는 유출로 결손이 5%, 막양부 후방 혹은 하방의 중격부분에 부착하는 삼첨판엽 직하방에 발생하는 유입로 결손이 5%의 빈도를 보인다.

원인으로는 모체의 음주, 페니토인, 경구피임약의 복용, 풍진 감염, 당뇨, 페닐케톤뇨증의 이환 등과 관련이 있다. 40% 이상에서 태아의 염색체 이상과 관련이 있다고 알려져 있다. 21, 13, 18번 삼염색체증 및 CATCH 22증후군, Holt-Oram syndrome 등과 관련이 있다.

3. 산전 진단

심실중격에 결손이 보이면 진단할 수 있다. 그러나 초음파 광선 방향과 중격이 평행한 심첨부 사방단면상(four-chamber view)에서는 초음파 에코의 drop-out 현상으로 위양성을 보일 수 있으므로, 초음파 광선 방향이 심실중격과 수직을 이루는 측면 사방단면상 및 심실유출로상(ventricular outflow view)을 함께 관찰해야한다. 컬러도플러로 결손 부위를 지나는 혈류를 확인할 수 있다. 동맥하 결손의 경우는 단축(short-axis) 영상에서만 관찰이 가능하여 대개의 경우 산전 진단이 어렵다.

4. 동반 기형

단독으로 발생하는 경우가 많으나, 40% 정도에서 다른 심장기형을 동반할 수 있다.

5. 감별 진단

방실중격결손, 양대혈관우심실기시

6. 임신 중 필요한 검사

1) 태아 염색체검사
2) 정밀초음파검사

출생 후 관리

1. 검사

산전 초음파에서 심실중격결손으로 진단받은 환자들은 출생 후 적절한 시기에 심장 초음파를 시행하게 된다. 심장 초음파 검사를 통하여 중격 결손이 막성인지, 근육부 결손인지, 동맥하(subarterial) 결손인지를 파악하고, 결손으로 인한 합병증으로 좌심실 비대가 있는지 승모판막이나 대동맥 판막의 역류가 동반되어 있는지, 폐동맥 고혈압이 발생하여 있는지 등을 평가하게 된다. 또한, 심전도와 흉부방사선 검사 등을 시행하여 심장과 폐의 부담 정도를 판단하게 된다.

2. 치료

작은 심실중격결손은 대개 증상이 없으므로 우연히 심잡음이 들려서 발견하게 되며, 판막역류 등의 합병증이 없다면 특별한 치료 없이 경과 관찰하게 된다. 큰 심실중격결손은 출생 후부터 심부전으로 인한 증상이 심하여 숨을 빨리 쉬고 숨이 차서 우유나 모유를 먹을 때에 힘들어하여 체중도 잘 늘지 않으며 잦은 호흡기 감염, 폐렴 등의 합병증이 생기기 때문에 조기에 흉부 절개를 통한 수술적 교정을 하게 된다.

큰 결손의 경우에는 만 1세 이전에 수술적 교정을 하는 것이 권장되며, 국내에서는 보통 백일 이전에 수술적 교정이 이루어진다. 중간 정도의 결손은 환자의 증상과 합병증의 정도에 따라 수술적 교정의 시기가 결정이 된다. 최근에는 근육부 결손이나 일부 막성 중격결손에서 비수술적으로 기구를 대퇴동맥과 정맥을 통하여 삽입하여 폐쇄하는 시술이 시행되고 있다.

3. 경과

동반기형이 없는 경우에는 예후가 좋다. 그러나 예후는 결손의 위치, 크기 및 좌우단락의 정도에 따라 다를 수 있다. 구멍이 작을수록 자연 폐쇄가 잘 일어나며, 작은 결손의 상당수(30~50%)는 점차 자연 폐쇄되며, 흔히 생후 4년 동안 자연적으로 막히게 된다. 특히, 우심실 유출로 부위를 제외한 근성부 결손이나 막성 결손의 경우에서 작은 결손이 자연 폐쇄가 잘 일어나나, 동맥하 결손의 경우는 결손이 작아도 자연 폐쇄가 거의 드물다. 현재 국내에서는 단순 심실중격결손에서는 나이나 체중과 무관하게 사망이 거의 없으나, 동반질환이 있거나 수술 연령이 낮을 때, 그리고, 다발성 결손 시에 수술 전후 사망률이 올라가는 경향을 보인다. 다중결손을 보이는 경우 사망률은 2~5% 정도이다. 작은 결손은 보통 증상이 없지만 큰 결손은 선천성 심부전을 일으킬 수 있다.

[참고문헌]

1. Axt-Fliedner R, Schwarze A, Smrcek J, Germer U, Krapp M, Gembruch U. Isolated ventricular septal defects detected by color Doppler imaging: evolution during fetal and first year of postnatal life. Ultrasound Obstet Gynecol 2006;27:266-73
2. Chiu WH, Hsiung MC, Chen RC, Xiao XM, Wu CL, Tung TH. Prenatal ultrasonography and Doppler sonography for the clinical investigation of isolated ventricular septal defects in a late second-trimester population. Eur J Med Res 2014;19:3
3. Paladini D, Palmieri S, Lamberti A, Teodoro A, Martinelli P, Nappi C. Characterization and natural history of ventricular septal defects in the fetus. Ultrasound Obstet Gynecol 2000;16:118-22
4. Paladini D, Russo MG, Vassallo M, Tartaglione A. The 'in-plane' view of the inter-ventricular septum. A new approach to the characterization of ventricular septal defects in the fetus. Prenat Diagn 2003;23:1052-5

03 방실중격결손
(Atrioventricular septal defect, AVSD)

권보상
김웅한
이지연

기 형 태 아 를 위 한 카 운 슬 링

1. 빈도

10,000명 출생아 당 3.5명의 빈도로 발생한다. 선천성 심장병의 약 7.3%를 차지하는 것으로 알려져 있다.

2. 질병의 개요 및 발생 원인

심장내막융기(endocardial cushion)가 적절히 융합되지 못해서 발생한다. 삼염색체증 등 염색체 이상과 관련이 있다. 방실중격결손은 크게 3가지 형태이다. 양측 방실판막이 하나로 연결되어 있고 심방과 심실 사이의 중격결손을 동반하는 완전 방실중격결손, 심방중격의 일차공 결손이 있으면서 승모판과 삼첨판이 분리되어 존재하는 부분 방실중격결손이 있으며, 하나의 방실판막이 존재하지만 전첨판과 후첨판이 심실중격에 붙은 상태로 첨판 사이에 부분적으로 융합된 중간형이 있다.

3. 산전 진단

완전 방실중격결손은 사방단면상(four-chamber view)에서 쉽게 관찰된다. 심장 중앙부위의 심방심실중격의 교차부위에서의 결손이 크게 보인다. 삼첨판과 승모판이 분리되어 있지 않고 공통 판막 형태를 보여서, 판막이 열릴 때 심장 중심이 넓게 열려 보인다. 부분 방실중격결손은 두 개의 방실판막이 각각 존재하므로 사방단면상에서 확실히 관찰되지 않을 수 있다. 양측의 방실판막부착부위가 같은 높이로 관찰되면 방실중격결손을 의심할 수 있다. 방실판막부전이 흔히 동반되며, 컬러도플러로 방실판막의 역류 정도를 평가할 수 있다. 흥분전도장애로서 서맥, 심장차단 등의 부정맥을 동반할 수 있으므로 심박수를 확인해야 한다. 또한 심비대 여부 및 심부전으로 인한 심낭유출, 흉막유출, 복수, 피하부종 등 태아수종 징후를 확인해야한다.

4. 동반 기형

이 질환을 가진 태아의 약 50%가 다운증후군이 있으며, 약 20%에서는 18, 13번 삼염색체증 등 다른 염색체이상이나 신드롬을 동반한다. 이성체, 팔로4징, 양대혈관우심실기시, 좌심형성부전증후군을 동반할 수 있다.

5. 감별 진단

큰 심실중격결손, 큰 심방중격결손, 이성체

6. 임신 중 필요한 검사

1) 태아 염색체검사
2) 정밀초음파검사

출생 후 관리

1. 검사

산전 초음파에서 방실중격결손으로 진단받은 환자들은 출생 후 적절한 시기에 심장 초음파를 시행하게 된다. 심장 초음파 검사를 통하여 부분형(partial) 내지 완전형(complete) 방실중격결손인지를 구분하게 되고, 승모판열개(mitral valve cleft) 의 정도와 이로 인한 역류, 좌심실과 우심실의 크기 등을 측정하며, 폐동맥 고혈압이 발생하여 있는지 등을 평가하게 된다. 또한, 심전도와 흉부방사선 검사 등을 시행하여 심장과 폐의 부담 정도를 판단하게 된다. 완전 방실중격결손의 경우 약 30% 정도에서 다운 증후군이 동반되기 때문에 출생 후 환자의 외관을 보고, 다운 증후군이 의심되는 경우 염색체 검사를 시행하게 된다.

2. 치료

부분 방실중격결손의 경우는 심방중격결손과 비슷한 경과를 보여 어릴 때에는 증상이 없는 경우가 많아, 대개 흉부 절개를 통한 수술적 교정은 만 1세 이후에 하는 경향이 많다. 하지만, 완전 방실중격결손은 결손의 크기도 크고, 방실판막의 역류가 대개의 경우 많은 편이어서 출생 후부터 잘 먹지 못하고 크지 못하며 심부전과 폐렴이 나타날 수 있어 일반적으로 생후 3개월이 넘어가면 수술적 교정을 시행하는 경우가 많으며, 일부 환자들은 더 이른 시기에 수술적 교정을 받게 된다. 완전 방실중격결손의 경우 수술 성적은 꾸준히 개선되어 왔으며 성적이 우수한 센터에서는 조기사망률이 5% 미만으로 알려져 있다.

3. 경과

완전 방실중격결손의 경우 심부전 증상이 심한 편이어서 생후 1년 이내에 수술하지 않으면 환자의 약 50%가 심부전으로 사망하게 되며, 수술적 교정을 하지 않은 경우 생후 2년부터는 아이젠멩거 증후군으로 발전할 수 있다. 수술적 교정을 마친 방실중격결손 환자에서 방실 판막의 성형술을 시행하게 되는데, 많은 환자에서 수술 후에도 어느 정도의 삼첨판 역류와 승모판 역류가 남게 되며, 이에 의한 심잡음이 들리게 된다. 잔존 방실 판막 역류 내지 협착이 심한 경우는 판막에 대한 재수술이 필요한 경우가 생길 수 있다. 다른 기형이 동반된 경우에는 예후는 불량하다. 전체적인 10년 생존율은 83% 정도이다.

[참고문헌]

1. Bader RS, Punn R, Silverman NH. Evaluation of risk factors for prediction of outcome in fetal spectrum of atrioventricular septal defects. Congenit Heart Dis 2014;9:286-93

2. Beaton AZ, Pike JI, Stallings C, Donofrio MT. Predictors of repair and outcome in prenatally diagnosed atrioventricular septal defects. J Am Soc Echocardiogr 2013;26:208-16

3. Craig B. Atrioventricular septal defect: from fetus to adult. Heart 2006;92:1879-85

4. Mogra R, Zidere V, Allan LD. Prenatally detectable congenital heart defects in fetuses with Down syndrome. Ultrasound Obstet Gynecol 2011;38:320-4

5. Pierpont ME, Markwald RR, Lin AE. Genetic aspects of atrioventricular septal defects. Am J Med Genet 2000;97:289-96

04 폐동맥협착
(Pulmonary stenosis, PS)

권보상
김웅한
이준호

기 형 태 아 를 위 한 카 운 슬 링

1. 빈도

1,500명 출생아 당 1명의 빈도로 발생한다. 태아시기에 발견되는 선천성 심질환의 1% 이하이나, 출생 후에는 선천성 심질환 중 3~4번째로 흔하며, 전체 선천성 심질환의 5~10%를 차지한다.

2. 질병의 개요 및 발생 원인

폐동맥협착은 일반적으로 폐동맥 판막(valvar PS)이나 우심실 누두부(infundibular PS), 폐동맥판상부(supravalvar PS) 등이 좁은 질환을 모두 포함하고 있으나, 대부분은 판막협착이다.

협착의 정도와 부위, 판막의 모양에 따라 폐동맥협착을 분류할 수 있는데, 1) 일반적인 폐동맥판협착에서는 폐동맥판막이 두껍고, 운동성이 감소하며, 주폐동맥은 협착후팽대(post-stenotic dilation)가 관찰되기도 한다. 판막륜은 초기에는 정상이나 점차 발육부전 소견을 보이는 경우도 있다. 2) 심각한 폐동맥판협착(critical PS)은 판막협착이 아주 심하여 거의 막힌 상태를 말하며, 이 상태에서 조금 더 진행하면, 심실중격결손이 없는 폐동맥폐쇄(pulmonary atresia with intact ventricular septum, PA with IVS)로 이행하게 되고, 이 경우, 우심실 발육부전이 동반되게 되는데, 이것은 일반적인 폐동맥판협착과 구별되는 소견이며, 우심실이 심실로서의 기능을 수행할 수 있는지 여부가 예후에 큰 영향을 미치게 된다. 3) 이형성 판막(dysplastic pulmonary valve)에서는 두껍고 불규칙한 모양의 판막이 관찰되며, Noonan 증후군에서 잘 동반하는 것으로 알려져 있다. 4) 마지막으로 말초 폐동맥협착(peripheral PS)이 있는데, 이는 태아기에 진단하는 것은 매우 어렵다. 폐동맥협착이 흔히 동반되는 선천성 증후군은 Noonan 증후군, Williams 증후군, 선천성 풍진 감염(congenital rubella syndrome), Alagille 증후군 등을 들 수 있다.

3. 산전 진단

심한 협착인 경우에는 폐동맥판막이 두껍고, 움직임이 감소하는 것을 확인하여 진단하나, 경도나 중등도 협착인 경우에는 그 변화가 미세할 수 있다. 주폐동맥(Main pulmonary artery)의 협착후팽대가 관찰된다. 컬러도플러를 이용하여, 판막부위에서 혈류속도가 증가하고 와류가 형성되는 것을 확인한다. 펄스도플러로 측정한 폐동맥협착 부위의 혈류속도는 대개 2m/s이나, 때로는 3m/s 전후로 증가할 수 있다. 아주 심한 협착으로 판막이 거의 막히면, 수축기 혈류는 관찰되지 않고, 이완기에 폐동맥부전만 확인되는 경우도 있다. 우심실의 보상기전을 확인하는 것이 중요한데, 1) 우심실이 늘어나면서 기능부전에 빠지는 경우도 있으나, 2) 대부분은 우심실벽이 두꺼워지면서 내강은 작아지고, 약간의 수축기능부전을 보이게 된다. 협착이 오래 되면, 결국 우심실 발육부전을 보일 수 있다. 폐동맥협착의 전형적인 초음파 소견이 늦게 발견되는 경우도 있어서, 임신 2삼분기에 시행하는 정밀초음파검사에서 진단을 놓칠 가능성도 있다.

4. 동반 기형

삼첨판폐쇄(tricuspid atresia, TA), 대혈관전위(transposition of great arteries, TGA), 양대혈관우심실기시(double outlet right ventricle, DORV) 등의 심장 내 동반 기형을 확인하는 것이 필요하며, 팔로4징의 일부분으로 폐동맥협착이 확인되는 경우도 있다. 심장 외의 기형에 대해서도 주의깊게 확인하는 것이 필요하다.

5. 감별 진단

1) 폐동맥폐쇄(pulmonary atresia, PA)
2) 팔로4징

6. 임신 중 필요한 검사

1) 태아 심초음파검사

2) 태아 염색체 검사 fetal karyotyping with FISH for 22q11 microdeletion (CATCH22 증후군)

3) 소아 심장분과/신생아 분과/소아 흉부외과 산전 상담

4) 태아 정밀 초음파검사: 심장 내 기형이나 심장 외의 기형이 동반되어 있는지 여부 확인

출생 후 관리

1. 검사

태아초음파에서 폐동맥협착이 의심되는 경우 출생 후 신생아에게 시행되는 검사는 기본적인 심잡음 청진을 위한 진찰과 심전도, 흉부 방사선 검사 그리고 심장 초음파이다. 특히, 심장 초음파 검사를 통하여 폐동맥협착이 생기는 부위(판막 하부, 판막 자체, 판막 상부)를 정확히 파악하고, 협착의 정도와 동반된 삼첨판역류, 우심실 기능 정도를 평가하여 치료 방침을 정하게 된다.

2. 치료

출생 후 산소 투여 및 인공호흡기 치료에도 산소 포화도가 낮게 유지되는 심각한 폐동맥협착(critical pulmonary stenosis)만 아니라면 치료가 급하지는 않다. 특히, 출생 후 1달 이내에는 환자에 따라 어느 정도 폐동맥 고혈압이 있어서 이에 따라 폐동맥협착의 정도가 정확히 측정되지 않을 수 있다. 따라서 심각한 폐동맥협착이 있는 경우가 아니라면 치료를 서둘러 진행하지는 않는다.

폐동맥 협착의 80% 이상은 판막 부위의 협착으로 폐동맥 판막 협착의 우선적 치료법 (treatment of choice)은 풍선 판막확장술이다. 다만, 판막 하부 내지 상부의 심한 폐동맥 협착이 있는 경우나 풍선 판막확장술에 실패한 판막 부위 협착의 경우는 개흉술을 통한 수술적 교정이 필요하게 된다. 임계 폐동맥협착 외에 폐동맥협착의 치료 결정 시 일반적으로 환자들은 별다른 증상을 보이지 않기 때문에 심장 초음파로 폐동맥협착의 정도가 50 mmHg 이상 측정되는 경우는 치료가 필요하게 된다.

3. 경과

출생 후 지속적으로 심장 초음파를 시행하면서 중등도 이하의 폐동맥협착(우심실과 폐동맥의 압력 차이가 50 mmHg 이하이거나 도플러 혈류 속도가 3.5 m/sec 이하) 인 경우는 특별히 치료를 필요로 하지 않다. 이 경우 나이가 들어가면서 협착의 정도가 더 완화되는 경향이 있다. 그렇지만, 드물게 협착이 시간이 지나면서 진행하여, 우심실 발육지연, 삼첨판기능부전, 심부전, 태아 수종증 등을 야기하는 경우도 있기 때문에 추적검사는 필요하다.

중등도 이상의 폐동맥 판막협착으로 풍선확장술을 받은 경우는 예후가 매우 양호하며, 풍선확장술 이후 대개 경도의 폐동맥협착과 역류 소견을 보일 수는 있지만, 추가적인 치료가 필요한 경우는 드물다.

다만, 판막부 협착으로 풍선확장술을 받은 이후 의미있는 잔존 폐동맥협착과 역류를 보이는 경우나 판막 하부 내지 상부 협착으로 인해 수술적 치료를 받은 경우는 성장이 끝나고 성인기까지 지속적인 경과 관찰을 필요로 하며 일부에서 추가적인 치료를 받는 경우도 있다. 중등도 이상의 협착이 확인된 경우에도 출생 후 풍선판막성형술 등으로 치료하면 예후가 아주 좋은 편이지만, 우심실 발육부전이 동반된 심각한 폐동맥협착의 경우에는 폰탄(Fontan) 수술이 필요하며, 이러한 경우에는 폰탄 예후를 가진다.

[참고문헌]

1. 최정연. 폐동맥협착(Pulmonary Stenosis). In: 최정연. 태아 심초음파(Fetal Echocardiography). 서울: 서울대학교출판부; 2010
2. Bianchi DW, Crombleholme TM, D' Alton ME, Malone FD. Pulmonary Stenosis and Atresia. In: Bianchi DW, Crombleholme TM, D' Alton ME, Malone FD, editors. Fetology: Diagnosis and Mangement of the Fetal Patient. 2nd ed. New York: McGraw-Hill Companies; 2010
3. Kennedy A, Puchalski MD. Pulmonary Valve Stenosis, Atresia. In: Woodward PJ, Kennedy A, Sohaey R, Byrne JL, Oh KY, Puchalski MD, et al. editors. Diagnostic Imaging: Obstetrics. 2nd ed. Salt Lake City; Amirsys Inc; 2011

05 폐동맥폐쇄
(Pulmonary atresia, PA)

권보상
김웅한
이준호

기 형 태 아 를 위 한 카 운 슬 링

1. 빈도

10,000명 출생아 당 1명의 빈도로 발생하며 전체 선천성 심질환의 3% 정도를 차지한다.

2. 질병의 개요 및 발생 원인

폐동맥폐쇄는 우심실 유출로가 완전히 막혀 있는 것을 의미하는 것으로, 폐동맥협착이 있는 태아에서 시간이 지나면서 폐동맥폐쇄로 진행하는 경우도 있다. 폐동맥폐쇄는 심실중격결손 여부에 따라 두 가지 subtype으로 나뉘어진다[PA with IVS (intact ventricular septum) vs. PA with VSD (ventricular septal defect)].

PA with VSD는 팔로4징과 비슷한 발병기전을 보이고, PA with IVS보다 이른 임신 주수에 발생하여 진단되며, 대부분의 경우 total correction을 시행한다. 반면, PA with IVS는 상대적으로 늦은 임신 주수에 발생하고, 우심실 기능보존여부에 따라, 출생 후 양심실 복원(biventricular repair)이나, 폰탄 수술(Fontan operation)을 해야 한다. PA with IVS는 우심실 발육부전형과 우심실 확장형으로 나눌 수 있는데, 먼저 우심실이 작은 폐동맥폐쇄는 심각한 폐동맥협착(critical PS)과 발병기전이 유사하고, 우심실이 작고 두꺼우며, 삼첨판의 발육부전 및 우심실-관상동맥루(RV coronary arery fistula) 등의 특징적 소견을 보인다. 우심실이 커진 폐동맥폐쇄는 기능적폐쇄(functional pulmonary atresia)와 유사하며, 우심실 확장과 기능부전, 삼첨판부전, 우심방확장 등의 소견을 보인다. 폐동맥폐쇄가 있거나 심각한 폐동맥협착이 있을 때, 폐순환은 동맥관에 의존하여 이루어지는 경우가 많으므로, 출생 후 동맥관이 막히게 되면, 이는 생명을 위협하는 응급 상황이기 때문에 Prostaglandin(프로스타글란

딘)을 투여하여 동맥관이 막히지 않고 열려 있도록 해야 한다.

3. 진단

폐동맥판을 통과하는 혈류가 관찰되지 않고, 동맥관을 통해서 대동맥에서 폐동맥 방향으로의 역류를 통해 폐순환이 이루어지는 것을 확인하면 진단할 수 있다. 일반적으로 우심방의 크기는 대개 정상이나 약간 커질 수 있다. 우심실 비대가 흔히 동반되며, 우심실의 기능은 감소부터 증가에 이르기까지 다양하게 관찰된다. 폐동맥폐쇄가 의심되면, 심실중격결손 여부를 반드시 확인하여, 심실중격결손이 없는 폐동맥폐쇄(PA with intact ventricular septum, PA with IVS)와 심실중격결손이 있는 폐동맥폐쇄(PA with VSD)로 구분한다.

PA with IVS에서는 사방단면상(four-chamber view)에서 우심실이 작게 관찰되며, 심한 경우에는 우심실이 폐쇄되어 있는 것처럼 보이게 된다. 우심실은 기능부전이 동반되기도 하는데, 상대적으로 좌심실은 크고, 좌심실 비대가 관찰되기도 한다. 또한, PA with IVS가 의심되는 경우에 우심실-관상동맥루(RV coronary arery fistula)가 있는지 확인하는 것이 필요하며, 우심방이성체(RA isomerism) 여부도 확인해야 한다.

PA with VSD에서는 사방단면상에서 심실중격결손이 확인되고, 우심실과 좌심실은 대칭적인 크기로 관찰되는 경우가 많다. 대개 우심실 기능은 유지되고, 우심실유출로는 작거나 없는 경우가 많으며, 폐동맥이 아닌 대동맥-폐동맥 측부혈관(major aortico-pulmonay collateral artery, MAPCA)로 폐순환이 이루어지기도 한다.

4. 동반 기형

삼첨판폐쇄(tricuspid atresia, TA), 대혈관전위(transposition of great arteries, TGA), 양대혈관우심실기시(double outlet right ventricle, DORV) 등의 심장내 동반 기형과 심방이성체(right atrium isomerism) 여부를 확인하는 것이 필요하다. 팔로4징의 일부분으로 폐동맥폐쇄가 확인되는 경우도 있다. 심장외의 기형에 대해서도 주의깊게 확인하는 것이 필요하다.

5. 감별 진단

1) 폐동맥협착(pulmonary stenosis, PS)
2) 팔로4징
3) 우심실형성부전(hypoplastic right ventricle)

4) 삼첨판폐쇄

6. 임신 중 필요한 검사

1) 태아 심초음파검사

2) 태아 염색체 검사 fetal karyotyping with FISH for 22q11 microdeletion (CATCH22 증후군)

3) 소아 심장분과/신생아 분과/소아 흉부외과 산전 상담

4) 태아 정밀 초음파검사: 심장내 기형이나 심장외 기형이 동반되어 있는지 여부 확인

출생 후 관리

1. 검사

태아초음파에서 폐동맥폐쇄가 의심되는 경우 출생 후 바로 폐동맥 혈류 확보를 위해서 prostaglandin E1을 투여하면서 산소 포화도 측정과 함께 심장 초음파를 시행하게 된다. 심장 초음파 검사를 통하여 폐동맥폐쇄가 판막부 폐쇄인지 근육부 폐쇄인 지 확인하고, 동반된 심실중격결손이 있는 지를 확인한다. 또한, 폐동맥 혈류가 동맥관을 통해 유지되는 지와 주요 대동맥-폐동맥 측부혈관에 의해 유지되는 지를 확인하게 된다.

2. 치료

환자는 출생 직후부터 출생 후 심한 저산소증, 심비대 및 폐형성부전(pulmonary hypo-plasia)이 발생할 수 있으며, 신생아중환자실에서 집중 관리가 반드시 필요하다. 폐동맥 혈류가 동맥관으로만 유지되는 경우는 prostaglandin E1을 지속적으로 투여하면서 심실중격결손 여부에 따라 치료 방침을 결정하게 된다.

심실중격결손이 없으면서 막성 폐동맥폐쇄를 보이는 경우는 우심실의 발육 정도에 따라 경피적 풍선확장술로 폐동맥 판막을 열어주면서 산소포화도 정도에 따라 동맥관 내 스텐트를 삽입하거나 Blalock-Taussig 단락술(대동맥 분지와 폐동맥 분지를 연결하는 수술)을 시행하게 된다. 우심실 발육이 매우 부족하여 양심실 교정이 불가능할 것으로 판단되는 경우는 일반적으로 Blalock-Taussig 단락술을 시행한 후 단계적으로 좌심실을 단심실로 사용하게 하는 폰

탄(Fontan) 수술로 진행하게 된다(단심실 참조).

심실중격결손이 크게 있는 경우는 대개 근육부 폐쇄가 있는 폐동맥폐쇄로 일반적으로 체중이 3 kg 이상 증가하면 Blalock–Taussig 단락술을 시행한 뒤 돌 전후로 Rastelli 수술(우심실과 폐동맥 사이에 인공 도관을 삽입하면서 심실중격결손을 폐쇄시키는 수술)을 시행하게 된다.

3. 경과

폐동맥폐쇄는 심실중격결손의 동반 유무와 우심실의 발육 정도에 따라 매우 다양한 경과와 예후를 보인다. PA with VSD의 경우에 생후 1개월 이내에 수술적 치료가 필요한 경우는 50% 정도이고, 3개월 이내에 25%가 추가로 수술적 치료를 받게 된다. 3년 생존율은 80%에 이르는 것으로 알려져 있고, 불량한 예후로서 저체중출생아, 남아, muscular PA, 대동맥–폐동맥 측부혈관의 존재, 22번 염색체의 미세결손(22q11 microdeletion) 등을 들 수 있다.

PA with IVS에서는 우심실과 삼첨판의 기형이 거의 모든 환자에서 동반되며, 이러한 우심실과 삼첨판 기형이 치료 방법과 예후 및 합병증을 결정하는 가장 중요한 요인이다. 심실중격결손이 동반되지 않은 환자에서 우심실 발육이 상대적으로 좋아 경피적 풍선확장술로 양심실 교정을 받는 경우는 폐동맥협착과 비슷한 좋은 예후를 보이나 폐동맥판막과 우심실 상태에 따라 추가적인 치료가 필요할 수 있다. 일부 환자에서는 폰탄 수술로 진행하게 되며, 이러한 경우는 폰탄 수술을 시행받은 환자들의 예후를 따르게 된다(단심실 참조).

심실중격결손이 동반되어 Rastelli 수술을 시행받은 경우는 환자가 성인기에 이르기까지 2~3차례 추가적으로 보다 큰 인공도관으로의 치환술이 필요하다. 성인기 이후에도 조직 판막을 삽입하여 인공도관 치환술을 시행받은 경우 일반적으로 10~15년마다 새로운 판막으로의 치환술이 필요하다. 최근에는 경피적 폐동맥판막이 개발되고 있어 환자의 상태에 따라 수술적 치환술을 대체하여 경피적 폐동맥판막 치환술(대퇴정맥이나 경맥을 통하여 폐동맥 판막을 삽입하는 방법)이 시행될 것으로 보인다.

[참고문헌]

1. Bianchi DW, Crombleholme TM, D' Alton ME, Malone FD. Pulmonary Stenosis and Atresia. In: Bianchi DW, Crombleholme TM, D' Alton ME, Malone FD, editors. Fetology: Diagnosis and Mangement of the Fetal Patient. 2nd ed. New York: McGraw-Hill Companies; 2010

2. Kennedy A, Puchalski MD. Pulmonary Valve Stenosis, Atresia. In: Woodward PJ, editor. Diagnostic Imaging: Obstetrics. 2nd ed. Salt Lake City; Amirsys Inc; 2012

3. 최정연. 심실중격결손이 없는 폐동맥폐쇄: Pulmonary atresia with Intact ventricular septum (PA with IVS). In: 최정연. 태아 심초음파(Fetal Echocardiography). 서울: 서울대학교출판부; 2010

06 엡스타인기형
(Ebstein's anomaly)

권보상
김웅한
김선민

기 형 태 아 를 위 한 카 운 슬 링

1. 빈도

20,000명 출생아 당 1명의 빈도로 발생하며 선천성 심기형의 0.5%를 차지하는 것으로 알려져 있다.

2. 질병의 개요 및 발생 원인

삼첨판엽이 삼첨판륜(tricuspid annulus)에 붙지 않고 우심실 첨부(apex) 쪽으로 내려가서 붙어 있는 기형이다. 삼첨판엽이 내려 붙는 정도에 따라 중증도를 나누는데, 삼첨판엽이 심하게 아래쪽에 위치하여 우심실 벽에 들러붙어 우심실 유출로를 통해서 혈류가 폐동맥으로 들어가지 못하는 경우 기능적 폐동맥판막폐쇄(functional pulmonary atresia)와 같은 현상이 나타나며 이는 치명적이다. 발생학적으로는 삼첨판막의 delamination 과정의 문제로 생기며, lithium에의 노출과 관계있다는 설도 있다.

3. 산전 진단

삼첨판의 중격엽과 후엽(septal and posterior leaflet)이 내려가서 우심실 안에 붙어 있다. 우심방 확장에 의한 심장비대(cardiomegaly), 삼첨판막의 이형성과 위치이상에 의한 삼첨판역류(tricuspid regurgitation), 우심실과 폐동맥이 위축된 소견 등이 동반될 수 있다.

4. 동반 기형

다운증후군과 에드워드증후군에서 엡스타인 기형이 동반되기도 한다.

5. 감별 진단

삼첨판이형성(dysplasia)

6. 임신 중 검사

태아 염색체 검사: 21, 18번 삼염색체증과 관련 있기 때문에 태아 염색체 검사가 권장된다.

출생 후 관리

1. 검사

태아초음파에서 엡스타인기형이 의심되는 경우 출생 후 정확한 기형 정도의 파악을 위해 심장 초음파를 시행하게 된다. 심장초음파를 통하여 삼첨판막이 우심실벽에 부착된 부위의 이상 정도와 삼첨판막 역류 정도, 우심실의 전체적인 크기(실제 우심실과 심방화된 우심실 각각)와 우심실 유출로 폐쇄 여부, 좌심실과 우심실의 기능 정도를 평가하게 된다. 때로는 우심실의 정확한 부피 측정 등을 위해서 심장 MRI를 시행하기도 하고, 간혹 동반되는 상심실성 빈맥에 대하여 전기 생리학적 검사(심전도 포함)를 하게 된다.

2. 치료

엡스타인기형은 심한 정도에 따라 매우 다양한 임상 양상을 보이게 된다. 매우 경한 경우는 특별한 치료 없이 성인기에 이르게 되고, 우연히 진단되는 경우도 있다. 심한 기형을 보이는 경우는 대개 신생아기부터 증상을 보이는 경우가 있으며, 폐동맥으로의 혈류 유지를 위해 prostaglandin E1을 투여하거나 폐혈관 확장제를 투여하기도 하고, 심부전 증상을 보이는 경우는 심부전을 완화하기 위한 여러 약물 요법을 시행하게 된다.

삼첨판막 역류가 심하지만 양심실을 모두 사용할 수 있는 경우는 삼첨판막 성형술이나 판막 치환술을 시행하게 되고, 우심실을 사용하기 힘든 경우는 폰탄(Fontan) 수술(단심실 참조)을 시행하기도 한다.

상심실성빈맥 등의 부정맥을 보이는 경우 구조 이상의 범위가 크지 않은 단순 부정맥은 항부정맥 약제를 투여하여 치료하나, 구조이상이 있는 경우는 삼첨판막의 수술과 동시에 부정맥에 대한 수술도 같이 시행하게 된다.

3. 경과 및 예후

엡스타인기형의 예후는 구조이상의 정도와 증상 유무에 따라 매우 다양하다. 삼첨판엽이 붙어있는 위치가 아래쪽일수록, 우심실유출로를 통하는 혈류가 적을수록, 기능을 하지 못하는 우심방화된(atrialized) 우심실이 크고 기능을 하는 우심실이 작을수록 예후가 좋지 않다. 일반적으로 출생 전 태아초음파에서부터 심한 삼첨판막 역류로 인해 태아수종이 동반되는 등 증상이 있는 경우가 가장 나쁜 예후를 보이게 된다. 수술로 인한 사망률은 대부분의 심장 센터에서 5% 이내로 보고되고 있으며, 출생 후 예후를 결정하는 인자들은 병의 심한 정도, 증상 유무, 심실 기능 정도, 심장 내 동반 기형 유무, 심비대 등으로 알려져 있다. 자궁 내 사망률은 45%로 알려져 있다.

[참고문헌]

1. 최정연. 태아 심초음파. Seoul : Republic of Korea. 서울대학교출판문화원;2010
2. Pediatric cardiology for practitioners, 6th edition (Myung K. Park)
3. Moss & Adams' Heart Disease in Infants, Children, and Adolescents: Including the Fetus and Young Adult, 8th edition

07 좌심형성부전증후군
(Hypoplastic left heart syndrome, HLHS)

권보상
김웅한
이승미

기 형 태 아 를 위 한 카 운 슬 링

1. 빈도

10,000명 출생아 당 1.6~3.6명의 빈도로 발생하는 것으로 알려져 있고 전체 선천성 심장 기형의 4~9%를 차지한다. 최근 한국에서는 출생아 10,000명 당 1.8명의 빈도로 보고된 바 있다.

2. 질병의 개요 및 발생 원인

좌심형성부전증후군이란 좌측 심장 구조가 아주 적거나 거의 형성되지 않은 것이다. 특히 좌심실의 크기가 작은 것이 특징이고 승모판, 대동맥 판막 및 상행 대동맥 형성 부전이 동반될 수 있다. 좌심형성부전증후군은 심방중격(atrial septum)의 이상으로 이차적으로 좌심방/좌심실에 혈류가 덜 공급이 되어 발생하기도 하지만 판막 또는 좌심실 자체가 내적인 유전적 이상 또는 복합적 이상으로 발달을 하지 못하여 발생할 수도 있다.

3. 산전 진단

1) 각 영상에서 다음과 같은 소견을 보인다.
   (1) 사방단면상(four-chamber view): 좌심실의 크기가 작음
   (2) 삼혈관상(three vessel view)이나 좌측유출로상(left outflow tract view): 대동맥 판막 및 상행 대동맥의 크기가 현저하게 작음
   (3) 도플러
      - 좌심방의 압력이 우심방의 압력보다 높기 때문에 원형공(foramen ovale)을 통한 혈

류의 흐름이 역전되어 좌심방에서 우심방으로 혈류가 흐르는 것을 확인할 수 있음
- 승모판을 통한 좌심방에서 좌심실로의 혈류의 흐름 및 대동맥을 통한 혈류의 흐름은 아예 없거나 매우 미약한 소견을 보임
- 대동맥의 혈류의 방향은 동맥관(ductus arteriosus)를 통해 폐혈관으로부터 혈류를 받는 경우에는 반대 방향으로 대동맥의 혈류가 채워지는 것(retrograde filling)을 확인할 수 있음

4. 동반 기형

염색체 이상의 빈도가 3~16% 정도, 심장 외 동반 기형의 빈도가 10% 정도로 보고되고 있다.

5. 감별 진단

감별해야 하는 진단은 양심방연결좌심실(double inlet left ventricle), 심한 대동맥 협착, 대동맥축착 등이 있다.

좌심형성부전증후군으로 진단이 된 경우 태아 염색체검사가 필요하다. 대동맥의 이상을 동반하기 때문에 CATCH22증후군의 동반 가능성을 배제하기 위해 22q11 미세결손 여부도 같이 확인하는 것이 좋다. 또한 다른 동반 기형 여부를 확인하기 위해 심초음파 외에 다른 장기에 대한 평가도 필요하다.

6. 임신 중 검사

1) 정밀 초음파검사
2) 태아 염색체검사
3) FISH for 22q11 microdeletion (CATCH22 증후군)

출생 후 관리

1. 검사

신생아기에 심하게 증상이 발현할 수 있어 태아기 진단이 중요한 질환이다. 신생아기의 전형

적인 증상은 빈맥, 빈호흡, 수유 곤란, 창백함, 전신 위약으로 시작하여, 급격히 악화되어 저혈압, 대사성 산증, 급성 신부전, 괴사성 장염 등이 발생하여 치료하지 않으면 수일 이내에 사망에 이르는 질환이다. 태아기에 좌심형성증후군으로 의심된 경우는 출생 후 신생아집중치료실로 이동하여 심장초음파를 시행하여 확진을 하게 된다. 대혈관의 관계 및 정맥 이상을 확인하기 위해 심장 심장 CT 또는 MRI를 추가로 시행하기도 한다. 수술 전에 환자 상태를 모니터링하기 위해 생화학 혈액검사, 동맥혈 가스분석 검사, 흉부 X 선 검사, 심전도 등을 시행한다.

2. 치료

수술적 교정이 주된 치료이며, 환자 상태가 대체로 위중하므로 수술 전 후의 중환자실에서 내과적 지지치료도 매우 중요한 질환이다.

1) 수술 전 후의 내과적 치료

출생 직후부터 신생아 집중치료실에서 집중 감시와 치료를 하게 되며, 심방중격결손이 작거나, 폐정맥 이상이 동반되는 경우에는 출생 직후부터 심한 폐울혈이 올 수 있어 풍선심방중격절개술 같은 즉각적인 조치를 해야 하는 경우도 있다.

적절한 체순환을 유지하고, 폐혈류량을 최소화하고, 안정적으로 관상동맥 혈류를 유지하는 것이 수술 전 내과적 치료의 목표이며, 동맥관을 유지하기 위해 Prostaglandin E1을 정주하게 된다. 폐혈류량을 제한하기 위해 폐동맥저항을 어느 정도 높게 유지하는 것이 좋다. 심부전 치료 및 인공호흡기 보조를 요하기도 한다.

2) 수술

단계적으로 대개 3차에 걸쳐 폰탄(Fontan) 수술까지 완성하게 된다.
(1) 1 단계: 신생아기에 Norwood 수술(폐동맥 근위부를 연결하고, 양쪽 폐동맥을 분리하여 단락수술을 하는 것) 을 시행한다. 또는 신생아기에 양쪽 폐동맥 교약술 및 동맥관 스텐트 삽입술을 하는 hybrid operation 후에 Norwood 수술을 하기도 한다. 드물게 신생아기에 심장이식을 하는 경우도 있다.
(2) 2 단계: 3~6 개월경에 양방향 Glenn 시술(단심실 참조)을 시행한다.
(3) 3 단계: 만 2~3 세경에 폰탄 수술을 시행(단심실 참조)한다.

3. 경과 및 예후

일부에서 태아 사망이 생기기도 하지만 대부분에서는 만삭까지 임신이 잘 유지되며 정상 발달을 보이게 된다. 하지만 출생 후에는 동맥관이 닫히면서 치료를 하지 않으면 체순환이 부족해지면서 사망에 이르게 된다. 이 때문에 태어난 직후 동맥관을 유지시키기 위한 프로스타글란딘의 투여 및 Norwood 수술 등의 수술로 시작된 여러 단계의 수술을 거쳐 폰탄 수술까지 해야 교정 수술이 완료된다. 태어난 직후의 보전적 치료의 필요성 때문에 산전이 미리 좌심형성부전증후군을 진단하는 것은 이후 신생아의 예후를 향상시킬 수 있는 것으로 알려져 있다.

3단계 폰탄 수술에 이르면 일반적인 폰탄 수술 환자의 예후를 가진다. Norwood 수술 후 1년 생존율은 70 % 정도로 보고되고 있으며, 폰탄 수술 까지 마친 5년 생존율은 약 50~70 %로 보고 되고 있다. 저체중, 미숙아 등 고위험군에서는 더 낮은 생존율을 보인다. 최근에 여러 가지 의학 기술이 발전함에 따라 수술의 성적은 점차 향상되고 있다.

[참고문헌]

1. 최정연. 태아 심초음파. Seoul : Republic of Korea. 서울대학교출판문화원;2010
2. Pediatric cardiology for practitioners, 6th edition (Myung K. Park)
3. Moss & Adams' Heart Disease in Infants, Children, and Adolescents: Including the Fetus and Young Adult, 8th edition
4. Feinstein JA, Benson DW, Dubin AM, Cohen MS, Maxey DM, Mahle WT, et al. Hypoplastic left heart syndrome: current considerations and expectations. J Am Coll Cardiol 2012;59:S1-42
5. Barron DJ, Kilby MD, Davies B, Wright JG, Jones TJ, Brawn WJ. Hypoplastic left heart syndrome. Lancet 2009;374:551-64
6. 박정우, 전종관, 구자남, 서동기, 문정빈, 서영훈 등. 한국에서 선천성 기형의 유병률: 다기관 공동연구. Korean J Ultrasound Obstet Gynecol 2011;13:148-55

08 대동맥축착
(Coarctation of aorta, CoA)

권보상
김웅한
이경아

기 형 태 아 를 위 한 카 운 슬 링

1. 빈도

선천성 심기형의 6~10%, 10,000명 출생아 당 2~6명의 빈도로 발생하며 남아에서 1.3~1.7배 많이 발생하는 것으로 알려져 있다. 재발율이 높다. 이전 임신에서 태아가 이환된 경우 다음 임신에서도 이환될 가능성은 2~6%, 대동맥 축착 부모의 태아가 이환될 가능성은 각각 2%와 4%로 알려져 있다.

2. 질병의 개요 및 발생 원인

대동맥궁(aortic arch)이 좁아지는 질환이다. 좌측 쇄골하동맥(left subclavian artery)과 동맥관(ductus arteriosus) 사이인 협부(isthmus)에 주로 발생한다. 비교적 긴 부분이 좁아지기도 한다(tubular hypoplasia of the aortic arch). 대동맥축착에는 주요 심기형을 동반하지 않은 단순 대동맥축착(simple CoA)과 심실중격결손(ventricular septal defect), 양대혈관우심실기시(double outlet right ventricle), 대혈관전위(transposition of the great arteries) 등의 주요 심기형을 동반한 복잡 대동맥 축착(complex CoA)가 있다. 대동맥 축착의 발생 기전은 크게 두 가지가 있다. 동맥관 조직이 대동맥으로 이동해 가면서 대동맥이 좁아지게 된다는 '동맥관조직설(ductal tissue theory)'과 대동맥협부를 지나는 혈류량이 감소하여 발생한다는 '혈역학설(hemodynamic theory)'이다.

3. 산전 진단

태아심초음파의 사방단면상(four-chamber view)에서 우측 심장이 커져 보인다. 정상 태아의 경우 우심실과 좌심실의 비가 약 1.2:1인데 비해 대동맥 축착의 경우 그 비가 약 1.7:1로 증가되어 있다. 삼혈관상(three vessel view)에서 폐동맥의 크기가 대동맥의 크기에 비해 커져 보이면서 대동맥의 크기가 상대정맥의 크기와 거의 비슷해 보일 정도로 작아져 보이는 소견을 관찰할 수 있다. 대동맥궁상(aortic arch view)에서 컬러도플러를 적용하면 좁아진 부분에서 와류(turbulent flow)를 관찰 수 있고, 펄스도플러를 적용하여 좁아진 부위의 원위부(distal)에서 혈류속도(velocity)가 증가되어 있음을 확인할 수 있다. 산전 진단된 경우 3차 의료기관에서 분만해야한다.

4. 동반 기형

염색체기형, 특히 터너증후군(Turner syndrome)과 다양한 기형을 동반하는 경우가 많다. 동반되는 심기형으로는 이엽성 대동맥 판막(bicuspid aortic valve), 심실중격결손, 양대혈관 우심실기시, 대혈관전위 등이 있다. 대동맥축착이 대동맥협착(aortic stenosis)과 승모판협착(mitral stenosis)를 동반하기도 하는데, 특히 여러 부위에서 좌심실 유입 및 유출로의 협착이 동반되는 심기형을 Shone complex 라고 한다.

5. 감별 진단

대동맥 축착의 산전 진단은 어렵다. 감별해야할 질환으로는 대동맥 판막 협착과 좌심실형성부전과 같은 좌심실 유출로 협착 심질환들이 있고, Galen aneurysm 등과 같이 동정맥기형으로 인한 우측 심장이 커지는 질환, 부정맥, 태아빈혈, 선천성감염 등으로 인한 심부전 또는 태아수종으로 인한 전체적으로 심장이 커지는 경우가 있다.

6. 임신 중 검사

1) 태아 심초음파 및 정밀초음파 검사
2) 태아 염색체 검사

출생 후 관리

1. 검사

산전 초음파에서 대동맥축착으로 진단받은 환자들은 출생 후 즉시 심장 초음파를 시행하게 된다. 심장 초음파 검사를 통하여 대동맥축착의 심한 정도를 파악하고, 필요한 경우 동맥관을 계속 열어놓기 위해 즉시 prostaglandin을 투여하게 된다. 동반된 심장 내 기형으로 심실중격 결손이 크게 있는 지 확인하여 조기에 교정수술을 시행하여야 하는 지를 평가한다. 수술을 위해 대동맥협착 부위를 포함한 심장 내외의 구조를 입체적으로 파악하기 위해 심장 CT 내지 심장 MRI를 흔히 촬영하게 된다.

2. 치료

대동맥축착은 진단 자체로 수술의 적응증이 된다. 특히 심부전이 있으면 연령에 관계없이 즉시 수술을 시행한다. 단독으로 발생한 대동맥축착의 수술 치료는 흔히 좌흉부의 후측방 절개를 통해 시행되나, 동반된 심장내 기형이 있는 경우에는 정중 흉골 절개를 통해 수술을 시행한다. 수술 결과는 대동맥궁 형성부전 존재의 유무, 수술 방법, 그리고 동반기형의 존재유무 등에 의해 결정된다.

3. 경과 및 예후

예후 인자로는 동반 기형과 진단 시기가 있다. 단독으로 발생한 대동맥축착의 경우는 심장 내 기형을 동반한 경우보다 경과가 양호하여 성인기에 우연히 고혈압을 주증상으로 발견되는 경우도 있다. 조기에 진단되어 치료하는 경우 예후가 좋다. 태아발육지연이 동반되거나 복잡 심기형이 동반된 경우 예후가 좋지 않다. 수술의 사망률은 신생아의 경우 5% 미만 정도로 보고되고 있고, 치료 5년 뒤 재협착이 발생하지 않을 확률은 82% 정도로 보고되고 있다. 일부 환자들은 성공적인 수술 뒤에도 사춘기 이후 후기 고혈압을 보이는 경우가 있어 항고혈압약제를 복용하기도 한다.

[참고문헌]

1. Matsui H, Mellander M, Roughton M, Jicinska H, Gardiner HM. Morphological and physiological predictors of fetal aortic coarctation. Circulation. 2008;118:1793-801
2. Paladini D, Volpe P, Russo MG, Vassallo M, Sclavo G, Gentile M. Aortic coarctation: prognostic indicators of survival in the fetus. Heart. 2004;90:1348-9
3. Pasquini L, Mellander M, Seale A, Matsui H, Roughton M, Ho SY, Gardiner HM. Z-scores of the fetal aortic isthmus and duct: an aid to assessing arch hypoplasia. Ultrasound Obstet Gynecol. 2007;29:628-33
4. 최정연. 태아 심초음파. Seoul : Republic of Korea. 서울대학교출판문화원;2010
5. Pediatric cardiology for practitioners, 6th edition (Myung K. Park)
6. Moss & Adams' Heart Disease in Infants, Children, and Adolescents: Including the Fetus and Young Adult, 8th edition

09 대동맥궁단절
(Interruption of aortic arch, IAA)

권보상
김웅한
이경아

기 형 태 아 를 위 한 카 운 슬 링

1. 빈도

드문 질환으로 선천성 심기형의 1%의 빈도로 발생하는 것으로 알려져 있다.

2. 질병의 개요 및 발생 원인

대동맥궁단절은 A형, B형 및 C형 세 가지 종류가 있는데, A형 대동맥궁단절은 좌측 쇄골하동맥 아래에서, B형은 좌측 쇄골하동맥과 좌측 경동맥 사이에서, C형은 우측 무명동맥과 좌측 경동맥 사이에서 단절된 경우이다. 가장 흔한 유형은 B형이고 대동맥궁단절의 55% 이상을 차지하며, CATCH22증후군과 관련성이 높다.

3. 산전 진단

대동맥궁단절은 상행 대동맥과 하행 대동맥 연결이 완전히 끊어지는 질환이다. 태아심초음파의 사방단면상(four-chamber view)에서는 심실중격결손이 크지 않을 경우 정상으로 보인다. 심실중격결손을 동반하는 경우가 대부분이다. 대동맥궁상(aortic arch view)에서 정상적으로 관찰되는 'candy cane'이 관찰되지 않으면서, 상행 대동맥이 하나 이상의 혈관을 분지하며, 경부쪽으로 직선 주행한다. 하행 대동맥은 동맥관과 연결된다.

4. 동반 기형

심장 외 다른 기형은 주로 CATCH22증후군과 관련 있으며, 이는 B형 대동맥궁단절의 약 50%를 차지한다.

5. 감별 진단

대동맥궁단절의 산전 진단은 어렵다. 감별해야할 질환으로는 심실중격결손을 동반한 대동맥 축착이 있다.

6. 임신 중 검사

1) 테아 심초음파 및 정밀초음파 검사
2) 태아 염색체 검사 및 FISH for 22q11 microdeletion (CATCH22증후군)

출생 후 관리

1. 검사

산전 초음파에서 대동맥궁단절로 진단받은 환자들은 출생 후 즉시 심장 초음파를 시행하게 된다. 심장 초음파 검사를 통하여 대동맥궁단절의 형태를 파악하고, 동맥관을 계속 열어놓기 위해 즉시 prostaglandin을 투여하게 된다. 동반된 심장 내 기형으로 심실중격결손이 크게 있는지, 좌심실유출로협착이 있는지 여부 등을 확인한다. 수술을 통해 상행대동맥과 하행대동맥을 연결하기 위해 대동맥궁단절의 범위를 파악하고, 대동맥궁단절 부위 주변 구조를 입체적으로 파악하기 위해 심장 CT를 흔히 촬영하게 된다.

2. 치료

동맥관이 열려 있는 한 신생아 초기에는 별다른 증상을 보이지 않으나 동맥관의 폐쇄가 갑작스럽게 이루어질 경우 심각한 산증, 무뇨증, 간부전, 장의 허혈 등이 발생하기 때문에 prostaglandin을 투여하다가 조기에 수술적 교정을 하게 된다. 수술 방법은 일차 완전 교정(onestage repair)이 최선의 방법으로, 상행대동맥 혹은 대동맥궁 부위에 자가 조직끼리 단단 혹은 단측문합(extended end-to-end or end-to-side anastomosis)을 시행하게 된다.

3. 경과 및 예후

산전 진단된 경우 3차 의료기관에서 분만해야한다. 예후는 CATCH22증후군 동반과 관련성이 높다. 동반 기형이 있으면 예후가 좋지 않다. A형보다 B형의 전반적 예후가 좋지 않다.

수술하지 않는 경우 자연경과는 매우 불량하나 일부 환자에서 생존한 경우 아이젠멩거 증후군으로 발전하게 된다. 최근의 통합 연구에 따르면 3.6%가 수술 전 사망하였고 생후 1개월에 73%가 생존해 있어 27%의 초기 사망률을 보였다. 수술을 받게 된 환자들은 수술 후 1, 3, 4년 후의 각각의 생존율은 크게 변하지 않았다. 사망의 위험 인자로는 저체중, 수술시의 낮은 연령, B형 대동맥궁 단절, 유출로(outlet)와 섬유주(trabecular) 심실중격결손, 작은 크기의 심실중격결손과 대동맥하 협착 등이 있었다.

[참고문헌]

1. 최정연. 태아 심초음파. Seoul : Republic of Korea. 서울대학교출판문화원;2010
2. Chaoui R, Kalache KD, Heling KS, Tennstedt C, Bommer C, Körner H. Absent or hypoplastic thymus on ultrasound: a marker for deletion 22q11.2 in fetal cardiac defects. Ultrasound Obstet Gynecol. 2002;20:546-52
3. Volpe P, Marasini M, Caruso G, Gentile M. Prenatal diagnosis of interruption of the aortic arch and its association with deletion of chromosome 22q11. Ultrasound Obstet Gynecol. 2002;20:327-31
4. Pediatric cardiology for practitioners, 6th edition (Myung K. Park)
5. Moss & Adams' Heart Disease in Infants, Children, and Adolescents: Including the Fetus and Young Adult, 8th edition

기 형 태 아 를 위 한 카 운 슬 링

10 팔로4징
(Tetralogy of Fallot, TOF)

김기범
김웅한
이지연

1. 빈도

3,600명 출생아 당 1 명의 빈도로 발생하며 흔한 심장기형으로 선천성 심장병의 3.5%를 차지한다. 다운증후군의 약 10%에서 발병한다.

2. 질병의 개요 및 발생 원인

심실중격결손, 대동맥기승, 폐동맥 협착, 우심실 비대의 4가지 심장 이상이 함께 있는 질환이다. 폐동맥 협착 정도에 따라서 분류할 수 있다. 경도의 폐동맥 협착을 "pink" 팔로4징이라고 하며, 중등도 이상의 폐동맥 협착이 동반된 경우 "blue" 팔로4징이라고 한다. 팔로4징의 3~6%는 폐동맥판막이 없는 absent pulmonary valve syndrome을 보인다. 8~23%의 팔로4징에서 CATCH22증후군과 관련이 있으며, 21,18,13번 삼염색체증과 동반될 수 있다. 이 외에도 모체의 당뇨병, 페닐케톤뇨증이 영향을 줄 수 있으며, 모체의 음주, 레티놀산(retinoic acids), 트리메타돈(trimethadione)에 노출된 경우에 위험도가 증가한다.

3. 산전 진단

심첨부 사방단면상(four-chamber view)에서는 대부분 정상 소견을 보인다. 측면 사방단면상 및 좌심실유출로상(left ventricular outflow view)에서 심실중격과 대동맥유출로 사이에 연결이 끊어진 심실중격결손을 볼 수 있다. 사방단면상에서 탐색자를 태아의 우측 어깨 쪽으로 약간 꺾으면 심실중격결손 부위에 있는 대동맥기승부위를 확인 할 수 있다. 컬러도플러를 이용하면 좌심실과 우심실 모두에서 혈류가 대동맥으로 유출되는 것을 볼 수 있다. 삼혈관상(three vessel view)에서 대동맥 단면의 직경이 폐동맥 보다 크게 보이며, 정상보다 전방부에 위치한다. 임신 초기에는 폐동맥 협착이 명확하게 보이지 않을 수 있다. 우측심유출로에서 펄스도플러로 폐동맥 혈류 속도 증가를 확인할 수 있으며, 빠른 속도는 심한 폐동맥 협착을 의미한다. 폐동맥 협착이 매우 심한 경우에는 컬러도플러로 폐동맥 혈류의 관찰이 어렵다. 우심실에서 나가는 혈류가 없고 대동맥을 통한 혈류가 증가하고 동맥관에서 주폐동맥으로 역류하는 혈류가 보이면 심한 폐동맥 협착을 진단할 수 있다. 폐동맥협착은 폐동맥 부위 혹은 위, 아래에 발생한다. 폐동맥 협착이 매우 심한 경우가 아니면 출생 전에는 우심실비대가 저명하지 않다.

4. 동반 기형

25%에서 우대동맥궁(right aortic arch)이 동반된다. 심장 외 기형도 흔하다. 21,18,13 삼염색체증, CATCH22증후군 등의 염색체 이상이 45%에서 발견된다. VACTERL 연관(척추뼈이상, 항문이상, 심장이상, 기관식도이상, 콩팥이상, 팔다리이상) 등을 동반할 수 있다.

5 감별 진단

양대혈관우심실기시(대동맥이 걸쳐진 부분이 좌심실의 50% 이상이면 팔로4징이며, 반대로 50% 이상 우심실에 걸쳐져 있으면 양대혈관우심실기시), 심실중격결손을 동반한 폐동맥폐쇄.

6. 임신 중 필요한 검사

1) 태아 염색체검사(핵형분석검사) 및 FISH for 22q11 microdeletion (CATCH22증후군)
2) 정밀 초음파

출생 후 관리

1. 검사

산전 초음파에서 팔로4징으로 진단받은 환자들은 임신 후기로 가면서 폐동맥 협착이 더 심해질 수 있기 때문에 일반적으로 출생 후 당일 심장 초음파를 시행하게 된다. 심장 초음파 검사를 통하여 폐동맥 협착이 주로 이루어지는 부위를 관찰하고 (폐동맥 하부, 폐동맥 판막 자체, 폐동맥 상부), 특히 폐동맥 판막 폐쇄가 동반된 경우에는 동맥관 내지 대동맥-폐동맥 측부혈관(major aortico-pulmonay collateral artery, MAPCA)의 존재 및 형태 유무를 관찰한다. 수술을 위해 폐혈관 협착의 양상과 관상동맥의 주행 경로 확인 등 기타 심장 내외의 구조를 입체적으로 파악하기 위해 심장 CT를 흔히 촬영하게 된다. 일부 환자에서 CATCH22증후군이 동반되기 때문에 얼굴형을 잘 관찰하여 필요시 유전자 검사를 시행한다.

2. 치료

출생 후 동맥관이 닫히면 우심실유출로가 좁아져 있어 심각한 오른쪽-왼쪽 단락이 발생하여 저산소증이 초래되므로 신생아 치료가 가능한 의료기관에서 분만해야한다. 폐동맥협착의 심한 정도에 따라 치료 시기가 달라지게 된다. 폐동맥협착이 경미한 경우는 심실중격결손이 큰 단순한 심실중격결손에 준해서 수술 시기를 정하게 되어 대개 3개월 이전에 교정 수술을 하는 경향이 있다. 일반적인 정도의 폐동맥 협착이 있는 팔로4징의 경우 국내에서는 대개 3~6개월 사이에 완전 교정수술을 시행받게 된다. 폐동맥 협착이 매우 심하여 저산소 발작이 빈번하거나 청색증이 심한 경우에는 신생아 시기에 완전 교정 수술을 하는 경우도 있으나 분지 폐동맥이 매우 작은 경우와 함께 Blalock-Taussig 단락술을 먼저 시행한 뒤에 추후 완전 교정수술의 시기를 정하기도 한다.

3. 경과

폐동맥 협착의 정도와 동반기형유무에 따라 예후가 결정된다. 폐동맥판막이 없는 경우에 예후가 불량할 수 있으나, 동반 기형이 없는 경우 수술적 치료 후 예후가 좋다. 성공적으로 완전 교정수술을 마친 환자들의 경우 장기 추적 결과 폐동맥판막역류에 의한 우심실 확장으로 폐동맥 판막 치환술이 필요한 경우나 부정맥으로 인한 돌연사 보고 등이 있지만 전반적으로 30년 이상의 장기 추적에서 생존율이 90% 이상 보고되고 있다.

[참고문헌]

1. Apitz C, Webb GD, Redington AN. Tetralogy of Fallot. Lancet 2009;24:1462-71

2. Pepas LP, Savis A, Jones A, Sharland GK, Tulloh RM, Simpson JM. An echocardiographic study of tetralogy of Fallot in the fetus and infant. Cardiol Young 2003;13:240-7

3. Razavi RS, Sharland GK, Simpson JM. Prenatal diagnosis by echocardiogram and outcome of absent pulmonary valve syndrome. Am J Cardiol 2003;91:429-32

4. Shinebourne EA, Babu-Narayan SV, Carvalho JS. Tetralogy of Fallot: from fetus to adult. Heart 2006;92:1353-9

5. 최정연. 태아 심초음파. Seoul : Republic of Korea. 서울대학교출판문화원;2010

11 전(부분)폐정맥환류이상
(Total(partial) anomalous pulmonary venous return TAPVR, PAPVR)

김기범
조성규
이준호

기 형 태 아 를 위 한 카 운 슬 링

1. 빈도

전폐정맥환류이상은 전체 선천성 심장질환의 1% 정도로 100,000명 출생아 당 4~6 명의 정도의 빈도를 보인다. 태아 시기에는 복합심기형이나 장기위치이상증후군(심방이성체)과 관련하여 발견되는 경우가 많으나, 2/3에서는 다른 심기형을 동반하지 않은 단독 심장 기형으로 발생한다. 부분폐정맥환류이상은 단독으로는 선천성 심장병의 1% 미만의 빈도를 보이는 드문 질환이지만, 복합 심기형에서 부분폐정맥환류이상이 동반되는 경우는 비교적 흔하다.

2. 질병의 개요 및 발생 원인

전폐정맥환류이상은 어떤 폐정맥도 좌심방으로 연결되지 않고, 폐정맥 모두가 우심방이나 체정맥으로 연결되는 질환이다. 폐정맥이 직접 체정맥이나 우심방으로 연결되는 경우도 있지만, 대개는 폐정맥들이 좌심방 뒤에서 폐정맥합류를 형성한 후 연결정맥(connecting vein: 상대정맥, 하대정맥, 무명정맥 등)을 통해 체정맥이나 우심방으로 연결된다. 폐정맥합류부위는 대부분 한 곳이지만, 두 곳 이상일 수 있다. 심장 내부구조에 큰 변화가 없는 경우가 많고, 혈류의 방향이 비정상적이지 않기 때문에, 태아시기에 진단을 간과하기 쉬운 질환이기도 하다. 전폐정맥환류이상은 연결정맥을 통해 합류하는 부위에 따라 심장상부형(supracardiac type), 심장형(cardiac type), 횡격막하부형(infradiaphragmatic type) 및 혼합형(mixed type)으로 나눈다. 그 중 심장상부형이 가장 흔하며, 전체의 50%를 차지하고, 심장형은 25%, 횡격막하부형은 20%, 나머지 5%는 혼합형이다. 또한 전폐정맥환류이상은 폐정맥 환류 경로에 협착이 있는 경우와 없는 경우로 분류하기도 하는데, 협착이 있는 경우에는 출생 후 매우 심한 폐동맥 고혈압 소견을 보이게 된다.

부분폐정맥환류이상은 폐정맥의 일부가 좌심방이 아닌 우심방이나 체정맥으로 연결되는 질환이다. 심방중격결손이 동반되는 경우가 흔하며, 단순심방중격결손과 거의 같은 혈역학적 현상을 보이게 되나, 많은 폐혈류량은 심한 경우에 심부전이나 폐동맥 고혈압을 발생시킬 가능성이 있다.

3. 산전 진단

전폐정맥환류이상을 진단하는 데 있어서 가장 중요한 점은 항상 이 질환의 가능성을 염두에 두고, 폐정맥이 좌심방으로 직접 유입되는 것을 확인하는 것인데, 이 때, 저혈류 컬러도플러(low velocity color Doppler) 등이 매우 유용하게 사용된다. 원인을 알 수 없는 우심우세(right heart dominancy)가 있거나, 체정맥이 확장된 경우에는 특히 주의해서 폐정맥의 좌심방으로의 유입을 확인해야 한다. 전폐정맥환류이상에서 흔히 관찰되는 소견 중 하나는 우심방과 우심실, 폐동맥이 크고, 상대적으로 좌심방과 좌심실이 눌려서 작게 보이는 것이다. 컬러 도플러를 이용해서 좌측과 우측에서 최소 1개씩의 폐정맥이 좌심방으로 유입되는 것을 확인하는 것이 필요하다. 네 개의 폐정맥들이 좌심방으로 들어오는 것이 관찰되지 않는다면, 폐정맥환류이상을 의심해야 하고, 이후에는 폐정맥합류(pulmonary venous confluence)를 확인하는 것이 중요하다. 대개 좌심방 뒤에서 확인된다. 또한, 폐정맥합류에서 시작하는 연결정맥(connecting vein: 상대정맥, 하대정맥, 무명정맥 등)을 axial view나 longitudinal view에서 추적하여 합류 부위(draining site)를 찾아야 한다. 흔한 합류부위는 체정맥이나 관상정맥동, 또는 우심방 후면이다. 폐정맥환류이상이 확인되면, 이것이 단독 기형인지 복합 심기형의 한 부분인지를 확인해야 한다.

4. 동반 기형

심방이성체(atrial isomerism)의 한 부분으로 관찰되는 경우가 많고, 심장내 동반 기형이 있는 경우도 있다. 그러나, 2/3에서는 단독 기형으로 관찰되기도 한다.

5. 감별 진단

삼심방증(cor triatriatum)과의 감별이 필요한 경우가 있는데, 삼심방증과 전폐정맥환류이상 모두 좌심방이 둘로 나뉘어진 것처럼 보이지만, 삼심방증은 좌심방이 막에 의해 나뉘는 것이기 때문에 혈류양상을 확인해서 구별해야 한다.

관상정맥동이 늘어나 있는 것을 마치 전폐정맥환류이상이 있을 때 좌심방 뒤에서 폐정맥합류를 형성한 것처럼 보이는 경우가 있기 때문에 감별진단이 필요하다.

6. 임신 중 필요한 검사

1) 태아 심초음파검사
2) 태아 정밀 초음파검사: 심장 외 기형이 동반되어 있는지 여부 확인

출생 후 관리

1. 검사

출생 후 청색증과 호흡곤란이 생길 수 있으며, 폐정맥 연결 경로의 협착의 정도에 따라 증상의 발현 시기와 정도가 다르다. 태아 심장초음파에서 발견될 정도의 심한 협착이 있는 경우에는 대체로 출생 1일 이내에 심한 청색증이 발생하여 응급 수술이 필요한 경우가 많으며, 협착이 심하지 않으면, 심부전 및 폐동맥 고혈압 증상과 경도의 청색증만 있기도 한다. 흉부 X 선 검사에서 폐정맥 울혈이 있어, 선천성 폐렴이나 신생아 호흡곤란 증후군으로 오인되기도 한다. 의심되는 경우에 심장초음파 검사를 통해 폐정맥 연결 이상을 확인함으로써 진단이 되며, 최근에는 정맥 연결과 기도와의 관계를 보기 위해 수술 전 심장 CT 또는 MRI를 추가로 시행하기도 한다.

2. 치료

폐정맥 합류를 좌심방에 직접 연결하는 수술로 교정될 수 있다. 협착이 심한 폐쇄형일 때는 응급 수술이 필요하다.

3. 경과

전폐정맥환류이상이 단독으로 있는 경우에는 수술 후 장기적 예후는 좋다. 우심방이성체 같은 복합 심기형의 일부로서 전폐정맥환류이상이 있는 경우에는 복합 심기형의 예후를 따른다.

전폐정맥환류이상에서 예후가 나쁜 경우는 폐정맥 연결 경로의 협착이 태아기 때부터 매우 심한 경우로 수술적 교정 후에도 폐동맥고혈압이 지속된다. 또한 드물게 수술 후 각각의 폐정맥 협착이 새로 발생하기도 하는 데, 재수술이 필요하기도 하며, 재협착이 반복되는 경우에는 예후는 좋지 않다. 부분폐정맥환류이상의 경우 수술 사망률은 거의 0%에 가까우며, 잘못 연결된 폐정맥이 한 개이고, 동반 기형이 없다면, 증상 없이 건강한 생활이 가능하나, 성인이 되면서 점차 증상이 나타날 수 있다.

[참고문헌]

1. Stamm ER. Anomalous Pulmonary Venous Connection. In: Dross JA, editor. Fetal Echocardiography. 2nd ed. St. Louis: Saunders Elsevier; 2010

2. 최정연. 전폐정맥환류이상: Total Anomalous Pulmonary Venous Return (TAPVR). In: 최정연. 태아 심초음파 (Fetal Echocardiography). 서울: 서울대학교출판부; 2010

3. 박인숙. 부분폐정맥환류이상: Partial Anomalous Pulmonary Venous Return (PAPVR). In: 박인숙, editor. 선천성 심장병. 서울: 고려의학; 2005

4. 최재영, 박인숙. 전폐정맥환류이상: Total Anomalous Pulmonary Venous Return (TAPVR). In: 박인숙, editor. 선천성 심장병. 서울: 고려의학; 2005

5. Valsangiacomo ER, Hornberger LK, Barrea C, Smallhorn JF, Yoo SJ. Partial and total anomalous pulmonary venous connection in the fetus: two-dimensional and Doppler echocardiographic findings. Ultrasound Obstet Gynecol 2003; 22: 257-63

12 동맥간
(Truncus arteriosus)

김기범
조성규
고현주

기 형 태 아 를 위 한 카 운 슬 링

1. 빈도

선천성 심질환의 약 1%로, 100,000명 출생아 당 6명의 빈도로 발생하며, 남녀 비슷하다.

2. 질병의 개요 및 발생 원인

동맥간에서는 하나의 큰 유출로에서 폐동맥, 관상동맥이 기시하고, 전신으로 혈액이 흐르는 분지가 나간다. 거의 막주위의 심실중격결손을 동반하며, 판막의 협착이나 부전이 흔하다. 이외 우대동맥궁(30%)이나 대동맥궁단절 등이 있으며 폐동맥의 분지 양상 및 심장 내외의 구조가 다양할 수 있다. Collett and Edwards 분류는 Type I, II, III 으로 나눈다. Type I-동맥간에서 대동맥과 주 폐동맥으로 나뉜 다음, 다시 좌, 우 폐동맥으로 갈라지는 아형(Van Praagh R and Van Praagh S 분류의 A1 해당한다), Type II-양측 폐동맥이 좌후면에서 각각 가까이 기시하는 경우, Type III-양측 폐동맥이 동맥간의 양측 측면에서 각각 따로 멀리 기시하는 경우이다. Type II, III는 모두 Van Praagh R and Van Praagh S 분류에서 A2로 분류되며, A3는 폐동맥이 동맥간에서 기시하지 않고, 동맥관이나 다른 분지로부터 폐혈류가 공급되는 경우, A4는 동맥궁 저형성과 함께 축착 또는 단절이 있는 경우를 따로 분류하기도 한다.

13번 삼염색체증, CATCH22증후군에서 동반된다. 임신 제1분기 흡연과 관련한다. 자궁 내 태아 체내 혈류분포와 산소포화도의 변화가 모두 동반되나, 동맥간 자체의 증상은 없고, 판막 부전, 심실 부전의 진행과 관련한 태아 수종이 나타날 수 있다.

3. 산전 진단

동맥간(truncus arteriosus)이 있을 때에는, 심장에서 하나의 큰 혈관만이 기시한다. 동맥간은 다른 심장 기형과 연관되어 있기 때문에, 심실과 심실중격을 주의 깊게 살펴보도록 한다.

4. 동반 기형

34.3%에서 CATCH22증후군 보고가 있다. 판막 협착과 부전, 대동맥궁축착, 단절이 동반될 수 있다.

5. 감별 진단

복합 심기형의 한 일부일 수 있으며, 양 대혈관의 기시부와 협착, 심실중격결손 관계, 판막의 형태를 잘 살펴보도록 한다. 'pseudotruncus arteriosus'라 불리는 심실중격결손을 동반한 폐동맥폐쇄(pulmonary atresia with VSD)경우에는 컬러 도플러 영상에서 동맥관을 통한 역류를 확인하고 하행대동맥의 분지들을 확인할 수 있다. 하나의 동맥간 판막을 확인함으로써, 활로4징에서 심한 협착을 보이는 경우, 양대혈관우심실기시(DORV), 반동맥간(hemitruncus), 대동맥–폐동맥창(aortopulmonary window)와 감별하도록 한다.

6. 임신 중 필요한 검사

태아 염색체검사(핵형분석검사) 및 FISH for 22q11 microdeletion (CATCH22증후군)

출생 후 관리

1. 검사

산전 초음파에서 동맥간으로 진단받은 환자들은 출생 후 즉시 심장 초음파를 시행하게 된다. 심장 초음파 검사를 통하여 심장으로부터 하나의 대혈관 유출로만이 존재하는지를 확인하고, 동맥간 판막(truncal valve)의 협착 내지 역류의 정도를 평가한다. 수술을 위해 폐동맥의 분지 형태를 포함한 심장 내외의 구조를 입체적으로 파악하기 위해 심장 CT를 흔히 촬영하게 되며, 필요시 심도자 검사를 통한 심장 내외 구조의 압력과 산소포화도 측정, 혈관 조영 등을 통해 수술방침에 도움을 받기도 한다.

2. 치료

동맥간은 심실중격결손을 통해 일어나는 좌-우 단락에 의한 폐동맥혈류의 증가와 동맥간 판막의 기능에 따라 증상이 결정된다. 큰 심실중격결손을 통한 좌-우 단락으로 심부전증이 조기에 발생하기 때문에 출생 후 이른 시기에 수술적 교정이 이루어져야 한다. 수술은 심실중격결손을 폐쇄하고 우심실과 폐동맥 사이를 인공도관으로 연결시키는 방법으로 한다. 교정 수술의 성적은 꾸준히 개선되어 왔으며 현재는 수술 사망률이 17% 미만으로 보고되고 있다.

3. 경과 및 예후

동맥간 판막부전이 있으면 양심실비대, 심부전과 태아 수종이 발생할 수 있다. 폐혈류순환, 판막의 협착이나 부전, 심실부전 등 전체 심기형의 정도에 달려 있다. 수술을 받지 않은 환자의 자연경과는 매우 불량하여 심한 울혈성 심부전으로 인한 조기 사망에 이르는 경우가 많아서 약 50%의 환자들이 생후 1개월 이내에 사망하고, 약 70%가 6개월 이내에, 그리고 약 90%가 1년 이내에 사망하는 것으로 알려져 있다. 영아기에 심부전증으로 사망하지 않은 환자에서는 좌-우 단락의 진행에 따라 폐혈관저항이 점점 상승하여 결국 아이젠멩거증후군으로 사망하게 된다. 교정 수술 시행 후 조기에 사망한 환자들을 제외하면 장기 생존율은 양호한 편으로 7년 생존율은 80~81%, 15년 생존율은 75~83%로 보고되고 있다. 인공도관은 성인기에 일반적으로 10~15년마다 새로운 판막으로의 치환술이 필요하다. 최근에는 경피적 폐동맥판막(대퇴정맥이나 경정맥을 통하여 폐동맥 판막을 삽입하는 방법)이 개발되고 있어 환자의 상태에 따라 수술적 치환술을 대체하여 경피적 폐동맥판막 치환술이 시행될 것으로 보인다.

[참고문헌]

1. 최정연. 태아 심초음파. Seoul : Republic of Korea. 서울대학교출판문화원;2010
2. Pediatric cardiology for practitioners, 6th edition (Myung K. Park)
3. Moss & Adams' Heart Disease in Infants, Children, and Adolescents: Including the Fetus and Young Adult, 8th edition
4. Collett RW, Edwards JE. Persistent truncus arteriosus; a classification according to anatomic types. Surg Clin North Am 1949;29:1245-70
5. Swanson TM, Selamet Tierney ES, Tworetzky W, Pigula F, McElhinney DB. Truncus arteriosus: diagnostic accuracy, outcomes, and impact of prenatal diagnosis. Pediatr Cardiol 2009;30:256-61

13 완전대혈관전위
(Transposition of great arteries, TGA)

김기범
조성규
고현주

1. 빈도

전체 선천성 심기형의 5% 정도로, 10,000명 출생아 당 약 2 명의 빈도로 보고된다. 남아에서 더 자주 발견된다(남녀비 2:1).

2. 질병의 개요 및 발생 원인

발생학적으로 동맥간(truncus arteriosus)의 비정상적 분화에 기인하며, 염색체 이상과는 드물게 관련한다. 다른 conotruncal cardiac defects와는 달리 CATCH22증후군과 연관성은 보고되지 않았다. 산모의 당뇨와 관련한다.

자궁 내 태아시기에는 증상은 없으나, 대동맥의 산소포화도가 감소하고, 동반 심장기형에 따른 혈역학적 불균형이 발생하므로, 뇌와 장기들의 발달에 영향을 줄 수 있다.

3. 산전 진단

심방-심실 연결은 정상적이나(concordant A-V connection), 심실-대혈관 연결에서 우심실에서 대동맥이 나가고, 좌심실에서 폐동맥이 나간다. 그래서 정상에서 보이는 심실유출로의 교차가 없이, 양 대혈관이 태아 머리 쪽으로 평행하게 나아가는 것을 longitudinal view에서 볼 수 있다. 태아 장축에 직각으로 탐촉자(probe)를 움직여 일련의 단면상(axial scan)을 확인하며, 심실유출로, 대혈관 분지양상, 하대정맥, 하행대동맥, 복부 장기들을 알아본다.

이때 형태학적 우심방의 위치로 심장의 양쪽 위치를 우선 결정하는데, 넓은 삼각형 모양의 심방돌기, 심방 정맥부 연결부위, 대정맥의 연결상태를 고려하고, 드물게 우심방이 좌측에, 좌심방이 우측에 보이는 경우(심방역위, atrial situs inversus) 별도로 명기한다. 더하여 심방중격 난원공과 난원 피판(flap), 폐정맥을 살펴본다.

통상적인 심방정위의 완전대혈관전위는 S,D,D로 표기되며, 대동맥판이 폐동맥판보다 머리쪽 앞 편 오른쪽에 있다. 드물지만 심방역위의 완전대혈관전위는 I,L,L로 표기하며 대동맥이 머리쪽의 앞 편의 왼쪽에 위치한다. 이외 다른 결손이 보이거나 불명확해 보일 때는 탐촉자 위치 및 각도의 미세 조정, 도플러 영상을 이용하여 평가한다.

태아시기 반수에서 다른 동반 심장기형이 없는 것으로 알려져 있고(TGA/IVS), 30%에서 임상적으로 유의한 심실중격결손(ventricular septal defect,VSD)이 관찰된다(TGA with VSD). 5%에서 심실중격결손 없이 좌심실유출로협착(Left ventricular outflow obstruction, LVOTO)이 발견된다.

4. 동반 기형

다른 장기기형의 빈도는 약 9% 보고된다.

기도-식도 루와 식도 폐쇄의 약 30%, 횡격막 탈장의 10~25%에서 보인다.

동반 심장기형(Complex TGA)-다음과 같은 심기형을 동반할 수 있다.

- 심실중격결손(40~45%)
- 좌심실유출로협착(25%)
- 대동맥축착(Coarctation of aorta)(5%)
- 비정상적 방실판막(5%)
- 흔히 관상동맥(coronary artery)이 비정상적으로 주행한다.

5. 감별 진단

심방위치가 불명확하거나 심방-심실 연결이 바르지 않을 경우(discordant A-V connection) 다른 복합기형을 고려한다.

평행하게 양 심실유출로가 주행할 때, 대혈관전위와 양대혈관우심실기시(DORV)를 감별한다. 심실중격결손이 동반된 경우 대동맥기시부의 연결성을 확진하기가 어렵다.

6. 임신 중 필요한 검사

염색체검사를 시행하며, 소아심장 팀과의 산전 상담 및 태아 심초음파를 시행한다. 좌심실 유출로, 삼첨판, 반월판막의 이상 유무를 살펴보며 추적관찰하고, 출산 전후 난원공, 동맥관의 크기 및 압력 등 심초음파를 시행할 수 있다.

출생 후 관리

1. 검사

산전 초음파에서 완전대혈관전위로 진단받은 환자들은 출생 후 즉시 심장 초음파를 시행하게 된다. 심장 초음파 검사를 통하여 심방수준에서의 통로(난원공개존이나 심방중격결손), 심실수준에서의 통로(심실중격결손), 대혈관수준에서의 통로(동맥관개존)의 유무와 정도를 파악하게 되고, 동반된 다른 선천성 기형이 있는 지를 파악하게 된다. 수술을 위해 관상동맥의 주행 경로를 잘 파악하여야 하기 때문에 심장 CT를 흔히 촬영하게 되며, 필요시 심도자 검사를 통한 관상동맥 조영이 이루어지기도 한다.

2. 치료

출생후 시행한 심장 초음파에서 좌우심장간의 교통 통로가 크지 않아 산소포화도가 너무 낮은 경우 심도자 시술을 통해 심방중격을 강제적으로 벌려주는 풍선 심장중격절개술을 시행하게 된다. 완전대혈관전위에서 최근 시행되는 완치적 교정 수술은 동맥전환술(arterial switch operation)로 보통 출생 후 2주 이내에 시행하게 된다. 동맥전환술의 조기 사망률은 6% 미만으로 보고되어 있으며, 수술방법의 발전과 아울러 위험인자 개선 등으로 점차 성적이 향상되고 있다.

3. 경과 및 예후

임신 중 태내 사망은 흔하지 않으며, 대혈관협착이나 발육부전이 진행할 수 있으므로 추적검사가 필요하다. 출생 직후 과도기적 순환 상태(transitional circulation)에서 심한 증상을 보여 즉각적인 처치가 요구되므로 3차 병원에서 분만하여야 한다. TGA/IVS 경우, 심한 청색

증과 저산소증으로 즉각적 수술이 필요할 수 있다. 수술적 교정을 받지 않을 경우 자연경과로
는 45%의 환자가 출생 1개월 내에 사망하고 85%의 환자가 6개월 이내에 사망하며 1년 내에
90%의 환자가 사망하는 것으로 알려져 있다. 동맥전환술을 성공적으로 시행받은 환자들에서
는 25년 이상 장기 추적결과 성적이 양호한 편으로 수술 후 재수술율은 5~10% 정도로 보고
되고 있으나 추가적인 사망은 흔하지 않다. 재수술의 주 원인으로는 우심실 유출로 협착, 관상
동맥 협착, 좌심실유출로 협착 등이 알려져 있으며, 장기 추적하면서 대동맥판막 역류 및 좌심
실 기능의 변화 등에 역점을 두어 관찰하고 있다.

[참고문헌]

1. 최정연. 태아 심초음파. Seoul : Republic of Korea. 서울대학교출판문화원;2010
2. Pediatric cardiology for practitioners, 6th edition (Myung K. Park)
3. Moss & Adams' Heart Disease in Infants, Children, and Adolescents: Including the Fetus and Young Adult, 8th edition
4. Bonnet D, Coltri A, Butera G, Fermont L, Le Bidois J, Kachaner J, et al. Detection of transposition of the great arteries in fetuses reduces neonatal morbidity and mortality. Circulation 1999;99:916-8
5. Martins P, Castela E. Transposition of the great arteries. Orphanet J Rare Dis 2008; 3:27

14 양대혈관우심실기시
(Double Outlet Right Ventricle, DORV)

김기범
조성규
고현주

기 형 태 아 를 위 한 카 운 슬 링

1. 빈도

전체 심질환의 1.5% 정도로, 100,000명 출생아 당 약 3~9명의 빈도로 보고되며, 남녀 차이는 없다.

2. 질병의 개요 및 발생 원인

폐동맥과 대동맥이 우심실에서 기시하는 질병이다. 이에 따라 팔로4징 유사형, 완전대혈관전위 유사형(Taussing-Bing기형), 심실중격결손 유사형, 원거리 결손형(remote VSD) 등의 임상적 아형으로 분류하여 적용한다. Conotruncal rotation의 이상, 대혈관 원추부의 leftward shift 이상에 기인하며, 산모의 현성 당뇨가 연관된다(대응비 21.3 보임). 또한, 13, 18번삼염색체증, CATCH22증후군과의 연관도 보고되었다. 산전 진단 시 40%에서 이수체(aneuploidy)를 보인다. 드물게 가족력이 있는 경우 상염색체 열성인 경우가 있다.

3. 산전 진단

폐동맥과 대동맥이 50% 이상이 우심실에서 기시하며, 각각의 대혈관 판막이 양옆으로 나란히 위치한 경우가 흔하며 그 높이가 거의 같고, 아래 원추부(conus)가 위치한다. 대혈관 판막륜이 심실중격결손 기준으로 우심실에 더 많이 놓여 있는지 보고, 승모판과의 섬유조직연속성이 없고 근육누두부가 있으면 좌심실과 연결되지 않은 것으로 여긴다. 심실중격결손의 위치와 크기를 확인하며, 그에 따라 막상 결손(대동맥 판막 하(subaortic) 결손과 심실 유입로(inlet) 부근 결손), 판막 하 결손, 근성 결손의 여러 형태가 있다. 폐동맥 협착이 동반될 수 있다.

4. 동반 기형

단독 또는 다른 복합 기형 또는 증후군의 일부일 수 있다. 동반 심장 내 기형으로는 대동맥 축착 또는 동맥궁단절, 승모판협착 등의 승모판이상, 대동맥판막하협착, 동맥관개존, 완전 방실 중격결손 등이 있을 수 있다.

5. 감별 진단

양 대혈관이 평행하게 놓일 경우 DORV와 TGA를 감별한다. 심실심방 관계의 차이로 구분 하나, 분만 후에나 알 수 있기도 하다.

6. 임신 중 필요한 검사

태아 염색체검사(핵형분석검사) 및 FISH for 22q11 microdeletion (CATCH22증후군)을 시 행한다. 소아심장 팀과의 산전 상담을 진행하며, 대동맥하부의 심실중격결손이 있으면서 폐동 맥협착이 없는 심실중격결손 유사형의 경우 1,2차 병원에서 분만이 가능하나, 이외 복합기형의 경우 3차 병원에서 분만하도록 한다.

출생 후 관리

1. 검사

산전 초음파에서 양대혈관우심실기시로 진단받은 환자들은 출생 후 즉시 심장 초음파를 시 행하게 된다. 심장 초음파 검사를 통하여 심실에서 유출되는 양대혈관 즉 대동맥과 폐동맥이 모두 우심실에서 연결되어 있는 지를 확인하고, 심실중격결손의 위치(대동맥하, 폐동맥하, 양대 혈관 근접형, 양대혈관 원거리형)와 폐동맥협착의 존재 유무를 평가하여 치료방법을 결정하게 된다. 수술을 위해 양대혈관의 정확한 모양 및 주행과 기타 심장 내외의 구조를 입체적으로 파 악하기 위해 심장 CT를 흔히 촬영하게 되며, 필요시 심도자 검사를 통한 심장 내외 구조의 압 력과 산소포화도 측정, 혈관 조영 등을 통해 수술방침에 도움을 받기도 한다.

2. 치료

심실중격결손의 위치와 양대혈관의 크기 차이, 폐동맥협착의 유무 등에 따라 치료는 매우 달라지게 된다. 폐동맥협착이 없는 대동맥하 심실중격결손증이 있는 경우에는 큰 심실중격결손이 있는 환자와 유사한 소견을 보여 심실중격결손을 폐쇄하는 방식으로 수술이 진행이 되고, 폐동맥 협착이 있는 대동맥하 심실중격결손이 있는 경우는 팔로4징형이라고도 하며, 팔로4징 환자와 같은 방식으로 수술이 진행이 된다. 폐동맥하 심실중격결손이 있는 경우는 Taussig-Bing 기형이라고도 하며 완전대혈관전위와 유사한 형태를 보여 동맥전환술을 시행하거나 대혈관의 크기 차이가 매우 심한 경우는 폰탄(Fontan) 수술을 시행하기도 한다(단심실 참조).

3. 경과

정상염색체인 경우 조기 및 장기 예후는 좋다. 심실중격결손이 저절로 작아지는 것이 위험할 수 있으며 폐동맥협착이 심한 경우 이에 따른 합병증이 발생한다. DORV의 종류에 따라 예후가 다르며, 심부전과 호흡곤란으로 인한 합병증(대개 6개월 이전)이 생기기 전에 조기 수술해 주게 된다.

수술을 받는 경우 동반된 주요 심장기형, 예를 들어 좌심실유출로협착이나 방실판막 이상 혹은 심실의 발달 정도에 따라 크게 달라진다. 최근 양대혈관우심실기시의 수술 성적이 매우 향상되어 보고되고 있으며, 전체 조기 사망율과 후기 사망율은 각각 4.3~4.8%와 3.2%로 보고되고 있다. 특히, 단순 양대혈관우심실기시의 경우 심실중격결손과 유사하여 낮은 조기 사망률을 보이고 있다. Taussig-Bing 기형에서 동맥전환술이 시행된 경우 조기사망률은 11% 정도로 보고되고 있다. 양대혈관우심실기시에서 교정술 후 15년 평균 생존율은 89.5%로 보고되고 있다. 장기생존자의 95%는 신체적 활동에 제약이 따르지 않는다.

[참고문헌]

1. 최정연. 태아 심초음파. Seoul : Republic of Korea. 서울대학교출판문화원;2010
2. Pediatric cardiology for practitioners, 6th edition (Myung K. Park)
3. Moss & Adams' Heart Disease in Infants, Children, and Adolescents: Including the Fetus and Young Adult, 8th edition
4. Kim N, Friedberg MK, Silverman NH. Diagnosis and prognosis of fetuses with double outlet right ventricle. Prenat Diagn 2006;26:740-5
5. Obler D, Juraszek AL, Smoot LB, Natowicz MR. Double outlet right ventricle: aetiologies and associations. J Med Genet 2008;45:481-97

15 단심실 (Single ventricle)

김기범
조성규
이승미

1. 빈도

원인이 되는 심장 기형 별 빈도는 10,000명 출생아 당 좌심형성부전증후군은 1.6~3.6명, 양심방연결좌심실은 0.5~1명, 양심방연결우심실은 0.3~0.9명, 폐동맥 폐쇄는 0.8명, 삼첨판 폐쇄는 0.5명 정도로 알려져 있으나 단심실로 귀결되는 경우는 이 중 일부이다.

2. 질병의 개요 및 발생 원인

단심실이란 체순환과 폐순환을 담당하는 심실이 우심실 또는 좌심실의 하나 밖에 없어 두 심실로 인한 체/폐순환(biventricular circulation)이 불가능한 상태를 의미하며, 체/폐순환을 담당하는 주심실(main ventricle)은 우심실 또는 좌심실일 수 있고, 대부분 주심실 외에 작은 부심실이 존재한다. 부심실은 대부분 출생 후에도 심실로서 기능을 할 수 없기 때문에 대부분 여러 단계를 거쳐 폰탄(Fotan) 수술까지 해야 교정 수술이 완료된다.

3. 산전 진단

처음에는 일견 사방단면상(four-chamber view)에서 주심실 하나만 있는 것처럼 보일 수 있으며, 자세히 관찰하면 매우 작은 부심실을 발견할 수 있는 경우가 많다. 주심실이 우심실인지 좌심실인지 또는 미확정심실인지를 구별하고, 이후 심방-심실 연결, 심실-대혈관 연결을 확인하여 원인이 되는 심장 기형의 종류를 감별한다. 원인이 되는 심장 기형은 좌심형성부전증후군(hypoplastic left heart syndrome), 양심방연결심실(double inlet ventricle), 비대칭적인 방실중격결손(unbalanced atrioventricular septal defect), 폐동맥 폐쇄, 승모판 폐쇄, 삼첨판 폐쇄 등으로 다양하다.

4. 동반 기형

원인이 되는 심장 기형의 종류에 따라 다르지만, 대부분의 경우 염색체 이상 및 동반 기형의 위험도가 증가하는 것으로 알려져 있다. 또한 CATCH22증후군이 동반될 수 있다.

5. 감별 진단

태아 염색체검사가 필요하며 이 때 CATCH22증후군의 동반 가능성을 배제하기 위해 22q11 미세결손 여부도 같이 확인하는 것이 좋다. 또한 다른 동반 기형 여부를 확인하기 위해 심초음파 외에 다른 장기에 대한 평가도 필요하다.

6. 임신 중 검사

1) 태아 염색체 검사
2) 정밀 초음파 검사

출생 후 관리

1. 검사

출생 후에 청색증이나 심부전 증상을 보일 수 있는 데, 이는 심실유출로협착, 폐동맥 또는 대동맥협착, 방실판막부전 등의 동반 기형에 따라 정도가 다르다. 드물게 폐혈류량과 체혈류량이 균형을 이루는 경우에는 심부전 없이 경도의 청색증만 있는 경우도 있다. 출생 후 심장초음파를 통해 주심실의 종류와 판막 이상 동반된 심장 및 혈관 기형에 대해 평가를 하게 된다. 대혈관의 관계 및 정맥 이상을 확인하기 위해 심장 CT 또는 MRI를 추가로 시행하기도 한다.

2. 치료

단계적으로 대게 3차에 걸쳐 폰탄 수술까지 완성하게 된다.

1) 1 단계

신생아기에 폐동맥 혈류량이 많은 경우에는 폐동맥교약술(pulmonary banding)을 하고, 폐동맥협착 또는 폐쇄로 인해 폐혈류량이 감소되어 청색증이 심한 경우에는 체동맥과 폐동맥을 연결해주는 Blalock-Tassig shunt를 하기도 한다. 대동맥 축착 등이 동반된 경우에는 교정수술이 필요하다. 드물게 폐혈류량과 체혈류량이 균형을 이루는 경우에는 1 단계 수술이 생략되고 2단계 수술로 진행할 수도 있다.

2) 2 단계

3~12 개월경에 양방향 Glenn 수술(상대정맥과 우폐동맥을 end-to-side로 연결)를 하면서, 단락 부위는 결찰한다.

3) 3 단계

만 2~3 세경에 하대정맥과 폐동맥을 연결시켜서 폰탄 수술을 시행한다. 수술 단계 중에 폐동맥 성형술, 판막 성형술이 필요한 경우도 있으며, 심장 기능에 따라 심부전 약제를 복용하게 되는 경우가 있다.

3. 경과 및 예후

장기적 예후는 폰탄 수술 예후를 따른다. 방실 판막 부전이 심하거나 심실 기능 저하가 있는 경우에는 상대적으로 예후가 좋지 않다. 최근 보고에 의하면 좌심실형 단심실에서 폰탄 수술을 마친 환자의 5년 생존율이 97% 이고, 다른 보고에서는 두방유입 좌심실의 예상 15년 생존율이 80% 정도로 보고되고 있다. 우심실형 단심실은 장기적으로 심장 기능 저하가 오는 경향이 있어 좌심실형 단심실에 비해서 예후가 다소 나쁜 편이다. 전반적으로 장기적 예후는 최근에 시행되고 있는 폰탄 술식과 더불어 보존적인 치료의 향상으로 점차 좋아지고 있으며, 폰탄 수술을 성공적으로 마친 환자에서의 20년 생존율이 90%까지 보고되고 있다.

[참고문헌]

1. 최정연. 태아 심초음파. Seoul : Republic of Korea. 서울대학교출판문화원;2010
2. Pediatric cardiology for practitioners, 6th edition (Myung K. Park)
3. Moss & Adams' Heart Disease in Infants, Children, and Adolescents: Including the Fetus and Young Adult, 8th edition
4. Petit CJ. Staged single-ventricle palliation in 2011: outcomes and expectations. Congenit Heart Dis 2011;6:406-16
5. Beroukhim RS, Gauvreau K, Benavidez OJ, Baird CW, LaFranchi T, Tworetzky W. Perinatal outcome after prenatal diagnosis of single-ventricle cardiac defects.. Ultrasound Obstet Gynecol 2015;45:657-63

16 우심방이성체
(Right isomerism)

김기범
조성규
김선민

기 형 태 아 를 위 한 카 운 슬 링

1. 빈도

이성체(isomerism)는 선천성 심기형의 약 4%에서 나타나며, 우심방이성체는 남아에서 더 많이 발생하는 것으로 알려져 있다.

2. 질병의 개요 및 발생 원인

흉부와 복부 장기 배열은 좌우가 다른 비대칭적 구조인데 정상 좌우배열(situs solitus)과 완전히 뒤집어진 배열(situs inversus) 이외의 배열 이상의 형태를 심방이성체(atrial isomer-ism)이라고 한다. 혹은 내장역위증(situs ambiguous, heterotaxy syndrome, heterotaxia)이라는 용어를 쓰기도 하며 우심방이성체와 좌심방이성체 두 가지 형태가 있다. 우심방이성체는 정상적으로는 좌우가 다른 흉부와 복부 장기 배열이 오른쪽을 닮아 있다고 생각하면 쉽다. 폐, 기관지, 폐동맥, 심방돌기가 모두 오른쪽 구조의 특징을 가진다. 비장은 원래 왼쪽에 있는 장기인데 우측이성체 환자의 대부분에서는 비장이 없기 때문에 무비중후군(asplenia syn-drome)이라고도 한다. 임상적으로나 유전적으로 heterogeneous 하며 이성체 자체가 이수체(aneuploidy)와 동반되는 경우는 드물다.

3. 산전 진단

상복부 단면에서 정상적으로는 하행대동맥이 왼쪽에 하대정맥이 오른쪽에 위치하지만, 우심방이성체에서는 하행대동맥과 하대정맥이 한쪽에 나란히 위치한다. 대부분 간이 중앙을 지나서 반대편 복부까지 길게 위치하며(transverse liver) 위(stomach)는 오른쪽, 왼쪽 어디에도 위치할 수 있다. 그러나 이러한 소견은 산전초음파에서 자칫 간과하고 넘어가는 경우가 있을 수 있으므로 우심방이성체에서 흔히 동반되는 심기형이 진단될 경우 이성체의 가능성을 확인할 필요가 있으며, 특히 심첨부와 위의 위치가 서로 다른 경우는 강력하게 이성체의 가능성을 시사한다.

4. 동반 기형

거의 모든 경우에 심장기형이 동반된다. 대부분 공통심방(common atrium), 완전방실중격결손(complete atrioventricular septal defect), 단심실(single ventricle), 대혈관전위증(transposition of great arteries), 폐동맥판폐쇄증 혹은 협착증(pulmonary atresia or stenosis), 전폐정맥환류이상(total anomalous pulmonary venous return) 등 정해진 종류의 심장기형이 동반된다.

5. 감별 진단

횡격막탈장(congenital diaphragmatic hernia)이나 종양에 의해 심장이나 위가 전위되는 경우, 우심증(dextrocardia), 좌우바뀜증(situs inversus) 등과의 감별이 필요하다.

6. 임신 중 검사

심장기형 및 다른 동반 기형이 있는 경우 태아 염색체 검사가 권장된다.

출생 후 관리

1. 검사

태아초음파에서 우심방이성체가 의심되는 경우 출생 후 동반된 복부 장기의 이상 및 무비증(asplenia) 여부 등의 확인을 위해 복부초음파를 시행하게 되고, 동반된 선천성 심장병의 파악을 위해 심장 초음파를 시행하게 된다. 우심방이성체에서는 다양한 정도의 선천성 심장병을 보이며 특히, 전폐정맥환류이상, 완전방실중격결손, 폐동맥 폐쇄 내지 협착 등이 잘 동반된다. 심장초음파로 대부분 진단이 가능하지만, 수술적 치료가 필요한 일부 복잡 심기형에서는 심장 CT 내지 심장 MRI, 또는 심도자 검사를 통해서 정밀 진단을 하게 된다.

2. 치료

우심방이성체를 가진 환자는 80% 이상에서 완전방실중격결손을 보이고, 또한 양대혈관우심실기시 내지 대혈관전위가 흔히 동반되기 때문에 양심실 교정을 통한 심장 수술이 힘든 경우가 많아 폰탄(Fontan) 수술을 시행하는 경우가 대부분이다. 심한 폐동맥협착 내지 폐동맥폐쇄가 동반된 경우는 Blalock-Taussig 단락술(체동맥과 폐동맥을 이어주는 수술)을 출생 후 먼저 시행하게 되고 이후 Glenn 수술(상대정맥을 폐동맥에 연결하는 수술)을 하고 폰탄 수술을 하게 된다(단심실 참조). 폐동맥협착이 없는 경우는 심실에서 폐동맥으로의 혈류량이 많아서 심부전 증상을 보이기 때문에 첫 번째 수술로 폐동맥교약술(pulmonary banding)을 시행 후 Glenn 수술, 폰탄 수술을 이어서 하게 된다(단심실 참조).

3. 경과 및 예후

동반된 심장기형의 종류나 중증도에 따라 임상 양상이 결정된다. 선천성 심기형 측면에서는 환자가 폰탄 수술로 진행하게 된 경우는 폰탄 수술을 시행받은 환자들의 예후를 따르게 된다. 다만, 기저 복잡심기형의 복잡 정도에 따라 예후가 달라질 수 있으며 특히 전폐정맥환류이상이 동반된 경우나 수술 후 방실판막의 역류가 남는 경우는 예후가 더 나쁘게 된다. 또한 우심방이성체 자체로 인해 대부분 환자는 비장이 없으므로 출생 후 세균에 대한 저항력이 낮아 각종 감염질환에 취약하다.

[참고문헌]

1. 최정연. 태아 심초음파. Seoul : Republic of Korea. 서울대학교출판문화원;2010
2. Pediatric cardiology for practitioners, 6th edition (Myung K. Park)
3. Moss & Adams' Heart Disease in Infants, Children, and Adolescents: Including the Fetus and Young Adult, 8th edition

17 좌심방이성체
(Left isomerism)

김기범
조성규
김선민

1. 빈도

이성체(atrial isomerism)는 선천성 심기형의 약 4%에서 나타나며, 좌심방이성체는 여아에서 좀 더 흔한 것으로 알려져 있다.

2. 질병의 개요 및 발생 원인

흉부와 복부 장기 배열은 좌우가 다른 비대칭적 구조인데 정상 좌우배열(situs solitus)과 완전히 뒤집어진 배열(situs inversus) 이외의 배열 이상의 형태를 이성증(atrial isomerism)이라고 한다. 혹은 내장역위증(situs ambiguous, heterotaxy syndrome, heterotaxia)이라는 용어를 쓰기도 하며 우심방이성체와 좌심방이성체 두 가지 형태가 있다. 좌심방이성체는 정상적으로는 좌우가 다른 흉부와 복부 장기 배열이 왼쪽을 닮아 있다고 생각하면 쉽다. 폐, 기관지, 폐동맥, 심방돌기가 모두 왼쪽 구조의 특징을 가진다. 원래 왼쪽에 위치하는 비장이 좌측이성체 환자에서는 여러 개이거나 여러 엽으로 나뉜 경우가 많아서 다비증후군(polysplenia syndrome)이라고도 한다. 다양한 임상 양상을 보이며 여러 형태의 유전 양상을 보이며 이성체 자체가 이수체(aneuploidy)와 동반되는 경우는 드물다.

3. 산전 진단

하대정맥의 단절과 홀정맥(interruption of inferior vena cava with azygos vein)이 진단의 단서가 된다. 간을 통과하여 우심방으로 들어가는 하대정맥이 보이지 않고 대동맥 뒤나 옆에 늘어난 홀정맥이 보이고, 이 홀정맥은 상대정맥을 통하여 우심방으로 들어간다. 대부분 간이 중앙을 지나서 반대편 복부까지 길게 위치하며(transverse liver) 위(stomach)는 오른쪽, 왼쪽 어디에도 위치할 수 있다.

4. 동반 기형

약 75%에서 심장기형이 동반될 수 있으며 그 종류가 다양하다. 본래 오른쪽 심방구조인 동결절(SA node)이 형성되지 않거나 비정상이라 부정맥이 동반되는 경우가 많고 완전방실전도장애(complete AV block)에 의한 태아수종이 관찰되기도 한다. 그러나 우심방이성체에서 잘 동반되는 단심실(single ventricle), 전폐정맥환류이상(total anomalous pulmonary venous return), 대혈관전위증(transposition of great arteries), 폐동맥판폐쇄증 혹은 협착증(pulmonary atresia or stenosis) 등은 상대적으로 드물다. 장회전 이상(intestinal malrotation), 담도폐쇄(biliary atresia), 요로기형 등이 동반될 수 있다.

5. 감별 진단

횡격막탈장(congenital diaphragmatic hernia)이나 종양에 의해 심장이나 위가 전위되는 경우, 우심증(dextrocardia), 좌우바뀜증(situs inversus) 등과의 감별이 필요하다.

6. 임신 중 검사

심장기형 및 다른 동반 기형이 있는 경우 태아 염색체 검사가 권장된다.

출생 후 관리

1. 검사

태아초음파에서 좌심방이성체가 의심되는 경우 출생 후 동반된 복부 장기의 이상, 담도폐쇄 및 다비증(polysplenia) 여부 등의 확인을 위해 복부초음파를 시행하게 되고, 동반된 선천성 심장병의 파악을 위해 심장 초음파를 시행하게 된다. 좌심방이성체에서는 다양한 정도의 선천성 심장병을 보이며 특히, 하대정맥단절, 동측 부분폐정맥환류이상, 방실중격결손이 흔히 동반되고, 완전방실차단과 같은 서맥 부정맥이 자주 동반되어 심전도를 시행하게 된다. 심장초음파로 선천성 심장병은 대부분 진단이 가능하지만, 수술적 치료가 필요한 일부 복잡 심기형에서는 심장 CT, 심장 MRI, 또는 심도자 검사를 통해서 정밀 진단을 하게 된다.

2. 치료

좌심방이성체에서 동반되는 선천성 심장병은 우심방이성체를 가진 환자에서의 선천성 심장병에 비해 완전교정수술이 가능한 경우가 많으나 일부 환자에서는 폰탄(Fontan) 수술을 필요로 하는 경우도 발생한다. 일부 심한 방실전도차단을 보이는 환자들에게는 영구형 인공심박동기를 삽입하여야 한다. 담도폐쇄가 동반된 경우는 이에 대한 수술이 별도로 필요하며, 약 80% 정도의 환자에서 장의 회전(intestinal malrotation)을 보이기 때문에 장수술을 받는 경우가 있다.

3. 경과 및 예후

태아수종이 발생하여 산전진단 되는 경우가 있으며 동반 기형의 종류나 중증도에 따라 예후가 다양하다. 우심방이성체에 비해서 단락 위주의 병변에 대하여 양심실 교정을 시행하게 됨으로 전반적으로 예후가 좋은 편이다. 일부 환자에서는 단심실 교정이 어려워 폰탄 수술로 진행하며 이 경우는 폰탄 수술을 시행 받은 환자들의 예후를 따르게 된다(단심실 참조). 다만, 기저 복잡심기형의 심한 정도에 따라 예후가 달라질 수 있으며 특히 방실차단과 같은 서맥성 부정맥이 생기면 예후가 좀 더 나빠지게 된다.

[참고문헌]

1. 최정연. 태아 심초음파. Seoul : Republic of Korea. 서울대학교출판문화원;2010
2. Pediatric cardiology for practitioners, 6th edition (Myung K. Park)
3. Moss & Adams' Heart Disease in Infants, Children, and Adolescents: Including the Fetus and Young Adult, 8th edition

18 부정맥
(Arrhythmia)

김기범
조성규
이경아

기 형 태 아 를 위 한 카 운 슬 링

1. 빈도

태아 부정맥은 전체 임신의 1~2%에서 발생하며 임신 제 3삼분기에 가장 흔히 발생한다. 대부분의 태아부정맥 중 조기심방수축이 가장 흔하고 조기심방수축과 조기심실수축이 80~90%를 차지한다. 조기심방수축의 2~5%에서는, 특히 반복적으로 자주 관찰되는 경우, 상실성빈맥이 발생하기도 한다. 태아빈맥 중 상실성빈맥이 70~90%로 가장 흔하고 심방조동은 10~30%를 차지한다. 심실성빈맥은 4% 미만으로 발생한다고 알려져 있다. 태아서맥 중 완전방실차단은 태아부정맥의 9% 정도를 차지한다.

2. 질병의 개요 및 발생 원인

불규칙 리듬(irregular rhythm, extra-systole, extra-beat), 빈맥(tachyarrhythmia) 및 서맥(bradyarrhythmia)으로 분류할 수 있다.

1) 불규칙 리듬

(1) 조기심방수축(premature atrial contraction, PAC)
(2) 조기심실수축(premature ventricular contraction, PVC)

2) 빈맥

(1) 동빈맥(sinus tachycardia)
(2) 상실성빈맥(supraventrucular tachycardia)

(3) 심실성빈맥(ventricular tachycardia)

(4) 심방조동(atrial flutter)

3) 서맥

(1) 동서맥(sinus bradycardia)

(2) 완전방실차단(complete atrio-ventricular block)

동결절(sinus node)의 박동조율세포(pacemaker cell)가 아닌 심방 또는 심실에서 기외수축(ectopic beat)이 생기면서 조기심방수축 또는 조기심실수축이 발생한다. 산모의 카페인 복용, 흡연, 음주 등과 관련 있다고 알려져 있다.

동빈맥은 모체의 갑상선기능항진증(thyrotoxicosis), 열(fever), 패혈증(sepsis) 또는 약물 등에 인해 주로 발생한다. 태아의 상실성빈맥은 주로 방실회귀빈맥(AV reentry SVT, classic type Wolff-Parkinson-White)인데 이는 우회로(accessory pathway)가 있어 심실수축을 다시 심방으로 회귀되는 기전(reentry)에 의해 발생한다. 심방조동은 심방 내 존재하는 단일 회귀성 회로(reentry circuit)에 의해 발생하며, 방실전도 장애는 다양하나 2:1이 가장 흔하다.

동서맥은 주로 태아나 산모의 스트레스로 인해 발생한다. 완전방실전도 장애는 40~50%에서 좌심방이성체(left isomerism), 수정대혈관전위, 방실중격결손 등과 같은 주요 심기형이 있거나, 모체의 자가면역질환이 있는 경우 주로 발생한다. 모체의 항체(anti-SSA/Ro, SSB/La antibodies)가 태반을 통해 태아에게로 넘어가 염증 또는 섬유화 등을 일으켜 심근 및 심전도계 손상을 초래한다고 알려져 있다.

3. 산전 진단

태아심초음파의 사방단면상(four chamber view)에서 심방과 심실의 수축을 펄스 도플러 또는 M-mode를 이용하여 관찰한다.

동성리듬에서 벗어나 조기심방수축이 관찰되고 이런 조기심방수축 후 심실수축이 관찰되기도 하고(conducted PAC), 심실수축 없이 다음 동성리듬으로 연결되기도 한다(nonconducted PAC). 조기심실수축에서는 이전 심방수축과 상관없이 조기심실수축이 관찰되는데, 이때 심방수축과 심방수축 사이의 간격이 조기심방수축과는 달리 규칙적임을 확인할 수 있고, 심실수축으로 전도되지 않는 심방수축은 전도되는 심방수축에 비해 그 크기가 다소 작은 편이다.

동빈맥은 분당 180~200회 심박수를 보이고 1:1 방실전도를 보이고, 상실성빈맥은 분당 200회 이상, 주로 분당 220~240회 정도의 심박수를 보이면서 1:1 방실전도를 보이며, 심방조동은 분당 300~600회의 심박수를 보이면서 2:1 방실전도 장애가 흔하다. 심실성빈맥은 방실전도해리(AV dissociation)로 인해 드물게 발생하는데 심실박동수가 180회 이상이나 심방박동수는 정상범위인 경우가 흔하다.

동서맥은 분당 80~100회 정도의 심박수를 보인다. 완전방실전도장애의 경우 심방수축과 상관없이 분당 100회 미만의 심박수의 규칙적인 심실수축이 특징적이다.

4. 동반 기형

연속적 또는 빈도가 잦은 조기심방수축의 경우 약 2%에서 선천성 심기형을 동반한다고 알려져 있다. 빈맥의 경우 주요 심기형을 동반하는 경우는 적으나, 상실성빈맥이 지속될 경우 50~75%에서 태아수종을 동반하게 되고, 태아 사망도 약 10%로 알려져 있다.

완전방실전도 장애는 40~50%에서 좌측이성체, 수정대혈관전위, 방실중격결손 등과 같은 주요 심기형을 동반하고, 50~60%에서는 전신성 홍반(systemic lupus erythematosus, SLE)과 같은 모체의 자가면역질환을 동반한다.

5. 임신 중 검사

1) 태아 심초음파 및 정밀초음파 검사
2) 서맥(완전방실전도장애): 모체의 자가면역질환 검사 및 류마티스내과와의 협진

6. 태아 치료

상실성빈맥이 지속되는 경우 산전 약물치료를 고려한다. Digoxin이 1차 약제이고, 모체에 경구 또는 정맥으로 투여한다. 2차 약제로는 Flecainide, Amiodarone 등의 단독 또는 Digoxin과의 병합요법을 고려해볼 수 있다. 심방조동은 1차 약제인 Digoxin에 50% 정도는 잘 치료되나 태아수종을 동반하는 경우 Flecainide, Sotalol 등 2차 약제의 단독 또는 병합요법을 고려해볼 수 있다.

완전방실전도장애의 경우 태아염증반응을 줄이고자 하는 스테로이드 등의 사용과 태아의 심박동수를 증가시키기 위한 beta-agonist의 사용을 고려해볼 수 있으나 효과는 제한적이다.

출생 후 관리

1. 검사

출생 후 부정맥의 진단을 위해 12 유도 심전도 및 24 시간 Holter 모니터링을 한다. 또한, 동반된 심기형 여부 및 심장 기능을 평가하기 위해 심장 초음파를 시행한다. 질환의 종류에 따라 드물게 약물을 이용한 부정맥 검사를 시행하기도 하고, 최근에는 부정맥에 관련된 유전자 검사를 통해 부정맥을 진단하기도 한다.

2. 치료

치료는 부정맥 종류에 따라 다르며, 크게 치료가 필요 없이 출생 후 저절로 호전되는 양성 부정맥(benign arrhythmia)이 있으며, 치료가 꼭 필요한 악성 부정맥(malignant arrhythmia)이 있다. 치료가 필요한 경우는 크게 2 종류로 심장박동기(cardiac pacemaker) 삽입 수술이 필요한 완전방실차단과 같은 서맥과 항부정맥약제 또는 제세동기 삽입이 필요한 빈맥 종류가 있다.

1) 정상 범위의 불규칙한 심박동

대체로 치료가 필요 하지 않는 경우이며, 심전도 추적 관찰만 시행한다.

2) 서맥

non-conducted premature atrial contraction (PAC)는 부정맥이 빈도가 많지 않은 경우에는 추적 관찰만 하는 경우가 있으며, non-conducted PAC 또는 conducted PAC가 반복적으로 발생하는 경우에는 심실 기준으로는 느린 맥박인 경우이지만, 심방은 빠르게 수축하므로 해당하는 항부정맥약제를 투여하기도 한다. 서맥일 때 심전도에서 완전방실차단으로 진단된 경우에는 심실박동수와 증상에 따라 신생아기에 인공심박동기 삽입술이 필요한 경우가 있으며, 드물게 경과 관찰 후 심장박동기 삽입을 결정하기도 한다.

3) 빈맥

태아기의 심방조동인 경우에는 출생 직후에 esophageal pacing 또는 cardioversion 을 통해 빈맥을 종식 시킬 수 있으며, 이 후에는 재발하는 경우가 드물다. 심방 빈맥 또는 상심실성 빈맥은 소아기에는 항부정맥약제 투여하게 되며, 부정맥의 종류에 따라 성장 후에 부정맥 시술을 통해 완치를 기대해볼 수 있는 경우도 있다. 신생아 심실 빈맥은 매우 드물다. 이때는 유전성 부정맥 질환, 심근 질환 등 다른 원인의 감별이 필요하며, 항부정맥 약제 사용 및 드물게 인공제세동기 삽입이 필요한 경우가 있다.

3. 경과 및 예후

부정맥 질환의 예후는 각 질환에 따라 다르며, 부정맥 약물, 심박동기 등으로 치료가 가능하나, 드물게 악성 빈맥인 경우에는 부정맥 조절이 어려운 경우가 있다.

조기심방수축과 조기심실수축은 대부분의 경우 출생이전에 별다른 치료 없이 기외수축이 사라진다. 태아의 상실성빈맥과 심방조동은 신생아기에 약 50%는 지속되거나 재발된다고 알려져 있다. 태아빈맥의 전체적 태아 사망률은 약 10%로 알려져 있고, 태아수종을 동반하는 경우 예후가 더 좋지 않다.

태아 서맥의 경우 동반기형과 모체 항체 유무가 중요한 예후 인자이다. 구조적 이상을 동반하는 경우 생존율이 15%로 낮으나, 정상구조와 태아수종을 동반하지 않는 경우는 90%이상의 생존율을 보인다. 또한 분당 50회 미만의 심박동수를 보이는 경우 태아수종이 20% 내외에서 발생하고, 자궁내태아사망도 75%에 달한다. 모체가 anti-Ro/La 항체를 갖고 있고, 이번 임신에서 태아 완전방실전도장애를 보이는 경우는 다음 임신에서의 재발율은 약 20%로 알려져 있고, 신생아 루프스 소견을 보인 경우에는 다음 임신에서의 재발율은 25~60%정도로 알려져 있다.

[참고문헌]

1. 최정연. 태아 심초음파. Seoul : Republic of Korea. 서울대학교출판문화원;2010
2. Pediatric cardiology for practitioners, 6th edition (Myung K. Park)
3. Moss & Adams' Heart Disease in Infants, Children, and Adolescents: Including the Fetus and Young Adult, 8th edition
4. Api O, Carvalho JS. Fetal dysrhythmias. Best Pract Res Clin Obstet Gynaecol. 2008;22:31-48
5. Friedman DM, Kim MY, Copel JA, Davis C, Phoon CK, Glickstein JS, Buyon JP; PRIDE Investigators. Utility of cardiac monitoring in fetuses at risk for congenital heart block: the PR Interval and Dexamethasone Evaluation (PRIDE) prospective study. Circulation. 2008;4:485-93
6. Friedman DM, Kim MY, Copel JA, Llanos C, Davis C, Buyon JP. Prospective evaluation of fetuses with autoimmune-associated congenital heart block followed in the PR Interval and Dexamethasone Evaluation (PRIDE) Study. Am J Cardiol. 2009;103:1102-6
7. Jaeggi ET, Carvalho JS, De Groot E, Api O, Clur SA, Rammeloo L, McCrindle BW, Ryan G, Manlhiot C, Blom NA. Comparison of transplacental treatment of fetal supraventricular tachyarrhythmias with digoxin, flecainide, and sotalol: results of a nonrandomized multicenter study. Circulation. 2011;124:1747-54

19 심장 횡문근종
(Cardiac rhabdomyoma)

김기범
조성규
이경아

기 형 태 아 를 위 한 카 운 슬 링

1. 빈도

원발성 심장 종양(primary cardiac tumor)은 드문 질환으로 소아 10,000명당 8명 발생한다고 알려져 있다. 심장 종양 중 횡문근종이 70~90%를 차지한다. 산전에 진단되는 심장 종양의 60%이상이 횡문근종이다.

2. 질병의 개요 및 발생 원인

심장 횡문근종은 심근의 과오종성 증식으로 결절성경화증(tuberous sclerosis)이 동반되는 경우가 흔하다. 유전적 이상으로 발생하는 경우가 아닌 심장 횡문근종의 발생 원인에 대해서는 잘 알려져 있지 않으나, 종양의 발생과 크기와 모체의 호르몬이 관련성이 있다는 보고가 있다.

3. 산전 진단

태아심초음파에서 비교적 균질한 원형 또는 타원형의 에코성 종괴를 심장 내에서 관찰할 수 있다. 대부분은 다발성으로 관찰되나 단일성 병변인 경우도 있다.

4. 동반 기형

심장 횡문근종의, 특히 다발성인 경우, 50~90%에서 결절성경화증과 동반된다. 결절성 경화증은 상염색체 우성유전(autosomal dominant inheritance)하는 질환이나 가족력 없이 새로운 변이에 의해 발생하기도 한다. 결정성경화증에서는 심장 횡문근종 뿐 아니라 뇌, 신장, 피부 등에도 과오종(hamartoma)의 병변들을 관찰할 수 있어 'tuberous sclerosis complex (TSC)'로 알려져 있다. 관련 유전자로는 *TSC1*과 *TSC2* 유전자가 있다.

5. 감별 진단

심막기형종(pericardial teratoma)는 심근이 아닌 심막에 생기고 석회화를 동반하며 비균질적(heterogeneous) 병변이다. 섬유종(fibroma)은 주로 단일성으로 발생하며 낭성변성을 동반하는 등 비균질적 에코성 병변이 특징적이다. 기형종과 섬유종은 수술적 제거가 필요하다. 혈관종(hemangioma)은 도플러 검사에서 다양한 혈류가 관찰되는 고에코성 병변으로 심막에 잘 생기며, 저절로 없어지기도 한다.

6. 임신 중 검사

1) 태아 심초음파 및 정밀초음파 검사
2) 결절성경화증에 대한 가계도 분석(pedigree analysis) 및 *TSC1*, *TSC2* 유전자 검사
3) 태아 MRI: 결절성경화증이 의심되는 경우 고려

출생 후 관리

1. 검사

태아초음파에서 횡문근종이 의심되는 경우 출생 후 정확한 심장 종양의 양상 및 혈역학적 상태 판정을 위해 심장 초음파를 시행하게 된다. 심장초음파를 통하여 균질한 고음영의 종양이 심장의 내강이나 심장 근육 내에 존재하는 지를 확인하여야 하며, 횡문근종의 경우 다른 심장 종양과 달리 70% 이상에서 다발성으로 존재하게 된다.

횡문근종으로 판정이 되는 경우 대부분 결절성경화증(tuberous sclerosis)이 동반되기 때문에 신경분과와 협진하여 뇌초음파 내지 뇌 MRI 등을 시행하게 된다. 간혹 여러 종류의 부정맥이 발생할 수 있어서 12-유도 심전도검사 및 필요시 24시간 심전도검사 등의 부정맥 검사를 시행하게 된다.

2. 치료

횡문근종은 임상 양상이 매우 다양하여 증상이 없는 경우부터 아주 심한 경우 태아수종으로 발현되기도 한다. 즉 증상의 정도에 따라 치료의 범위가 정해지게 되며, 대부분 무증상을 보여 특별한 치료를 요하지 않지만, 종양의 크기가 크면서 판막 부위에서 심각한 혈류 방해를 일으키는 경우나 종양의 색전(embolization) 가능성이 높은 경우는 수술적 제거가 필요할 수 있다. 드물지만 부정맥이 발생한 경우 해당 부정맥의 성상에 따라 심방 빈맥의 경우는 약물 치료, 심한 방실차단을 보이는 경우는 심박동기 삽입이 필요할 수 있다. 횡문근종과 별도로 결절성경화증이 동반된 환자에서는 경련 발생 등으로 장기적으로 항경련제 복용이 필요한 경우가 있다.

3. 경과

횡문근종은 대부분 자연적으로 퇴화되기 때문에 아주 드물게 수술하는 경우를 제외하면 연령이 증가함에 따라 별다른 문제를 일으키지 않는다. 다만, 결절성경화증이 심하여 심한 경련을 보이는 경우는 예후가 전반적으로 좋지 않은 편이다.

[참고문헌]

1. Isaacs H Jr. Fetal and neonatal cardiac tumors. Pediatr Cardiol. 2004;25:252-73
2. Lee KA, Won HS, Shim JY, Lee PR, Kim A. Molecular genetic, cardiac and neurodevelopmental findings in cases of prenatally diagnosed rhabdomyoma associated with tuberous sclerosis complex. Ultrasound Obstet Gynecol. 2013;41:306-11

20 지속성좌측상대정맥
(Persistent left superior vena cava)

김기범
조성규
이승미

1. 빈도

0.3~0.5%, 선천성 심장 기형에서는 4~8% 정도로 존재하는 것으로 알려져 있다.

2. 질병의 개요 및 발생 원인

배아기에는 순환계가 양측이 대칭적이어서 좌측/우측 기본 정맥(cardinal vein)이 심장으로 유입되지만, 발생이 진행됨에 따라 좌측의 기본 정맥은 모두 정상적으로 소실되고 우측 기본 정맥만 남아서 우측 상대 정맥을 형성한다. 지속성좌측상대정맥이란 정상적으로 존재하는 우측 상대정맥의 반대편에, 발생학적으로 정상적으로는 사라져야 하는 좌측 상대정맥이 남아 있는 것을 의미한다. 대부분은 우측 상대정맥은 정상적으로 존재하며, 우측 상대정맥이 없는 경우는 매우 드문 것으로 알려져 있다.

3. 산전 진단

주로 삼혈관상(three vessel view)에서 폐동맥의 좌측에 제 4의 혈관, 즉 좌측 상대정맥이 존재하는 것으로 진단이 가능하다. 좌측의 상대정맥이 존재하므로 원래의 우측 상대정맥의 직경이 감소되어 대동맥과의 차이가 커진다. 지속성좌측상대정맥은 관정맥동(coronary sinus)을 통해 우심방으로 연결되므로 관정맥동이 확장된 소견을 대부분 동반한다.

4. 동반 기형

정상적으로 사라져야 하는 구조물이 남아 있는 것이므로 발생학적 이상을 시사하는 지표로 간주되어 동반 심장 기형이나 다른 기형의 존재에 대해 잘 살펴보아야 한다.

5. 감별 진단

지속성좌측상대정맥이 선천성 심장 기형 환자의 4~8%에서 존재하는 소견이므로, 지속성 좌측 상대정맥이 발견되면 동반된 심장 기형 여부에 대한 심초음파 검사가 필요하다. 한 연구에 의하면 지속성좌측상대정맥이 있는 경우 선천성 심장 기형의 위험이 50배 정도 증가하는 것으로 보고되었다.

심장 기형 이외에도 장기역위증증후군(heterotaxy syndrome) 등의 다른 장기의 기형을 동반하기도 하므로 다른 장기에 대한 초음파 검사도 동반되어야 한다.

지속성좌측상대정맥이 있는 경우 태아 염색체 이상의 빈도가 높아진다는 보고가 있으나 이런 경우 대부분은 동반 심장 기형 또는 다른 기형을 동반하고 있었다. 따라서 동반 기형이 없는 경우에는 염색체 검사는 잘 권고되지 않는다.

6. 임신 중 검사

태아 심초음파를 포함한 정밀 초음파 검사

출생 후 관리

1. 검사

지속성좌측상대정맥은 정맥 발생 초기에 퇴화되어야 하는 좌상대정맥이 지속적으로 존재하는 경우로 좌측상대정맥은 대개 관상정맥동(coronary sinus)을 통해 우심방으로 연결되므로, 출생 후 심장초음파에서 늘어난 관상정맥동을 관찰하고, 이와 연결된 좌측상대정맥을 진단하는 경우가 많다. 매우 드물게 우측상대정맥이 작거나, 없는 경우가 있다. 양쪽 상대정맥 사이를 연결하는 정맥이 없는 경우가 많으나, 연결정맥(bridging vein)이 있기도 하다. 이러한 경우에는 혈류의 연결은 정상이므로 치료가 필요하지 않다.

2. 치료

단순한 좌측상대정맥만 있고, 혈역학적으로 문제가 없으면 치료는 필요하지 않으나, 동반된 심기형이 있으면 치료가 필요하다. 동반하는 심장 이상은 다양하며, 특히, 관상정맥동형 심방 중격결손, coronary sinus unroofing 같은 경우에는 심장초음파에서 발견이 어려울 수 있으며, 이 경우에는 수술이 필요하다.

3. 경과

전체적인 예후는 동반 이상에 따라 결정이 되며, 지속성좌측상대정맥이 단독으로 있는 경우에는 치료가 필요하지 않으며, 예후도 정상인과 차이는 없는 것으로 알려져 있다.

[참고문헌]

1. Berg C, Knüppel M, Geipel A, Kohl T, Krapp M, Knöpfle G, et al. Prenatal diagnosis of persistent left superior vena cava and its associated congenital anomalies. Ultrasound Obstet Gynecol 2006;27:274-80
2. Galindo A, Gutiérrez-Larraya F, Escribano D, Arbues J, Velasco JM. Clinical significance of persistent left superior vena cava diagnosed in fetal life. Ultrasound Obstet Gynecol 2007;30:152-61

PART **05**

소화기계 및 복벽 질환
Abdomominal Wall and Gastrointestinal Tract

01 식도폐쇄증
(Esophageal atresia)

김현영
오경준

기 형 태 아 를 위 한 카 운 슬 링

1. 빈도

1만 명당 2~4명에서 발생하는 것으로 알려져 있다.

2. 질병의 개요 및 발생 원인

식도폐쇄증은 식도의 일부 분절의 내강이 완전 폐색되어 식도가 막힌 질환이다. 식도와 기도가 연결되어 있는 지, 연결이 있다면 어느 높이에서 있는 지에 따라 다양한 아형으로 나뉘는데, 기관과 식도 원위부 사이에서 샛길 연결(fistulous connection)이 있는 형태가 약 90% 정도로 가장 흔하다.

3. 산전 진단

태아 위(stomach)에 체액이 적거나 없는 것과 양수과다증이 특징이다. 기관지-식도 누공(tracheoesophageal fistula)이 없으면, 위가 거의 보이지 않고 심한 양수과다증이 발생한다. 기관지-식도 누공이 있는 경우, 양수과다증의 정도와 태아의 위 안의 체액의 양이 다양하여 진단이 어려운 경우가 많다. 양수과다증은 임신 20주 이전에는 잘 나타나지 않는다. 태아의 연하운동에 따라 일시적인 근위부 식도의 확장(pouch sign)이 발생하기도 하나, 정상에서도 보일 수 있으므로 단독으로 진단에 사용할 수는 없다. 산전초음파검사에서 위의 음영 감소나 산모의 양수과다증이 있는 경우 의심할 수 있으나 최근 논문에 따르면 그 민감도는 42% 정도이고 유용성은 56%에 불과하다고 발표하였다. 태아발육지연이 동반되는 경우가 약 40%이며, 임신 제 2삼분기 후반 및 제 3삼분기에 뚜렷해진다.

4. 동반 기형

동반기형이 발생하는 경우가 50~75%로 매우 많아, 반드시 동반기형 유무를 잘 확인하여야 한다. VACTERL 복합증(척추기형, 항문폐쇄증, 심장기형, 기관지-식도 누공, 식도폐쇄증, 신장 형성이상, 사지 기형)과 같은 기형군의 일부로 나타나는 경우도 있다. 염색체 이상이 동반되는 경우도 5~44%까지 보고되고 있으며, 이 중 에드워드증후군(18삼염색체, trisomy 18)이 가장 흔하고 다운증후군의 빈도는 약 5~10%로 보고된다.

5. 감별 진단

태아 염색체검사와 동반기형에 대한 철저한 초음파 검사가 반드시 필요하다. 태아 위가 작아 보이거나 안 보이는 경우 감별해야 할 질환으로는 중추신경계 이상 등에 의한 태아 연하작용의 이상, 선천성 횡격막 탈장 등이다. 임신 제 1, 2삼분기에는 정상태아에서도 일시적으로 위가 작 게 보일 수 있으므로 반복적인 검사를 통해 지속적으로 태아 위가 작고 양수과다증이 동반되 는 지 확인하여야 한다.

6. 임신 중 검사

1) 태아 염색체 검사
2) 동반 기형의 유무에 대한 철저한 초음파 검사

출생 후 관리

1. 검사

대부분 생후 몇 시간 안에 입과 코를 통한 과다한 타액 분비가 나타난다. 전형적으로는 첫 수유시 우유가 역류되고 기침을 동반한 구토가 발생하며 기관지로 타액이 흡인되는 경우 호흡 기 합병증을 악화시킬 수 있다. 진단은 직경 3mm 이하의 방사선 비투과 튜브를 입 혹은 코를 통하여 넣을 때 10cm 정도에서 더 이상 진행하지 않으면 확진 할 수 있다.

2. 치료

신생아집중치료가 가능한 삼차의료기관으로 후송해야 하며 후송시 환아를 따뜻하게 유지하고 튜브로 계속적인 흡인을 하며 머리를 높게 유지하고 산소포화도를 관찰해야 한다. 심장과 폐의 상태가 안정된 경우 즉시 수술하는 것이 좋다고 알려져 있으나 환아의 상태가 불안정하다고 판단되면 지연 일차교정이나 일시적 위루술을 조성하고 단계적 교정을 시행해야 한다.

1) 수술 방법

수술은 우측 제 4늑간을 통하여 늑막외개흉술(extra-pleural thoracotomy)를 시행한다. 수술 전 대동맥궁의 위치를 확인하여 우측에 있으면 좌측으로 진행한다. 일반적으로 기정맥(azygos vein)을 결찰하고 자르면 기관지-식도 누공을 확인할 수 있다. 누공의 기관지쪽은 5~0 비흡수성 봉합사로 봉합한 후 종격동 늑막으로 덮어준다. 식도의 근위부 폐쇄부위를 확인한 후 문합에 필요한 식도 길이를 확보하기 위하여 위(stomach) 쪽으로 박리해서 올라간다. 식도-기관지사이를 박리할 때 기관지에 손상을 주지 않도록 주의해야 한다. 식도 양단간 거리가 너무 길면 근위부 맹관의 1~2cm 상방에서 환상절개를 시행하면 긴장없는 단단한 문합이 가능해진다. 결절봉합(interrupted suture)를 하고 매듭은 밖으로 나오도록 한다. 가는 영양 공급 관(feeding tube)을 입이나 코를 통하여 문합부를 지나 위까지 삽입한다.

2) 단계적 교정법

환아가 안정된 심장과 폐 상태를 보이면 바로 개흉술을 통하여 교정할 수 있다. 그러나 심장이나 폐 상태가 좋지 않거나 생리적 이상이 있는 경우 이를 교정하여 안정된 후에 수술하는 것이 좋다. 저체중, 조산, 수술전 인공호흡기 사용과 동반 기형 유무가 예후에 영향을 미치는 인자로 알려져 있다. 환아의 상태가 불안정하다고 판단되면 우선 근위부 식도에 관을 넣고 흡인기에 연결한다. 일시적으로 스탬 위루술(Stamm gastrostomy)을 시행하고 기관지-식도 누공을 분리 결찰한다. 이후 상태가 좋아지면 지연 교정술을 실시한다.

누공이 없는 A 형인 경우 단계적 교정술을 사용할 수 있다. 신생아 때에 위루술을 시행하고 그 후 6~12주 동안 매일 근위부 식도의 확장술을 시행한다. 이후에 개흉술을 시행하여 단단 문합을 시행함으로써 식도 대치술(esophageal replacement)를 하지 않아도 된다. 입원기간은 환아의 재태연령, 동반 기형, 합병증에 따라 매우 차이가 크며 평균 50일(9~390일) 정도 이다.

3. 경과 및 예후

자궁 내에서 발견된 경우의 사망률은 22~75%로 알려져 있다. 생존률은 환아가 안정된 뒤에 수술받으면 매우 좋으며 단계적 교정을 한 환아도 90~95%의 성적을 보이고 있다. 가장 흔한 사망원인은 수술 전후 패혈증이며, 이 시기를 지나면 심한 심장기형이나 말기 기관지폐형성부전을 동반한 폐기능부전증과 염색체 이상에 따라 예후가 달라진다. 수술 후 합병증으로는 무기폐, 폐렴, 식도 운동이상, 위식도 역류증, 문합부 협착, 흡인 증후군, 기관지─식도 누공의 재발, 기관지연하증 등이 올 수 있다. 협착증은 대부분 확장술로 해결되지만 재수술이 필요한 경우도 있다.

[참고문헌]

1. Arnaud AP, Rex D, Elliott MJ, Curry J, Kiely E, Pierro A et al. Early experience of thoracoscopic aortopexy for severe tracheomalacia in infants after esophageal atresia and tracheo-esophageal fistula repair. J Laparoendosc Adv Surg Tech A. 2014 Jul;24(7):508-12

2. van Heurn LW, Cheng W, de Vries B, Saing H, Jansen NJ, Kootstra G et al. Anomalies associated with oesophageal atresia in Asians and Europeans. Pediatr Surg Int. 2002 May;18(4):241-3

3. de Jong EM1, Felix JF, de Klein A, Tibboel D. Etiology of esophageal atresia and tracheoesophageal fistula: "mind the gap". Curr Gastroenterol Rep. 2010 Jun;12(3):215-22

4. Konkin DE, O'hali WA, Webber EM, Blair GK. Outcomes in esophageal atresia and tracheoesophageal fistula. J Pediatr Surg. 2003;38:1726-9

5. Zamiara P, Thomas KE, Connolly BL, et al. Long-term burden of care and radiation exposure in survivors of esophageal atresia, J Pediatr Surg. 2015 May 28

02 십이지장폐쇄증 (Duodenal atresia)

김현영
오경준

기 형 태 아 를 위 한 카 운 슬 링

1. 빈도

5,000 명당 1명에서 발생하는 것으로 알려져 있다.

2. 질병의 개요 및 발생 원인

배아기 후반부가 되면 앞창자(foregut)의 재개통(recanalization)이 이루어지는데, 발달 단계에서 이 과정이 실패하면 십이지장폐쇄증이 발생한다. 원인으로는 발달과정에서 혈관발달의 이상으로 발생한다는 주장도 있다. 십이지장 부위를 막는 다른 원인인 고리 췌장(annular pancreas), 십이지장 갈퀴막(duodenal web)과 완전히 구분할 수는 없으며 이럴 경우 십이지장폐쇄증보다 일찍 발견되고 심한 소견을 보일 수도 있다. 모체의 양수과다증이 약 30~80%에서 관찰되며 양수과다증에 의해 조기진통이 유발되어 환아의 약 50% 정도는 미숙아 상태로 태어난다. 염색체 이상 및 다른 동반기형이 발생하는 경우가 흔하므로 다른 기관에 대한 철저한 초음파 검사가 시행되어야 한다.

3. 산전 진단

십이지장폐쇄증은 태아의 위와 십이지장이 확장되어 상복부에 두드러지게 보이는 쌍방울 징후(double bubble sign)가 가장 큰 특징이다. 이 때 늘어난 태아의 위와 십이지장의 근위부는 연결되어 있으며, 내용물이 양방향으로 이동하는 것을 볼 수 있다. 일반적으로 임신 20주경이면 나타나기 시작하며, 드물게 임신 제 1삼분기부터 나타나는 경우도 있다. 양수과다증이 흔히 동반되며, 임신 24주경까지는 진단되지 않는 경우도 많지만 임신 제 3삼분기가 되면 대부분에서 진단된다.

4. 동반 기형

십이지장폐쇄증이 발견되는 경우 동반기형이 발생하는 경우가 약 50%로 매우 많아, 반드시 철저한 초음파 검사를 시행하여 동반기형 유무를 확인하여야 한다. 심장기형이 동반하는 경우가 약 10~20%, 근골격계 이상이 있는 경우가 약 20~30%, 식도와 항문기형 질환이 동반되는 경우가 약 25% 정도이다. 신장 이상, 장회전이상, 고리 췌장, 선천성 담도 폐쇄증과 같은 질환들이 같이 나타나기도 한다. 염색체 이상이 동반되는 경우도 흔하며, 다운증후군은 매우 다양하게 보고되고 있기는 하나 약 30%에서 발생한다. 반대로 다운증후군이 있는 태아의 약 5~15%에서 십이지장폐쇄증이 발견된다.

5. 감별 진단

십이지장폐쇄증의 진단은 그다지 어렵지 않으나, 다른 복강 내 낭성구조물과의 구분이 어려운 경우도 많다. 담관낭종(choledochal cyst), 난소낭종, 장막낭(mesenteric cyst) 등이 흔한 복강 내 낭성구조물이다. 이들 낭성구조물은 태아의 위와 연결되지 않으며 양수과다증을 동반하는 경우도 드물다.

6. 임신 중 검사

1) 태아 염색체 검사
2) 동반 기형의 유무에 대한 철저한 초음파 검사

출생 후 관리

1. 검사

단순복부촬영 에서 십이지장폐쇄증 소견이 의심되면 조영술 촬영없이 바로 근치적 수술을 진행해야 한다.

2. 치료

중장염전이 아니라면 수술을 급하게 하지 않아도 되며 탈수에 대한 수액치료가 우선 되어야
한다. 극저 미숙아의 경우 신체의 크기와 폐 상태에 따라 수술을 연기하는 경우가 있으며 그런
경우 위장관 배액과 경정맥을 통한 영양요법이 필요하기도 한다. 수술은 십이지장–십이지장문
합술(duodenoduodenostomy)을 시행하며 다이아몬드 문합법을 주로 시행한다. 고리 췌장으
로 인해 폐쇄가 있는 경우에도, 십이지장–십이지장 문합술을 시행할 수 있다. 십이지장 갈퀴막
(duodenal web) 역시 위 수술이 가능하나 정도에 따라 십이지장창냄술(duodenostomy) 후
갈퀴막절제술(web excision)을 시도해 볼 수 있다. 평균 입원기간은 약 12일 정도이다.

3. 경과 및 예후

예후를 결정하는 중요한 요인 중 하나는 동반된 기형의 종류 및 심한 정도이다. 전반적인 사
망률은 약 15~40% 정도로 보고되는 데, 자궁 내 태아사망의 위험도도 증가한다. 다른 이상이
없는 생존 분만아는 즉각적인 수술로 생존율은 95%에 이른다. 십이지장폐쇄증의 장기 생존률
은 90% 이상으로 좋은 편이다. 수술 후 가장 흔한 합병증은 지속적인 장 운동 저하 때문에 장
기간 금식이 지속되는 것이다. 후기 합병증은 십이지장 확장증, 장관운동 이상, 위식도 역류 등
이며 12~15%에서 발생한다.

[참고문헌]

1. Choudhry MS, Rahman N, Boyd P, Lakhoo K. Duodenal atresia: associated anomalies, prenatal diagnosis and outcome. Pediatr Surg Int 2009;25:727-30
2. Hertzberg BS. Sonography of the fetal gastrointestinal tract: anatomic variants, diagnostic pitfalls, and abnormalities. AJR Am J Roentgenol 1994;162:1175-82
3. Mustafawi AR, Hassan ME. Congenital duodenal obstruction in children: a decade's experience. Eur J Pediatr Surg 2008;18:93-7
4. Escobar MA, Ladd AP, Grosfeld JL, West KW, Rescorla FJ, Scherer LR 3rd, Engum SA, et al., Duodenal atresia and stenosis: long-term follow-up over 30 years. J Pediatr Surg. 2004;39:867-71
5. Kozlov Y, Novogilov V, Yurkov P, et al. Keyhole approach for repair of congenital duodenal obstruction, Eur J Pediatr Surg. 2011;21:124-7

03 공장–회장 폐쇄증
(Jejunal or ileal atresia)

김현영
오경준

1. 빈도

1만 명당 2~3명에서 발생하는 것으로 알려져 있다.

2. 질병의 개요 및 발생 원인

공장과 회장의 폐쇄증은 기관의 발달 단계에서 혈관의 이상에 의해 발생하는 것으로 생각되고 있다. 임신 6~12주 경의 장막동맥의 막힘, 태아의 저혈압, 혈관 기형, 자궁내 장염전(vol-vulus) 등이 가능한 원인이다. 산모의 양수과다증이 있는 경우 산전 초음파 검사에서 다발성으로 팽창된 소장과 증가된 장 연동운동이 관찰되면 의심해볼 수 있다. 양수과다증은 25% 정도에서 관찰된다.

3. 산전 진단

공장 및 회장의 폐쇄증은 체액이 차 있는 확장된 장 고리(loops)와 양수과다증을 보인다. 근위부 공장 폐쇄는 짧은 구간의 확장된 장과 중등도 내지 중증의 양수과다증을 보이며, 원위부 회장 폐쇄는 다수의 확장된 장 고리가 있으며, 양수양은 정상이거나 또는 약간 증가해 있다. 따라서 막힌 위치에 따라 다양한 정도의 초음파 양상을 보인다. 공장과 회장의 폐쇄증이 함께 있는 경우도 약 7% 정도이다. 폐쇄가 일어난 부위를 정확히 감별하는 것이 어려운 경우가 많으며, 특히 다수의 확장된 장 고리가 있는 경우 더 어렵다. 공장 폐쇄가 회장 폐쇄에 비하여 여러 군데의 폐쇄가 발생하는 경우가 많고 장 확장이 심하며 태아발육지연과 연관되는 경우가 많다.

회장 부위의 폐쇄는 공장의 폐쇄에 비하여 장천공의 발생이 흔하다.

4. 동반 기형

공장-회장 폐쇄증은 단독기형이 많으며 다른 동반질환이나 다른 장기에는 문제가 없는 경우가 많다. 공장과 회장의 폐쇄증은 거의 같은 비율로 발생하며 대부분 단독으로 발생하나 다발성인 경우가 6~20% 로 보고되고 있다.

5. 감별 진단

장염전, 태변장폐색증(meconium ileus), 항문폐쇄증, 요관확장증 및 복강내 낭성구조물과의 감별진단이 필요하다. 장염전은 확장된 장고리들이 보이나, 연동운동이 없고 내부에 출혈 및 괴사에 의해 체액과 부스러기(debris)들이 혼재되어 있다. 태변장폐색증은 태변에 의해 원위부 회장이 막히는 것으로 종종 소장폐쇄증과 구분이 쉽지 않으며, 낭성섬유증(cystic fibrosis)이 동반될 수 있다. 항문폐쇄증이나 대장폐쇄증은 원위부 회장폐쇄증과 구분이 매우 어려울 수도 있다. 복강내 다른 낭성 구조, 즉 담관낭종(choledochal cyst), 난소낭종, 장막낭(mesenteric cyst) 등은 주로 단일 낭성 구조를 보이고, 양수과다증이 없는 경우가 많으므로 비교적 쉽게 구분할 수 있다.

6. 임신 중 검사

1) 초음파 추적관찰
   - 태아성장, 양수과다증, 장 확장의 증가, 장천공 여부
   - 직장(rectum) 및 항문이 잘 보이는 지 확인
2) 동반 기형의 유무에 대한 초음파 검사
3) 원위부의 폐쇄증이 의심되는 경우 태변장폐색증과 감별이 어렵다.

출생 후 관리

1. 검사

신생아 장관 폐쇄증이 의심되는 경우 앙와위와 직립위 방사선 촬영을 해야 하며 손가락 크기의 소장과 공기액체층(air-fluid level)이 보일 때 소장폐쇄증을 시사한다. 원위부 폐쇄인 경우 공기액체층이 많이 관찰된다. 임상 양상과 단순복부 촬영 소견에서 소장의 완전 폐쇄가 의심되면 추가검사 없이 수술을 시행한다. 단순 촬영에서 복막석회화가 12% 정도에서 관찰되는데 이는 자궁 내 장 천공을 시사하는 소견이다. 진단이 불확실하거나 원위부 장관 폐쇄증이 의심될 경우에는 대장조영술을 시행하며 감별진단을 해야 한다. 감별해야 할 진단으로는 중장염전과 동반되거나 동반되지 않는 장회전 이상, 태변장폐색증, 장중복증, 내부 탈장, 결장 폐쇄증, 전결장 무신경절증, 패혈증과 동반된 마비성 장폐쇄증 등이다.

2. 치료

소장폐쇄증이 의심되면 반드시 비위관(nasogastric tube)을 삽입하여 내용물을 확인하고 더 이상 장관이 확장되는 것을 방지하도록 해야 한다. 탈수가 되지 않도록 적절한 수액을 공급하고 광범위 항생제를 투여하며 외과적 수술을 신속히 시행해야 한다. 수술 방법은 환아의 상태에 따라 달라지며 병인학적 형태나 장회전이상, 염전, 태변성, 환아의 전신상태에 따라 결정된다. 초기 사망의 가장 흔한 원인은 폐렴, 복막염 혹은 패혈증과 관련된 감염이며 가장 심각한 수술 후 합병증은 문합부위의 기능성 장폐쇄증과 문합부 누출이다.

수술 방법은 병변의 소견과 환아의 상태에 따라 결정된다. 병인학적 형태, 장회전 이상, 염전, 태변장폐색증, 태변복막염, 전신상태에 따라 수술법이 달라질 수 있다. 대부분 단-단 문합 혹은 단-측면문합으로 근위부 장과 원위부 장을 연결시켜 준다. 근위부의 팽배된 부분은 성형술을 통해 직경을 감소시키기도 하며 심하게 팽창된 경우는 제거해주어야 한다. 그러나 장의 길이가 짧은 경우에는 장을 절제하지 않고 테이퍼링 장관 성형술을 시행하고 향후 문합을 고려한다. 만약 염전이 동반되거나 태변복막염이나 합병증이 동반된 장폐쇄의 경우 일차적 문합이 어렵다. 이런 경우 장루술을 시행하고 향후 문합을 고려한다. 다발성 소장 폐쇄증의 경우 수술 시 가능한 장의 길이를 많이 남기는 노력이 필요하다. 평균 입원기간은 40일(8~332일) 정도이나 신생아의 상태에 따라 많은 차이가 있다.

3. 경과 및 예후

적절한 수술을 통해 90% 이상 생존할 수 있다. 형성이 잘 이루어지지 않은 장 부분의 길이가 길수록, 여러 곳에서 발생할수록, 장천공이나 장염전(volvulus)이 동반될수록 예후가 불량하다. 수술 후 단장증후군(short bowel syndrome)이나 장운동이상, 기능적 폐쇄 등이 발생할 수 있다. 예후를 결정하는 인자로는 수술로 절제한 장의 길이, 동반기형, 호흡기능 저하, 미숙아, 단장 증후군, 수술 후 장폐쇄증 등이다. 수술 후 가장 심각한 후유증은 단장 증후군이다.

[참고문헌]

1. Jackson CR, Orford J, Minutillo C, Dickinson JE. Dilated and echogenic fetal bowel and postnatal outcomes: a surgical perspective. Case series and literature review. Eur J Pediatr Surg 2010;20:191-3
2. Hertzberg BS. Sonography of the fetal gastrointestinal tract: anatomic variants, diagnostic pitfalls, and abnormalities. AJR Am J Roentgenol 1994;162:1175-82
3. Wax JR, Hamilton T, Cartin A, Dudley J, Pinette MG, Blackstone J. Congenital jejunal and ileal atresia: natural prenatal sonographic history and association with neonatal outcome. J Ultrasound Med 2006;25:337-42
4. Burjonrappa SC, Crete E, Bouchard S. Prognostic factors in jejuno-ileal atresia, Pediatr Surg Int. 2009;25: 795-8

04 히르쉬스프룽병 (Hirschsprung disease)

김현영
이지연

1. 빈도

5,000 명당 1 명에서 발생하며 남아에서 더 흔하다.

2. 질병의 개요 및 발생 원인

1886년 Hirschprung에 의해 보고되었으며, Whitehouse 등이 원위부 대장의 폐쇄가 무신경절증(aganglionosis)에 의해 발생한다고 병태생리를 확인하였다. 선천적으로 대장(주로 직장 S상 결장) 부위에 근육층 신경얼기(nerve plexus)의 신경절세포가 없어서 발생한다. 이는 병변 부위로의 신경능선(neural crest) 세포의 이동 실패 혹은 이동한 신경능선세포의 분화 실패 때문인 것으로 생각된다. 신경절이 없는 부위의 범위가 직장에 국한된 것이 25.6%, 에스결장까지가 53.8%이고 그 외 약 20%가 에스결장을 넘어서 상방까지 무신경절부가 있는 장역형(long segment type) 이다. 전결장형이 5.1%이며 소장광역형도 3.5%를 차지한다. 장관의 구경변화는 생후 1주부터 점차 나타나며 생후 1개월에는 확실하게 된다. 증상은 신생아기에 태변배출이 지연되며 복부팽만, 구토 등의 급성 장마비 증세로 발현하는 경우가 많다. 생후 1일에 약 50%, 1주일 이내에 80%가 발견되며 장염과 더불어 중증이 될 때까지 방치하게 되면 예후가 좋지 않다. 치료하지 않으면 일년 이내 80%가 사망하는 것으로 알려져 있다.

3. 산전 진단

초음파소견은 비특이적이다. 대장의 직경이 20mm 이상으로 확장되어 보일 수 있으나, 태아

장의 연동운동은 활발하지 않아서 장확장 소견이 나타나지 않는 경우가 대부분이다. 따라서 산전에 진단되는 경우는 매우 드물다. 오히려 늘어난 대장을 보일 경우 위양성 진단을 내리는 경우가 종종 있다.

4. 동반기형

드물게 심장기형, 위장관기형, 항문막힘증, 요도하열(hypospadia)과 동반될 수 있고 다운증후군과 관련 있을 수 있다. Haddad, Goldberg-Shprintzen 증후군 등과 동반될 수 있다.

동반기형은 11.1%에서 나타나며 가장 많은 것은 다운증후군(2.9%)과 심장기형(2.1%)이며 이들을 동반한 경우 사망률이 높아서 다운증후군이 있는 경우 27.7%, 심장기형이 있는 경우 31.7%, 양자를 같이 동반한 경우 38.1%의 높은 사망률을 보인다.

5. 감별진단

정상 대장(임신 제 3 삼분기에 직경이 18mm까지 커질 수 있음), 장폐쇄, 창자꼬임

6. 임신 중 필요한 검사

1) 태아염색체검사
2) 정밀초음파

출생 후 관리

1. 검사

대장조영술을 시행하여 무신경절부에 해당하는 협소부로부터 상방에 확장된 정상 장관과 좁아진 질환 부위를 확인하고 점막 생검을 통하여 진단한다. 직장 생검을 통하여 H&E 염색으로 검사하였을 때 정상 장관에서 보이는 윤상근 종주근의 양근층간에 신경절세포가 없고 곳곳에 외개성의 무수신경속이 보이게 된다. 신경절이 없는 장관의 아세틸콜린 에스터라제(acetylcholine esterase, AChE) 활성도가 높은 점에 착안하여 직장흡인생검에 의해 얻어진 직장의 점막 및 점막하층을 염색하여 AChE 양성 신경섬유의 유무에 의해 진단할 수 있다.

2. 치료

수술은 일차적으로 인공항문조성술을 시행하고 이차적으로 근치수술을 시행하는 방법과, 일차 수술로 근치수술을 시행하는 경우도 있다. 이는 무신경절부의 범위나 장염합병의 유무, 수술자의 기량이나 취향에 따라 달라진다. 1980년 Alberto Peña가 소개한 항문직장성형술 (posterior sagittal anorectoplasty (PSARP), pull through operation)로 조기에 근치수술을 하는 경우가 많다.

3. 경과

예후는 병소의 범위에 따라 다르며 직장과 에스결장에 국한된 경우는 사망률이 1.8%에 불과하지만 전결장이상이 있는 경우 장기적 사망률이 40%에 이른다. 동반기형이 없는 경우에는 수술 후 예후는 좋은 편이다.

[참고문헌]

1. Duess JW, Hofmann AD, Puri P. Prevalence of Hirschsprung's disease in premature infants: a systematic review. Pediatr Surg Int 2014;30:791-5
2. Jakobson-Setton A, Weissmann-Brenner A, Achiron R, Kuint J, Gindes L. Retrospective analysis of prenatal ultrasound of children with Hirschsprung disease. Prenat Diagn 2015;19. doi: 10.1002/pd.4595

05 쇄항, 항문막힘증
(Imperforate anus)

김현영
이지연

기 형 태 아 를 위 한 카 운 슬 링

1. 빈도

출생아 2,500명당 1명에서 발생하며, 항문기형중 가장 흔하다. 남아에서 더 많이 발생한다.

2. 질병의 개요 및 발생 원인

항문막힘증은 항문직장폐쇄(anorectal atresia), 폐쇄항문(imperforate anus)이라고도 한다. 정상 태아에서는 임신 6~7주부터 비뇨직장중격(urogenital septum)이 아래로 내려오면서 임신 9주경이면 총배설강(cloaca)을 앞쪽의 비뇨생식기동(urogenital sinus)과 뒤쪽의 항문직장관(anorectal canal)으로 나누는 과정이 일어난다. 직장말단은 막힌 주머니 형태의 항문막으로 남아 있다가 임신 10주에 파열이 되면서 항문이 만들어진다. 이 과정에 이상이 생기면 여러 형태의 항문직장기형이 발생하며 항문막힘증은 이와 같은 정상적인 항문막 파열이 일어나지 않아서 발생한다. 직장, 질, 요도가 한 구멍으로 나오는 잔류총배설강(persistent cloaca) 처럼 심한 경우부터 회음부누공(perineal fistula)까지 다양한 형태로 존재하며, 최근에는 누공의 위치에 따라서 치료와 예후를 달리 분류하는 분류법이 널리 사용된다.

항문막힘증은 세 가지 유형으로 나눌 수 있으며, 항문올림근(levator ani muscle)의 위쪽에서 막혀있는 높은 위치의 폐쇄(high atresia)와 아래쪽에서 막혀있는 낮은 위치의 폐쇄(low atresia), 그리고 중간위치의 폐쇄가 있다. 높은 위치의 폐쇄가 가장 흔하며, 이 경우 항문루(anal fistula)나 다른 기형을 동반하는 경우가 많다. 장관내 석회화(enterolithiasis)가 동반될 수 있는데 이는 태변의 저류 혹은 직장요도루(rectourethral fistula), 방광대장루(vesico-colic fistula)가 동반된 경우 이를 통한 소변의 역류로 인한 것이다. 유전적으로는 대부분 산발적으로 발생하나 18, 21번 삼염색체와 관련이 있다. 모체의 당뇨병, 술 복용과도 관련이 있다. 다음 아기에게 이환될 확률은 3~4%이다.

3. 산전 진단

초음파 횡단면에서 정상적인 항문 모양인 과녁(target) 형태가 보이지 않는다. 정상에서는 직장의 저에코의 고리모양 벽과 내부의 고에코 점막이 보인다. 대장 직경이 20 mm이상 커지거나 V자 혹은 U자 모양으로 확장된 장을 하복부에서 볼 수 있다. 장관내 석회화(enterolithiasis)가 보일 수 있다. 항문은 임신 제 2삼분기 이후에 평가 가능하다. 대장 확장도 임신 제 3삼분기까지 나타나지 않을 수 있다.

4. 동반 기형

약 80~90%에서 다른 동반 기형이 있다. VACTERL 복합증(척추기형, 항문폐쇄증, 심장기형, 기관지-식도 누공, 식도폐쇄증, 신장 형성 이상, 사지 기형), OEIS 복합증(배꼽탈장, 총배설강 외번, 항문막힘증, 척추이상), 비뇨생식기계 기형은 50%에서 동반되며 초음파가 가장 유용한 선별검사이다. 천추골이 두 개 이상 무형성인 경우 예후가 좋지 않은 것으로 알려져 있다. 18, 21번 삼염색체와 관련이 있다.

5. 감별 진단

정상 대장(임신 제 3삼분기에 직경이 18mm까지 커질 수 있음), 소장폐쇄(말단에 위치한 장보다 근위부 장의 확장이 좀 더 조기에 나타남), 결장폐쇄(colonic atresia), 히르쉬스프룽병(Hirschprung disease) 등이 있다.

6. 임신 중 필요한 검사

1) 태아염색체검사
2) 다른 동반기형 확인 위해 정밀초음파검사

출생 후 관리

1. 검사

진단은 출생 후 시진으로 가능하며 우선 생명을 위협하는 동반기형이 있는지 확인한 후에 처치해야 하고, 누공의 유무 및 위치에 대한 판단은 16~24시간 지켜본 후에 한다.

2. 치료

수술은 항문성형술과 직장의 견인통과 수술로 나뉘는데 일반적으로 장루 형성, 후방시상접근에 의한 항문직장성형술(PSARP), 장루 복원의 3단계 수술을 시행하나 수술자의 경험이나 기형의 상태에 따라 한 번의 수술로 교정하기도 한다.(그림 1) 항문성형술이나 항문직장성형술을 시행한 2주 후에는 헤가확장기(Hegar dilator)로 항문의 크기를 측정하고 항문확징을 시작한다.

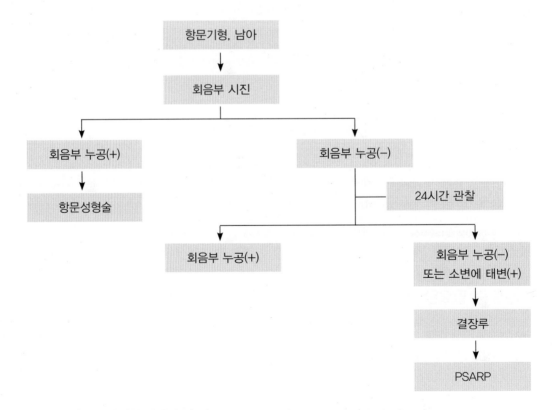

그림 1-1 항문직장기형 남아의 치료(PSARP: posterior sagittal anorectoplasty)

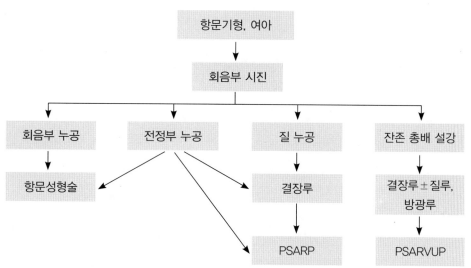

그림 1-2 항문직장기형 여아의 치료(PSARP: posterior sagittal anorectoplasty, PSARVUP: posterior sagittal anorectovaginourethroplasty)

3. 경과

동반기형 유무에 따라 예후가 다르다. 양측 신장기형, 심장기형, 중추신경계 이상이 동반되면 예후는 아주 나쁘다. 단독으로 존재하는 경우 예후는 좋은 편이다.

항문직장기형의 수술 후 정상적인 배변 기능 획득이 목표이며 변실금과 변비가 중요한 합병증이다. 예후에 영향을 미치는 인자로는 기형의 정도, 천추골의 발달, 회음부 근육의 발달, 동반기형 등이 있다. Peña의 보고에 따르면 자발적 배변은 77%에서 가능하나 설사 때를 제외하고 변을 묻히는 경우도 없이 자발적 배변을 하는 예는 39%, 전혀 변을 못 가리는 경우는 25%이다. 따라서 수술 후에도 지속적이고 통합적인 관리가 필요하다.

[참고문헌]

1. Brantberg A, Blaas HG, Haugen SE, Isaksen CV, Eik-Nes SH. Imperforate anus: A relatively common anomaly rarely diagnosed prenatally. Ultrasound Obstet Gynecol 2006;28:904-10
2. Harris RD, Nyberg DA, Mack LA, Weinberger E. Anorectal atresia: prenatal sonographic diagnosis. AJR Am J Roentgenol 1987;149:395-400
3. Peña A, Hong A. Advances in the management of anorectal malformations. Am J Surg 2000;180:370-6
4. Perlman S, Bilik R, Leibovitch L, Katorza E, Achiron R, Gilboa Y. More than a gut feeling - sonographic prenatal diagnosis of imperforate anus in a high-risk population. Prenat Diagn 2014;34:1307-11
5. Sepulveda W, Romero R, Qureshi F, Greb AE, Cotton DB. Prenatal diagnosis of enterolithiasis: a sign of fetal large bowel obstruction. J Ultrasound Med 1994;13:581-5

06 장염전
(Intestinal volvulus)

김현영
변제익
이지연

기 형 태 아 를 위 한 카 운 슬 링

1. 빈도

출생아에서의 정확한 빈도를 알기가 어렵다. 신생아 및 영유아에서 주로 발생하며 자궁 내에서 발견되는 경우는 드물다. 장의 잘못된 회전(malrotation)이 장염전의 원인이 된다. 장회전 이상은 전체인구 200명에 한 명 꼴로 나타나나 실제로 증상이 나타나 치료가 필요한 경우는 6000명에 한 명 꼴로 발생한다고 알려져 있다.

2. 질병의 개요 및 발생 원인

장염전은 장간막축(mesenteric axis) 주변의 장관이 회전하여 장의 내강과 혈관줄기가 모두 폐쇄되는 것을 말한다. 임신 5주에 장이 복강 밖으로 탈장되었다 들어가면서 임신 10주까지 상장간막동맥(superior mesenteric artery)을 중심으로 270도 반시계방향으로 회전하게 되는데, 이 과정에서 이상이 발생한 경우 작은창자와 근위부 큰창자의 장관고리가 회전하여 장간막 혈관의 폐쇄가 발생하고 이로 인한 장의 허혈은 장의 폐쇄를 유발한다. 반대로 장의 폐쇄가 먼저 발생한 후 근위부의 확장된 장의 연동 운동이 증가하여 장염전이 발생할 수도 있다. 좁아진 장간막 기저부는 장간막 혈관의 폐쇄나 중장염전(midgut volvulus)을 유발하기도 한다. 임신 초에는 정상이다가 임신 제 3삼분기에 갑자기 발생하는 경우도 있다. 유전적인 관련은 없는 것으로 알려져 있다. 증상은 생후 1개월 이내에 50~75%, 1년 이내에 90%에서 나타난다.

3. 산전 진단

장이 소용돌이 물결처럼 보이는 소용돌이소견(whirlpool sign)은 특징적인 소견이나 항상 보이지는 않는다. 이는 중장염전(midgut volvulus)이 있는 경우 상장간막혈관과 주변의 장간막이 꼬여서 창자의 음영이 소용돌이치는 물결처럼 보이는 것이다. 컬러도플러로 상장간막의 꼬인 혈관을 볼 수 있으나 관찰하기 어려울 수 있다.

대부분의 장염전은 장의 확장, 확장된 장내 음영의 증가, 경색 이전 부위의 연동운동 항진 및 이후 부위의 연동운동 소실, 낭성 복부 종괴, 복수 및 양수과다증 등 단순 장폐쇄와 비슷한 소견을 보이므로 초음파로 장염전을 진단하는 것은 쉽지 않다. 장의 경색, 괴사 및 출혈로 인하여 장내 고에코성 부유물이 보일 수 있다. 장이 파열되면 가성 낭종, 복강내 석회화 등의 태변복막염(meconium peritonitis) 소견이 보인다.

4. 동반 기형

장염전의 약 25%에서 허혈성 장폐쇄가 동반되며 배꼽탈장, 배벽갈림증, 선천성횡격막탈출증 등이 흔히 동반될 수 있다. 그 이외에 심장기형, 소장폐쇄, 십이지장 갈퀴막(duodenal web), 항문직장기형, 근골격계기형이 동반되며 장회전이상 환아 중 50%에서 동반 기형이 발견된다. 또한 이성증(situs inversus)이나 무비증, 다비장증 증후군과 동반되기도 한다.

5. 감별 진단

장폐쇄, 낭태변복막염(cystic meconium peritonitis), 장중첩증(intussusception)

6. 임신 중 필요한 검사

정밀초음파

출생 후 관리

1. 검사

Ladd's band에 의한 급성 장폐쇄는 담즙성 구토와 복부급경련통, 복부팽만의 증상으로 나타난다. 또한 복벽강직이나 혈변이 동반된 경우 중장염전을 의심해야 한다. 단순복부촬영에서 흔히 정상소견을 보이며 진단은 대개 상부위장관조영술을 통하여 시행되고 복부초음파에서 상장간막동맥(superior mesenteric artery, SMA)와 상장간막정맥(superior mesenteric vein, SMV)의 위치가 바뀐 것이 관찰된다.

2. 치료

증상이 있는 모든 환아에서 의심되는 영상학적 소견이 있는 경우 수술적 치료를 해야 하며 증상이 없는 경우는 논란이 있다. 만약 중장염전(midgut volvulus)이 의심되는 경우는 급히 개복술을 시행해야 한다.

3. 경과

자궁 내에서 장관의 허혈성 괴사로 장천공이나 태변복막염이 발생할 수 있다. 만성적 장관 내 출혈로 태아빈혈, 혈액응고장애 등으로 인한 태아수종이 발생하기도 하며 태아가사, 태아사망 및 조산이 동반될 수 있다. 분만은 가능하면 태아가 성숙하여 수술을 견딜 수 있을 때까지 연장하는 것이 좋다. 출생 직후 즉시 수술을 하면 신생아의 예후를 향상시킬 수 있다. 신생아의 장기적 예후는 병변이 없는 장의 길이, 장염전의 위치, 태변복막염의 동반 여부, 출생체중, 재태연령, 동반 기형 유무 등에 따라 다르다. 수술 후 생존률은 매우 좋으며 가장 흔한 합병증으로는 수술 후 협착에 의한 폐쇄가 3~5%에서 발생한다. 장회전 이상 환아의 45~65%에서 중장염전이 발생하는 것으로 알려져 있으며 중장염전이 발생한 경우 사망률이 7~15%에 이르고 18%에서 단장증후군이 발생한다.

[참고문헌]

1. Applegate KE. Evidence-based diagnosis of malrotation and volvulus. Pediatr Radiol 2009;39:S161-3
2. Miyakoshi K, Ishimoto H, Tanigaki S, Minegishi K, Tanaka M, Miyazaki T, Yoshimura Y. Prenatal diagnosis of midgut volvulus by sonography and magnetic resonance imaging. Am J Perinatol 2001;18:447-50
3. Molvarec A, Bábinszki A, Kovács K, Tóth F, Szalay J. Intrauterine intestinal obstruction due to fetal midgut volvulus: a report of two cases. Fetal Diagn Ther 2007;22:38-40
4. Spiz L, Malrotation, Newborn surgery, 2003;435-9
5. Steffensen TS, Gilbert-Barness E, DeStefano KA, Kontopoulos EV. Midgut volvulus causing fetal demise in utero. Fetal Pediatr Pathol. 2008;27:223-31

07 담관낭종
(Choledochal cyst)

김현영
강지현

기 형 태 아 를 위 한 카 운 슬 링

1. 빈도

동양에서는 출생아의 1/1000까지 보고될 정도로 서양에 비해(1/100,000) 흔하며 여아에서 3~4배 많이 발생한다. 국내에서 연간 2~300례 정도 발생하는 것으로 알려져 있다.

2. 질병의 개요 및 발생 원인

담관낭종이란 담관이 다양한 모양으로 비가역적으로 확장된 것을 의미한다. 담관낭종의 분류는 여러 분류가 있으나 Todani의 분류가 가장 많이 쓰이고 있다. 2003년 대한소아외과에서 조사한 보고에 따르면 제 I형이 71.3%로 가장 많았으며 제 IV형이 28%, 제 II형은 약 1% 순으로 발생하였다. 위 5가지로 분류하는 것은 담관낭종이라는 동일병명아래 있지만 일부는 서로 다른 병이라고 보아도 좋을 정도로 임상양상이 다르며 원인과 치료도 다르기 때문이다.

정확한 발생원인은 아직 알려지지 않았으나 크게 두 가지 가설로 설명되고 있다. 첫 번째는 췌장-담도 연결부(pacreatico-biliary junction)의 기형으로 췌장 효소가 담관으로 역류되어 생긴다는 것인데, 이른 시기에 발생하는 담관낭종을 설명하기에는 부적절하다. 다음으로는 기관형성기에 비정상적인 재개통(recanalization)과 비정상적인 상피(epithelium)로 담관벽이 약화되어 발생한다는 주장이다. 유전되지는 않는다.

3. 산전 진단

초음파에서 태아의 오른쪽 상복부에 낭종이 보이면 의심해볼 수 있다. 방이 하나이고 얇은

벽으로 이루어져 있으며, 내부에 에코성 내용물(echogenic contents)을 포함하기도 한다. 낭종 안으로 들어가는 담관을 관찰하면 된다. 이르면 임신 15주경부터도 발견할 수 있으나 평균 발견 시기는 27주이다.

4. 동반 기형

특별히 자주 동반되는 기형은 없다.

5. 감별 진단

복강내 비정상적인 낭종을 보이는 경우와 감별이 필요하다. 배꼽정맥류(umbilical vein varix, 혈류보임), 낭성담도폐쇄증(cystic biliary atresia), 십이지장폐쇄증(duodenal atresia, 위와의 연결), 담낭중복(gallbladder duplication, 담낭이 두 개), 장중복낭(gastrointestinal duplication cyst, 위치확인), 난소낭종(ovarian cyst, 여아), 간낭종(liver cyst, 간 내부), 장간막낭종(mesenteric cyst, 위치확인), 태변 가성낭종(meconium pseudocyst, 두껍고 불규칙한 벽) 등이 있다.

6. 임신 중 필요한 검사

초음파 검사 외에 특별히 필요로 하는 검사는 없다.

출생 후 관리

1. 검사

진단은 복부초음파 혹은 전산화단층촬영으로 담관이 확장되어 있고 원위부에 담관의 일시적 확장을 초래할 만한 병변이 없다는 것을 확인함으로써 일차 진단이 가능하다. 치료 방침을 세우기 위해 내시경역행췌담관조영술을 시행하거나 자기공명 췌담관조영술을 시행한다.

2. 치료

담관이 다양한 모양으로 비가역적으로 확장되어 있는데 Todani 분류법에 따라 원인과 임상양상이 다르며 수술은 Todani 분류법에 따라 다른 방법을 사용한다. 제 I형의 치료 원칙은 병적인 조직을 최대한 절제하고 소장을 이용하여 담즙의 통로를 만들어 주는 것이다. 담관낭종의 병적인 조직은 섬유화가 진행되어 있고 점막이 탈락되어 있는 조직이다. 따라서 이 부분을 남기고 여기에 장을 연결하게 되면 연결부위의 협착이 발생하고, 합병증으로 담도염이 발생하게 된다. 또한 불완전한 절제가 되면 남아있는 병적인 부분에서 암발생 가능성이 증가한다. 근위부 절제선을 결정함에 있어서 간내 담관의 여러 기형을 고려해야 하고 원위부 절제선을 결정하는데 있어서 췌관에 최대한 가깝게 절제 되어야 한다. 이는 불완전하게 절제된 췌장에 묻힌 원위부 담관에서 장기적으로 결석이 형성되고 췌장염이 생길 수 있기 때문이다. 또한 마찬가지로 암발생 가능성이 남아있게 된다. 그러나 무리하게 절제를 시행하다가 췌관에 손상을 줄 수 있으므로 주의해야 한다. 담관낭종 절제 후 담즙의 통로는 대개 루와이 공장담관문합술로 시행한다. 제 II형, 제 IV형 담관낭종 역시 확장된 간외 담관을 절제하고 위의 제 I형과 같은 원칙으로 수술을 진행한다. 제 III형의 경우 각각의 모양에 따라 다양한 수술방법이 선택된다. 제 V형의 경우 간이식을 해야만 하며 확장된 간내 담관이 한 엽에만 국한된 경우 간엽절제술을 고려할 수 있다. 평균 입원 기간은 약 6일 정도이다.

3. 경과 및 예후

일찍 진단되어 치료하는 경우 별 문제없지만 진단이 늦어지는 경우 간경화나 간부전 생기며, 치료하지 않는 경우 사망률이 100%에 달한다. 원칙적으로 선천성 질환이지만 증세가 나타나서 진단되는 연령은 다양하다. 과거에는 성인에서 진단되는 경우가 많았으나 진단기술의 발달로 좀 더 어린 나이에 진단되는 추세이다.

Todani Ia 같은 경우는 산전 초음파에서 진단되기도 한다. 복통, 복부종괴, 황달의 증상이 있는 경우 의심해볼 수 있으나 현재는 초음파와 같은 진단 기술의 발날로 세 징후에 대한 중요도는 갈수록 떨어지고 있다. 국내 조사에 따르면 세 징후가 모두 있는 경우는 2%에 불과했고 64%에서 복통을, 30%에서 황달을 보였으며 16%에서 복부종괴가 만져졌다. 15%에서는 증세 없이 초음파 검사를 하다가 우연히 발견되었으며 이 중 절반은 산전 초음파로 진단되었다. 총담관낭을 치료하지 않게 되면 담즙의 찌꺼기와 단백마개(protein plug)가 결석을 형성하고 췌장염, 담도염, 간경화, 간부전을 초래하게 되며 간, 담도, 췌장의 악성종양을 조기에 유발하는 것으로 알려져 있다. 수술 후 예후는 좋은 편이며 2003년 대한소아외과학회 전국 조사에 따르면 수술 후 조기 합병증은 8.5%, 후기 합병증은 7.7% 였으며 수술 후 사망한 예는 없었다.

[참고문헌]

1. 최금자, 김대연, 김상윤 등. 담관낭종-대한소아외과학회회원 대상 전국조사, 소아외과 2003; 9: 45-51
2. Jensen KK1, Sohaey R. Antenatal sonographic diagnosis of choledochal cyst: Case report and imaging review. J Clin Ultrasound. 2014 Dec 13. doi: 10.1002/jcu.22256. [Epub ahead of print]
3. Senthilnathan P, Patel ND, Nair AS, et al. (period) Laparoscopic Management of Choledochal Cyst-Technical Modifications and Outcome Analysis. World J Surg. 2015 Jun 12 [Epub ahead of print]

08 태변복막염
(Meconium peritonitis)

김현영
변제익
강혜심

기 형 태 아 를 위 한 카 운 슬 링

1. 빈도

30,000명 출생아당 1명의 빈도이다.

2. 질병의 개요 및 발생 원인

장천공으로 태변이 태아 복강내로 흘러가 염증반을 일으켜 지방조직 괴사, 섬유세포증식, 태변을 포획한 거대세포의 발생, 섬유성 유착 및 석회화현상을 일으킨다. 장염전(volvulus), 소장 폐쇄 및 협착, 장중첩에 의한 장폐쇄나 태변성 장폐색 등에 의한 천공이 주된 원인이며 이외에 장간막 혈행 장애, 메켈 게실염(Meckel's diverticulum), 파보바이러스(parvovirus), 풍진 등의 선천성 감염 등도 원인이 될 수 있다. 천공부위가 막히면 섬유 유착형으로 나타나며 막히지 않으면 가성낭종(pseudocyst)을 형성한다. 가성낭종은 천공부위가 제대로 막히지 못해 주위 장관으로 형성된 낭종으로 삼출물로 채워지며 주위장관을 압박한다. 양수과다는 태변복막염을 포함한 장내 기능부전의 조기 징후가 될 수 있고 25~50%에서 발견된다.

3. 산전 진단

태변복막염은 장천공으로 인한 무균성 화학성 복막염으로 정의하며 산전 초음파에서 지속적인 복수, 복강내 석회화(intrandominal calcification), 확장성 장 팽창(dilated bowel), 양수과다증, 태변 가성낭종(meconium pseudocyst), 고에코성 장 고리(loop) 등 보일 경우 진단할 수 있다. 산전 초음파 소견이 다양하여 산후 확진이나 예후 결정이 어려워 산전 초음파에 의

한 태변복막염의 진단율은 42%이고 MRI에 의한 진단율은 57.1%라고 보고되었다.

4. 감별 진단

복부 석회화병변은 태변복막염이 지속되는 경우 칼슘이 지방조직과 염증부위에 침착되어 보이는 것으로 이 경우 장관중복, 항문직장기형, 신경아세포종, 윌름씨 종양, 부신출혈, 부신 낭종, 메켈 게실염 등과 감별해야한다.

5. 임신 중 검사

태아 복수가 심한 경우 염증성 찌꺼기를 제거하고 복강내압을 감소시켜 태아 폐압박을 예방하기 위해 반복 복수천자 같은 태아 중재술을 할 수 있다.

출생 후 관리

1. 검사

1) 단순복부촬영
2) 초음파

2. 치료

1) 생리식염수나 1% N-acetyl-cysteine, 가스트로그라핀 용액으로 장세척을 하는 경우 폐쇄의 호전을 보이는 연구들이 발표되고 있으며 치료 후 1년 생존률은 90% 정도이고 수술 후 장기 사망률은 15~23%로 보고되고 있다.
2) 수술
수용성 조영 관장(water soluble contrast enema)을 통해서 대개의 경증 태변장폐색은 해결되나 6~10% 정도는 수술적 치료를 요하며 천공의 위험이 있거나 천공이 의심되는 중증의 경우에는 모두 수술적 치료가 필요하다. 문제가 있는 장을 절제하고 double barrell ileostomy를 시행할 수 있다. 환아 상태가 안정된 이후 장루문합술을 시행할 수 있다. 절제한 근위부와 원위부 장의 이상이 없는 경우 일차문합술을 시행할 수 있으며 이는 수술자의 판단에 따라 결정할 수 있다. 평균 입원기간은 23일 정도 된다.

3. 경과 및 예후

태변장폐색증은 신생아 장폐쇄의 원인 중 9~33%를 차지하는 것으로 알려져 있다. 양수과다증이 가장 흔한 증상이며 산전초음파에서 늘어난 장과 복수가 관찰되며 서양의 보고에서는 25%에는 낭성섬유증의 가족력이 있는 것으로 알려져 있으나 우리나라에는 거의 없는 유전병이라 임상적 의미는 크지 않다.

임상적으로 환아의 상태에 따라 경증과 중증의 타입으로 나뉠 수 있다.

1) 중증

단순복부촬영에서 간유리모양(ground glass appearance)이 보이고, 천공의 위험성이 높으며 사망률이 25% 이상에 달한다. 사망은 대개 패혈증이나 폐렴 등에 의하며 장폐색 자체에 의한 사망은 매우 드물다.

2) 경증

복강내 석회화 병변만 존재하는 단순 태변복막염은 출생 후 수술이 필요 없고 예후가 좋다. 복수, 가성낭종, 장 팽창 등의 소견이 보이는 복합 태변복막염은 50%에서 수술이 필요하다. 자궁내 자연 치유되었던 사례도 보고되었다. 산후 진단된 신생아 51명을 대상으로 한 국내보고에서는 단순형도 82%에서 수술이 필요하였으나 수술 후 94%의 생존률을 보고해 이전과 비교하여 높아졌다. 외국에서도 생존율을 80~100% 정도로 보고하고 있다. 태아 복강 내 많은 공간을 차지하는 병변이나 확장성 장팽창, 복수 등에 의해 복압이 증가하면 출생 후 심폐합병증 발생의 우려가 있으나 국내보고에서는 없었다.

[참고문헌]

1. 강병헌, 노흥태, 이윤이, 이기환, 고영복, 양정보 등. 태변복막염으로 진단된 환아의 산전진단 및 출생 후 임상경과에 대한 고찰. 대한산부회지 2010;53:119-26

2. 전종근, 김대연, 김성철, 김인구, 심재윤, 원혜성 등. 자궁내 장천공으로 인한 태변성 복막염에 대한 연구. 대한주산회지 2007;18:252-7

3. Boczar M, Sawicka E, Zybert K, Meconium ileus in newborns with cystic fibrosis - results of treatment in the group of patients operated on in the years 2000-2014, Dev Period Med, 2015;19:32-40

09 배벽갈림증
(Gastroschisis)

김현영
권정은

기 형 태 아 를 위 한 카 운 슬 링

1. 빈도

10,000 출생 당 2~4명의 빈도로 발생하며 최근 약 20년간 빈도가 증가되어 왔고, 특히 10대 임신에서 많이 나타난다.

2. 질병의 개요 및 발생 원인

임신초기 태아 외측 체강 주름(lateral body folds)이 복벽으로 이동하며 태아의 몸 중앙에서 융합된다. 융합이 불완전하면 복강 내 장기가 배꼽의 우측 복직근(rectus muscle)을 통해 복벽 외부로 나오게 된다. 복벽의 결손이 발생하는 부위는 second umbilical vein이 유래하는 부위로 생각된다. 배꼽탈장(omphalocele)과 달리 동반기형이 많지 않으나 미숙아나 저체중아가 많다. 주로 장관이 양수에 떠 있는 형태로 확인되며 간이나 복강 내 다른 장기가 탈출하는 소견은 드물다. 탈장된 장은 양수에 오래 노출되어 확장되어 있거나 벽이 두꺼워지며 염증이 생기고 섬유질 껍질이 덮고 있는 것처럼 보이기도 한다. 작은 구멍을 통해 연결되는 혈관이 눌려 혈액공급이 원활하지 않아 장의 허혈(bowel ischemia)이 생기기도 하고 장폐색, 장천공 등이 발생할 수 있다. 산전 초음파를 주기적으로 실시하여 장벽의 두께나 배벽 결손 크기 변화를 측정하는 것이 좋다. 만약 장벽의 두께가 증가하고 배벽 결손 크기가 줄어들어 장의 경색이 의심되면 조기 분만을 고려해야 한다.

3. 산전 진단

복강 외로 장고리(bowel loops)가 관찰되며 막으로 둘러싸이지 않은 경우에 진단할 수 있다. 이때 제대삽입부위(cord insertion)는 정상으로 확인되며, 제대삽입부위의 우측 복벽의 결손부위를 통해 장고리가 탈출되어 있다. 컬러도플러에서는 정상 제대삽입을 확인할 수 있다.

4. 동반 기형

배꼽탈장에 비해 동반기형이나 염색체 이상의 빈도는 현저히 낮다. 염색체 이상은 약 0~3% 정도로 보고된다.

5. 감별 진단

생리적 탈장은 제태연령 11~12주 까지만 관찰되며 이후 복강 내로 환원한다. 배꼽탈장은 탈장된 장기를 막이 덮고 있으며 탈장낭에 제대가 위치하고 있고 동반기형이 흔히 관찰된다. 체경기형(body stalk anomaly)은 장관 뿐 아니라 간과 흉곽 내 장기까지 돌출되어 있으며 척추와 사지의 결손을 동반한다. 양막대증후군(amniotic band syndrome)도 배벽갈림증과 감별해야 하는 질환 중 하나이다.

6. 임신 중 검사

초음파로 병변을 추적관찰하는 것이 필요하다.

출생 후 관리

1. 검사

특별한 검사는 없다.

2. 치료

출생 후 체온 유지와 수액요법 등 수술전 처치가 환아의 예후에 매우 중요하다. 최근에는 스프링이 있는 silo bag 을 이용하여 병변을 감싸고 장의 기능이 돌아온 후에 수술하는 것을 추천한다. 병변은 대부분 탯줄(umbilical cord) 우측에 2~4 cm 이며 탈장된 장을 싸고 있는 낭은 없다.

수술은 탈장된 장기를 모두 복강내 위치시키고 복벽을 일자 봉합한다. 이 때 양쪽 근막을 잘 확인해서 닫아주는 것이 중요하다. 수술은 silo bag 안의 장기가 복강내로 모두 들어가고 심폐 기능에 무리가 없을 경우 시행하게 된다. 평균 입원 기간은 30일 정도이다.

3. 경과 및 예후

동반기형이 없는 경우 90% 이상의 생존율을 보이며 위장관의 상대가 예후와 관련이 있다. 후기 수술 부작용으로는 복강내 합병증에 의한 패혈증이나 중심정맥관을 통한 패혈증이 있다. 약 10%의 환자에서 단장증후군(short bowel syndrome) 등의 장애가 지속될 수 있다. 수술 후 환자가 이상 없이 퇴원하게 되면 이후 장기적 합병증은 거의 없다.

[참고문헌]

1. Fernández Ibieta M, Aranda García MJ, Cabrejos Perotti C, et al. Preliminary results of a multidisciplinary approach to gastroschisis. (period) Cir Pediatr. 2013;26:30-6

10 배꼽탈장
(Omphalocele)

김현영
권정은

기 형 태 아 를 위 한 카 운 슬 링

1. 빈도

10,000 명 출생 당 0.74~3.9명의 빈도로 다양하게 보고되어 있고 여아에서 조금 더 흔하다.

2. 질병의 개요 및 발생 원인

임신 제 1 삼분기 중장(midgut)의 빠른 성장에 의해 상대적으로 복강이 좁아짐에 따라 생리학적 탈장이 생기고 제태연령 11~12주경 다시 복강 내로 위치하게 된다. 이 시기의 생리적 탈장이 발생할 때 간(liver)은 포함되지 않는다. 하지만 복벽의 폐쇄가 제대로 되지 않는 경우 배꼽탈장이 발생하게 되며 대부분의 배꼽탈장은 제태연령 14~16주 사이에 발견이 가능하다. Umbilical ring 에서 결손이 관찰되며 복막 안에 Wharton's jelly 와 양막이 복강내 장기를 감싸고 있다. 동반기형이나 염색체 이상의 빈도가 높기 때문에 이에 대한 정밀한 평가가 필요하다. Beckwith-Wiedemann 증후군, Pentalogy of Cantrell, OEIS 복합증(배꼽탈장, 총배설강 외번, 항문막힘증, 척추이상) 등은 배꼽탈장을 포함하여 여러 가지 기형을 함께 가진 증후군들이므로 배꼽탈장 평가 시 상기 질병을 염두에 두어야 한다.

3. 산전 진단

복벽 앞쪽 중앙 결손부위로 탈출된 장과 간, 혹은 그 외의 다른 복강 내 장기가 막에 둘러싸여 관찰되면 진단할 수 있다. 이때 제대는 탈장낭의 정점에 위치하고 있다. 컬러도플러를 통해 제대삽입부위를 평가할 수 있으며 간내 혈관을 통해 간의 탈장여부도 확인할 수 있다.

4. 동반 기형

염색체 이상, 심장기형, 위장관계 이상이 흔하게 관찰된다. 13, 18, 21 삼염색체 혹은 성염색체 이상이 30~40%에서 나타나며 심장기형도 약 50%까지 관찰된다. 장의 회전이상(malrotation), 장폐쇄(bowel atresia) 등을 포함한 위장관 기형도 40%까지 관찰된다. 그 외에 근골격계, 비뇨생식계, 중추신경계 등의 기형도 함께 관찰되기도 한다. 탈장낭에 간과 장을 모두 포함하는 경우에 염색체 이상의 빈도는 오히려 낮아진다.

5. 감별 진단

생리적 탈장은 제태연령 11~12주 까지만 관찰되므로 이후에 관찰되는 탈장이라면 배꼽탈장으로 간주해야 한다. 배벽갈림증은 제대는 정상적으로 보이고 제대 우측 복벽을 통해 장기들이 탈출되어 있으며 막으로 둘러 쌓여있지 않은 것으로 확인할 수 있다. 제대낭종(umbilical cord cyst)이 복벽 바로 근처에 위치하는 경우 배꼽탈장과 혼란이 있을 있으며 때로는 배꼽탈장과 함께 존재하기도 한다.

6. 임신 중 검사

1) 태아 염색체 검사
2) 태아 심에코

출생 후 관리

1. 검사

출생 후 동반기형에 대한 검사를 진행해야 한다. 심초음파, 복부초음파 등을 실시한다.

2. 치료

출생 후에는 비위관을 넣고 호흡곤란이 있는 경우 삽관을 하며, 낭을 습한 거즈와 호일로 감싸주고 수액을 투여하고 체온을 유지해야 한다. 수술 전에 구획증후군(compartment syndrome)이 오는지 면밀히 관찰해야 한다. 치료는 일차적으로 수술을 하는 방법과 단계적으로 수술하는 방법 그리고 수술하지 않는 방법이 있다.

지연봉합(delayed closure)을 시행하는 경우는 생후 환아의 상태가 불안정하여 수술이 불가능하거나 복벽결손의 크기가 큰 경우이다. 불안정한 상태에서 1차적인 수술을 시행할 경우 호흡이나 심장기능이 급격히 저하하여 높은 사망률을 초래할 수 있다. 4~6cm 이상의 병변인 경우 giant omphalocele 이라고 흔히 이야기 한다. 지연봉합을 시행하기 전에 매일 병변 주변을 silver sulfadiazine으로 도포해주며 환아의 심폐기능이 안정되고 동반기형이 해결된 이후에 loose elastic bandage로 변경하며 도포하는 양을 줄여나간다. 병변은 피부로 덮이게 되며 평균적으로 6~12개월 안에 이차봉합(secondary closure)을 시행하게 된다. 1차적인 silver sulfadiazine 치료를 사용할 경우 발생할 수 있는 합병증으로는 낭 파열, 출혈, 위장관 괴사, 패혈증 등이 있다. Silver sulfadiazine으로 인한 은 중독의 위험이 이론적으로 제기 되었으나 실제 보고는 아직 없으며 Lewis 등이 2명에서 혈중 은 수치가 높았다고 발표한 적이 있다. 2차 지연봉합을 한 후 발생할 수 있는 합병증으로는 장마비, 복벽탈장(ventral hernia) 등이 있다. 1차 수술을 하지 않을 경우 평균 입원기간은 20일(5~239일), 2차수술을 시행한 후 평균 입원기간은 4일(2~21일) 이다.

3. 경과

예후인자로는 임신주수, 동반된 기형, 염색체 이상, 폐형성 이상 동반여부, 그리고 결손의 크기가 있다. 장기 합병증으로는 위식도역류질환, 식이장애, 그리고 유착성 장폐쇄가 있으나 대부분 호전되어 환아는 정상적으로 성장한다. 예후는 좋다. 동반 기형 및 염색체 이상이 없으면 80~90% 의 높은 생존률을 보이며 정상 활동과 교육이 가능하고 삶의 질 저하도 없다.

[참고문헌]

1. Lee SL, Beyer TD, Kim SS et al., Initial nonoperative management and delayed closure for treatment of giant omphaloceles. (period) J Pediatr Surg 2006;41:1846-9
2. Lewis N1, Kolimarala V, Lander A., Conservative management of exomphalos major with silver dressings: are they safe? J Pediatr Surg 2010;45:2438-9

신장 및 비뇨생식기계 질환
Kidney and Genitourinary Tract

01 수신증
(Hydronephrosis)

박관진
조정연
안태규

1. 빈도

전체 태아 중 약 1.0~4.5% 정도에서 발생한다.

2. 질병의 개요 및 발생 원인

다양한 비뇨기계 질환들이 수신증을 일으킬 수 있으며, 어떤 원인은 중요한 질환과 연관이 있는 반면 양호한 경과를 밟는 원인들도 있다. 산전초음파에서 진단된 수신증은 원인 및 임상 경과가 매우 다양하여, 단순히 수신증이라는 카테고리에 대한 표준 진단적 검사 및 치료를 기술하기는 어렵다. 또한 수신증의 상황을 결정하는 다양한 요소들의 존재로 인해 그 모습과 상태가 변할 수 있으므로 한 번의 검사로 치료를 결정하기보다는 정기적인 추적을 시행하면서 이를 결정하는 것이 필요하다. 수신증의 주요 원인은 다음과 같다(표 1).

이 중 일시적 수신증은 태아기에 요로폐색이 잠시 존재하다가 출생 후 자연호전이 되는 것으로 대부분 신우요관이행부협착증의 가벼운 형태로 생각한다. 따라서 일시적 수신증과 신우요관이행부협착증이 산전 진단된 신생아수신증의 약 3/4을 차지한다. 이외에 10~15%를 차지하는 중요한 원인으로 방광요관역류가 있으며 그 외에 요관방광이행부폐쇄증으로 인한 거대요관증, 중복신요관증으로 인한 이소성 요관이나 요관류, 후부요도판막 등이 주요 질환이다.

3. 산전 진단

신장초음파 횡단면에서 신우의 전후경 길이(anterior-posterior diameter) 측정은 수신증

표 1 신생아수신증의 원인별 분포

원인 질환	%
일시적 수신증	65
신우요관이행부 폐쇄(ureteropelvic junction obstruction)	10
방광요관역류(vesicoureteral reflux)	15
선천성 거대요관(megaureter)	3
다낭성이형성신(multicystic dysplastic kidney)	2
중복신장(duplicated kidney), 요관류(ureterocele), 이소성요관(ectopic ureter)	3
후부요도판막(posterior urethral valve)	1
기타	1

을 정의하는데 있어 최근에 가장 널리 받아들여지는 지표이다. 신장문(renal hilum)의 위치에서 전후경 길이를 측정해야 하며, 임신 주수에 따라 전후경 길이가 달라질 수 있으므로 임신 주수에 따라 기준도 달라야 한다. 또한 신우의 직경은 태아의 방광의 충만 상태에 영향을 받으므로 방광이 완전히 충만되었을 경우는 이후에 다시 측정할 필요가 있다. 의미있는 전후경 길이의 기준에 대해서 합의된 것은 없지만 Corteville 등이 제시한 수치가 가장 흔하게 받아들여지고 있다. 기준은 임신 33주 이전에 신우 전후경 길이가 4mm이상이거나 혹은 임신 33주 이후 7mm이상일 때 이상 소견으로 보았고, 이는 추후 신장 기능의 이상이 있거나 수술이 필요한 태아를 100% 선별할 수 있었다. 또 다른 연구에서 임신 20주 이전에 신우 전후경 길이가 6mm 초과이거나 임신 20~30주 사이에는 8mm 초과, 30주 이후에는 10mm 초과를 기준으로 잡았을 때 출생 후 지속적인 요로병변이 있다고 밝히기도 하였다. 1993년 태아 비뇨기학회(SFU; Society for Fetal Urology)에서는 신우 전후경 길이가 아닌 신장 내 집합관(intrarenal collecting system)의 모양에 따른 분류법을 제시하였다. 이 분류법은 신장 실질(renal parenchyme) 소견과 함께 집합관 확장 정도를 포함시켰다. SFU system은 성상적인 실질 두께를 보이면서 단지 신우(renal pelvis)가 확장되어 있는 grade 1, 신우의 확장과 함께 몇몇 신배(renal calyces)의 확장이 보이는 grade 2, 신우와 모든 신배의 확장을 보이는 grade 3, 신우와 신배의 확장과 함께 실질의 얇아짐을 동반한 grade 4까지 나누고 있다. SFU 분류법은 출생 후 수신증의 호전 가능성과도 연관이 있었는데, grade 1의 경우 수신증이 50%의 환자에서 호전되었으나 grade 2,3,4의 수신증은 환자들 중 각각 36%, 16%, 3%에서 호전을 보였다.

　출생 후 결과를 예측하는데 있어 여러 가지 초음파 소견이 비뇨기계 이상의 위험과 연관이 되어 있다. 이런 이상들에는 수신증의 심각 정도 혹은 grade, 신장 실질의 이상, 적은 양수양,

방광이 비웠다 채워지는 순환의 간격, 요관의 기시화(visualization), 양측 신장의 존재여부, 신장 낭종의 특징, 타기관 기형의 존재 등이 포함된다. 특히, 후부요도판막과 폐쇄성요로질환의 경우, 양수양이 신장 기능과 임상적 결과에 중요한 예후 인자가 된다.

4. 동반 기형

경도의 수신증이 다운증후군의 minor marker로 알려져 있으므로 다운증후군의 다른 소견이 있는지 확인할 필요가 있다. 단독 소견일 경우 다운증후군의 확률은 거의 없다.

5. 감별 진단

1) 신우요관이행부폐쇄(ureteropelvic junction obstruction)
2) 방광요관역류(vesicoureteral reflux: VUR)
3) 후부요도판막(posterior urethral valves: PUV)
4) 말린자두배증후군(Prune belly syndrome)
5) 요관류(ureterocele)
6) 거대 요관(megaureter)
7) 이소성 요관(ectopic ureter)
8) 다낭성이형성신(muticystic dysplastic kidney: MCDK)

6. 임신 중 검사

수신증이 의심될 경우 다른 동반기형 유무에 대한 면밀한 검사가 필요하며, 수신증 단독으로는 염색체 이상의 위험을 높이지는 않는다. 다른 동반 기형이 있을 경우, 염색체 검사가 필요하다.

출생 후 관리

1. 검사

수신증이 발견되면 수신증을 유발하는 질환을 확인하고 얼마나 심한지 평가해야 한다. 질환도 많고 각각의 병태의 차이가 있으므로 정형화된 검사의 기준은 없으나, 일반적으로 신생아는 생후 일시적인 핍뇨 상태가 2일정도 유지되므로, 이 시기에는 수신증의 평가를 미루는 것이 좋고, 보통 생후 3~5일 째 초음파를 시행하여 수신증에 대해 다시 평가한다. 만일 수신증이 여전히 유지된다면 생후 한 달째에 다시 초음파를 하고, 악화되었다면 동위원소를 이용한 신장스캔 검사를 시행하여 폐색을 확진하게 된다. 대부분은 상태가 악화되지 않으므로 주기적인 초음파 추적을 3~6개월 단위로 시행하면 충분하다. 그러나 양측성 수신증이 심하거나 산전에 양수량이 감소한 경우에는 즉각적인 감압(decompression)이 필요한 후부요도판막을 감별하기 위해 이와 같은 검사를 더 빨리 더 자주 해야 한다. 수신증의 정도, 양측성 유무, 초음파에서 역류를 시사하는 원위부 요관확장 등이 보이는 경우, 역류를 감별하기 위한 배설성방광요도조영술(voiding cystourethrography: VCUG)의 시행이나 예방적 항생제 사용를 고려한다.

2. 원인에 따른 치료 및 경과

1) 신우요관이행부 협착(ureteropelvic junction obstruction, UPJO)

항생제를 복용해도 요로감염이 발생하거나, 초음파에서 수신증이 악화되거나, 신장스캔 검사에서 신기능의 손상이 확인되면 수술적 치료를 받게 된다. 수술은 전신마취 하에 시행되며, 후복막에 위치한 신우요관이행부로 접근하여 협착된 부위를 절제하고, 건강한 신우와 요관을 다시 연결해 준다. 연령이 낮으면 1~2cm 정도 개복을 하고 3세 이상이면 복강경을 이용하여 수술을 시행한다. 수술 후 합병증 예방을 위해 일시적으로 요관 부목(stent)을 지니고 있다가 약 2주 후에 제거한다. 수술 후 성공률은 95~98%로 알려져 있으며 대부분의 환자에서 증상 재발이 없고, 수신증의 감소 및 정상화와 신기능의 보존 또는 호전을 기대할 수 있다.

2) 방광요관역류(vesicoureteral reflux)

방광요관역류는 경과가 다양하고 저절로 호전되는 경우가 많아 환자 개인별 맞춤 치료가 중요하다. 대체로 심하지 않은 역류는 관찰을 하거나 예방적 항생제의 투여를 하고 심한 역류, 반복되는 요로감염, 진행성의 신반흔(renal scar) 및 약물치료에 잘 순응하지 못하는 경우에 수술적 치료를 하게 된다. 수술 방법은 내시경시술 및 개복수술로 나눌 수 있다. 내시경적 역류교정술은 전신마취하에 요관점막 아래에 항역류물질을 주입하는 방법으로 시술 시간은 약 30분 정도이다. 요즘은 수술이 필요한 환자의 90%정도가 내시경시술로 치료가 가능하며 개복수술은 양측성의 심한 역류환자에게 시행하거나 다른 기형이 동반되어 있을 때 주로 시행하게 된다. 수술 시간은 약 2시간 정도이며 수술 성공률은 98%정도로 매우 좋다.

3) 선천성 거대요관(congenital megaureter)

요관방광이행부 협착증의 결과인 선천성거대요관증은 신우요관이행부 협착증과 거의 비슷한 방식의 검사와 평가를 하게 되며 초음파로 먼저 진단이 의심되면 동위원소를 이용한 신장스캔 검사, VCUG와 MRI를 통해 거대요관에 동반된 방광요관역류나 요관협착이 있는지 확인한다. 만일 신기능이 악화되거나 열성요로감염 등이 있으면 수술을 결정하며 역시 수술성적은 95% 내외로 매우 우수하다.

[참고문헌]

1. Davenport MT, Merguerian PA, Koyle M. Antenatally diagnosed hydronephrosis: current postnatal management. Pediatr Surg Int. 2013;29:207-14
2. Liu DB, Armstrong WR, Maizels M. Hydronephrosis: Prenatal and Postnatal Evaluation and Management. Clin Perinatol. 2014;41:661-78
3. Yamaçake KG, Nguyen HT. Current management of antenatal hydronephrosis. Pediatr Nephrol. 2013;28:237-43
4. Corteville JE, Gray DL, Crane JP. Congenital hydronephrosis: correlation of fetal ultrasonographic findings with infant outcome. Am J Obstet Gynecol 1991;165:384-8

02 중복신장, 이소성요관, 요관류 (Duplicated kidney, Ectopic ureter, Ureterocele)

박관진
조정연
이준호

기 형 태 아 를 위 한 카 운 슬 링

1. 빈도

요관류가 있는 신장 중복은 9,000명 생존출생아 중 1명의 빈도로 나타나고, 요관류나 이소성 요관이 없는 중복 신장은 일반 인구에서 150명 중 1명 꼴로 보이며, 임상적으로는 큰 의미는 없다. 여아에서 남아에 비해 자주 발생한다.

2. 질병의 개요 및 발생 원인

발생학적으로 요관싹(ureteric bud)이 둘로 나눠지거나, 조기에 중복되면서, 두 개의 요관싹이 각각의 신단위(nephron)를 유도하게 되고, 이에 따라 중복신장이 발생하게 된다. 상극과 하극은 신장 결체조직의 밴드에 의해 분리되어 있고, 대개 상극(upper pole)은 요관이 방광에서 벗어나는 이소성 요관에 연결되어 요관 말단이 폐색으로 인해 요관확장 및 수신증이 발생되거나, 방광에 위치하더라도 말단부위만 늘어나는 요관류가 동반되며, 하극(lower pole)은 정상 요관에 연결되어 있으나, 신상극요관에 이어진 요관류에 의해 비틀어져 있거나, 방광요관역류(veiscoureteral reflux)가 있을 수 있다. 이처럼, 1) 상극 요관이 하극 요관보다 안쪽, 아래쪽으로 방광과 연결되고, 2) 상극은 폐색되어 있으며, 3) 하극은 역류가 주로 관찰되는 것을 Weigert−Meyer rule이라고 한다. 폐색이 심하게 되면, 결국 이환된 신장의 실질이 이형성 변화를 보일 수 있다.

특별한 유전적 경향을 보이지는 않는 것으로 알려져 있으며, 10~20%에서는 반대쪽의 신장도 중복되어 있다.

3. 산전 진단

진단에 있어서 가장 중요한 소견은 상극 요로계의 확장(dilatation of upper pole collecting system)과 요관류이다. 즉, 신장 상극의 신배, 신우와 연결된 요관이 늘어나 있고, 방광에 낭성구조가 보이는 경우 진단할 수 있다. 이환된 신장은 반대쪽의 정상 신장에 비해 커서, 신장의 길이는 대부분 95 백분위수 이상이다.

좌우 신장이 요로폐색이나 요관류가 동반되지 않은 경우 좌우 신장의 상극의 크기가 다르며, 한쪽 신장의 크기가 큰 것이 중복신장의 유일한 초음파 소견인 경우도 있다. 상극이 늘어나서 물혹처럼 보이는 경우도 있으며, 이때에는 물혹이 신우(renal pelvis)와 연결되어 있는지를 시상면(sagittal plane)과 관상면(coronal plane) 모두에서 확인하는 것이 중요하다.

대개 상극의 요관은 방광에 연결되는 부분이 비정상적이며(이소성 요관: ectopic ureter), 이러한 경우에는 폐색(obstruction)으로 인해 요관류가 생기고, 심한 경우에는 요관이 확장되고 구불구불해지며 연결된 상극에 수신증이 동반되고 이형성 변화(dysplastic change)가 나타나기도 한다. 또한, 요관류가 너무 커서 방광출구(outlet)를 막게 되면, 반대쪽 요관과 신장도 영향을 받을 수 있고, 심한 경우에는 양수과소증이 동반될 수도 있다. 요관이 방광이 아닌 다른 곳과 연결되는 경우도 있는데, 사정관(ejaculatory ducts), 정관(vas deferens), 부고환(epididymis), 정낭(seminal vesicles), 자궁(uterus), 질(vagina), 요도(urethra) 등이 있다. 하극의 요관은 정상적으로 방광에 연결되어 있으나, 방광요관역류(vesicoureteral reflux)가 있는 경우도 있다.

산전 초음파를 볼 때, 태아에서 수신증이 관찰되는 경우, 중복신장을 시사하는 다른 소견(예, 요관류)이 있는지 항상 확인해야 한다. 초음파로 신장의 구조를 확인할 때는 가로면(transverse plane)과 세로면(longitudinal plane) 모두를 검사해야 한다. 방광은 시간 간격을 두고 체크해서 요관류와 정상 방광을 확실하게 구별해야 한다. 또한 한쪽 신장에 구조적 이상이 발견되면, 반드시 다른 쪽도 세심하게 확인해야 하는데, 이는 태아의 예후와 향후 처치가 달라질 수 있기 때문이다. 또한, 다양한 증후군의 한 표현형으로서 신장의 구조적 이상이 확인될 수 있기 때문에(예, VACTERL sequence), 태아 비뇨기계의 구조적 이상이 의심되면, 다른 부분도 철저히 확인해야 한다.

4. 동반 기형

이환된 여자 아이의 50%에서 부인과적인 구조적 이상이 발견된다. 일반적으로 비뇨기계의 구조적 이상은 다른 부위의 구조적 이상을 동반하는 경우가 흔하다.

5. 감별 진단

1) 신우요관이행부폐쇄(ureteropelvic junction obstruction, UPJ obstruction)
2) 부신낭종(adrenal cyst)
3) 장간막낭(mesenteric cyst)
4) 방광요관역류(vesicoureteral reflux)
5) 단순 요관류(simple ureterocele)
6) 선천성 거대요관(congenital megaureter)

신장이 커지는 다른 원인들: 다낭성이형성신(multicystic dysplastic kidney, MCDK), 중간막성신종(mesoblastic nephroma), Beckwith-Wiedemann 증후군, 상염색체열성 다낭성신질환(autosomal recessive polycystic kidney diseas, ARPKD) 등

6. 임신 중 필요한 검사

태아 정밀 초음파검사: 반대쪽 신장과 비뇨기계 이외의 동반 기형 여부 확인

출생 후 관리

1. 검사(수신증 참고)

2. 치료 및 경과

중복신장이 산전에 발견되면, 비뇨기계의 감염에 의한 패혈증이나 신장 손상의 위험성이 줄어드는 것으로 알려져 있으나, 폐색된 상극 부위는 소변의 정체로 인해 감염에 취약한 편이다. 또한, 수술 전 감염과 수술 후 반복감염의 빈도는 감소하고, 역류가 사라지는 빈도는 늘어나는 등 예후가 출생후 발견되는 경우보다 좋다.

중복신장에서 예후는 폐색과 역류에 따른 신장 손상의 정도에 따라 달라진다.

중복신장은 두 개의 신우신배계(pelvocalyceal system)를 가진 신장으로 요관의 부분 또는 완전 중복에 동반되어 나타날 수 있다. 역류가 없고 신기능이 좋은 경우가 대부분이어서 관

찰만 해도 되는 경우가 많으나 역류, 신기능악화, 요로감염, 요실금 등의 증상이 나타나면 치료를 고려한다. 치료의 방법은 신기능, 역류의 유무, 연령 등에 따라 다르며 간단한 내시경 수술로부터 복잡한 방광경부 재건술까지 필요로 하기도 한다. 이른 시기에 수술적 치료를 시행해서 신장 기능을 유지하게 되면, 예후가 좋다.

출생 전에 중복신장이 진단되지 않으면, 주로 영아시기에 반복 요로감염, 수신증, 요로정체 (urinary retention) 등을 호소하는 경우가 많으며, 요관이 방광이 아닌 다른 곳에 연결된 경우에는 여아에서는 반복적인 요실금으로 인해 소변을 가리지 못하고, 남아에서는 부고환염 (epididymitis) 등의 증상을 호소하며 내원하게 된다.

[참고문헌]

1. Oh KY. Duplicated Collecting System. In: Woodward PJ, Kennedy A, Sohaey R, Byrne JL, Oh KY, Puchalski MD, et al. editors. Diagnostic Imaging: Obstetrics. 2nd ed. Salt Lake City; Amirsys Inc; 2011
2. Bianchi DW, Crombleholme TM, D' Alton ME, Malone FD. Hydronephrosis: Ectopic Ureterocele. In: Bianchi DW, Crombleholme TM, D' Alton ME, Malone FD, editors. Fetology: Diagnosis and Mangement of the Fetal Patient. 2nd ed. New York: McGraw-Hill Companies; 2010

03 다낭성이형성신
(Multicystic dysplastic kidney, MCDK)

박관진
조정연
김여랑

기 형 태 아 를 위 한 카 운 슬 링

1. 빈도

편측성은 1,000명 당 1명, 양측성은 5,000명 당 1명 꼴로 나타난다.

2. 질병의 개요 및 발생 원인

유전성 신질환을 제외하고 가장 흔한 신질환 중 하나이다. 다낭성이형성신은 정상 신장 실질을 대체하고 있는 다양한 크기의 비교통성 낭종(noncommunicating cyst)으로 이루어진 비기능(nonfunctioning) 신장이다. 이 기형은 80%에서 편측성, 20%에서 양측성으로 나타나나, 편측성의 40%에서 반대측 신장에도 이상이 있으며, 가장 흔한 반대측 이상은 신우요관이행부폐쇄(UPJ obstruction)이다. 이 외에도 신장무발생(agenesis), 신저형성(hypoplasia), 방광요관역류(vesicoureteric reflux) 등의 이상이 반대측에 있을 수 있다. 다낭성이형성신은 임신 10주 이전 신우(renal pelvis)나 근위요관 높이에서의 완전 폐쇄(complete obstruction)나폐쇄증(atresia)에 기인하는 것으로 생각되고 있다. 초기에는 신단위(nephron)들이 체액을 생성하여 낭종을 채우고 점점 낭종을 확장시키다가 이 신단위들이 파괴되면 낭종 내 체액이 점점흡수된다.

3. 산전 진단

다양한 크기의 다수의 비교통성 낭종으로 구성된 신장와(renal fossa) 안의 종괴로 나타난다. 다낭성이형성신은 정상 신장보다 큰 경우가 대부분이고 신장 모양은 보통 없어진다. 신동맥

(renal artery)의 흐름이 초음파로 나타나지 않을 수 있고, 드물지만 부분 편측성 다낭성이형성신(segmental unilateral MCDK)인 경우도 있다. 임신 중 낭종의 크기는 증가하기도 하고 감소하기도 한다. 편측성이고 반대측 신장이 정상인 경우 양수량은 정상이며, 양측성의 경우 태아의 방광이 보이지 않고 심한 양수과소증이 발생하고, 이로 인한 공간 부족으로 이차적인 기형을 동반할 수 있다.

4. 동반 기형

Meckel-Gruber syndrome, 13번 삼염색체, 18번 삼염색체 등의 가능성이 있으나, 다낭성이형성신 이외에 다른 동반기형이 없을 경우에는 염색체 이상의 위험성은 증가하지 않는다.

5. 감별 진단

신낭종 소견을 보이거나 수신증 발생, 신장이 커질 수 있는 경우에 대하여 생각하여야 하며, 이에는 신우요관이행부폐쇄(UPJ obstruction), 폐쇄성낭종형성이상(obstructive cystic dysplasia), 상염색체열성 다낭성신질환(autosomal recessive polycystic kidney disease), 상염색체우성 다낭성신질환(autosomal dominant polycystic kidney disease), 거대요관(dilated ureter) 등이 있다.

6. 임신 중 검사

1) 태아 염색체 검사(다른 동반기형이 있는 경우)
2) 태아 MRI: 산전에 꼭 필요할 경우 시행해 볼 수도 있으나 대부분은 필요하지 않다.

출생 후 관리

반대쪽 신장에 이상이 없는 경우(i.e, UPJ obstruction) 편측성 다낭성이형성신은 예후가 좋고, 반대쪽 신장에 신장요관이행부폐쇄가 있을 경우 그 예후는 수신증의 정도에 달렸다. 양측성 다낭성이형성신의 경우 심한 양수과소증과 그로 인한 폐형성저하증으로 생존이 어렵다. 대부분의 일측성 다낭성이형성신은 자연적으로 위축되어 소실되며 정기적인 초음파검사와 외래 검진을 통해 이형성신의 모양과 크기의 변화를 관찰한다.

[참고문헌]

1. 최신 산부인과 초음파진단(Atlas of Ultrasound in Obstetrics and Gynecology)
2. Callen PW. Ultrasonography in Obstetrics and Gynecology, 5th edition
3. Woodward PJ, Kennedy A, Sohaey R, Byrne JL.B, Oh KY, Puchalski MD et al. Diagnostic Imaging Obstetrics, 2nd edition

04 상염색체우성 다낭성신질환 (Autosomal dominant polycystic kidney disease, ADPKD)

강희경
조정연
김여랑

1. 빈도

800 출생(live birth) 당 한 명 꼴로 나타난다.

2. 질병의 개요 및 발생 원인

가장 흔한 신낭종 질환으로 유전적으로 두 개의 유전자— *PKD1*, *PKD2* 변이에 의해 발생하는 것으로 알려져 있다. 환자의 90%에서 *PKD1* 유전자가 16번 염색체의 단완(short arm)에 위치하는데, 10%에서 자연 돌연변이(spontaneous mutation) 한다. 우성 유전이지만 환자의 거의 절반에서 다양한 표현형 및 자연 돌연변이로 인해 가족력(family history)이 발견되지 않는다. 의심이 될 경우 오직 환자를 오랜 기간 추적검사(long term follow-up) 하는 것이 최종 진단에 도움이 될 수 있다.

폴리시스틴(polycystin)이 상피세포 성숙(epithelial cell maturation)에 영향을 미쳐 낭종을 형성하게 되는데, 이로 인해 신장의 피질과 수질에 다양한 크기의 낭종이 만들어진다.

3. 산전 진단

성인기에 주로 진단되지만, 소아나 태아에서 발견되는 경우도 있다. 태아기에는 80% 이상에서 임신 제 3삼분기에 발견된다. 이 질병은 다양한 크기의 여러 낭종이 집합요세관(collecting tubule)과 신단위(nephron)의 벽에 생기고, 이 낭종들은 신장 피질(cortex)과 수질(medulla)에 흩어져 있는 것처럼 보인다. 이 낭종들은 점점 커져, 성인기에 간이나, 비장, 췌장, 난소에까지 나타날 수도 있다. 중등도로 커진 신장과 고에코성 피질(hyperechoic cortex), 상대적인 저에코성 수질(hypoechoic medulla)의 형태로 보인다. 신기능은 정상으로 유지되므로 방광이 잘 보이고 대부분의 경우 양수량도 정상이다.

4. 동반 기형

동반 기형은 드문 것으로 알려져 있으나 요관 기형(urinary tract malformation)이 상염색체우성 다낭성신질환과 관련하여 나타날 수 있는데, 편측성 다낭성이형성신(unilateral MDK), 신우요관이행부폐쇄(UPJ obstruction), 중복신장(duplicated kidney), 선천성대사질환(congenital metabolic disease)이 그것이다. 간 낭종, 뇌동맥류, 심장 대동맥판막 돌출 등의 동반 증상이 흔하므로 이에 대한 추적 관찰 또한 필요하다.

5. 감별 진단

태아기에 초음파 상에서 고에코성 신장(hyperechoic kidney)으로 보이는 경우 다양한 예후와 결과를 보이는 많은 신장병을 생각해 볼 수 있는데, 폐쇄성이형성신(obstructive dysplasia), 양측성 다낭성이형성신(bilateral multicystic dysplasia), 유전적 신장병(inherited renal disease (ARPKD)), 각종 유전병(Perlman 증후군, Beckwith-Wiedemann 증후군, Bardet-Biedl 증후군, Meckel 증후군), 신모세포종증(nephroblastomatosis), 신정맥혈전증(renal vein thrombosis), 독성손상(toxic injury), 감염(특히 cytomegalovirus), 허혈증(ischemia), 이수배수체(aneuploidy), 정상변이(normal variant)가 그것이다. 이러한 경우 가족력, 양수량, 관련 기형 분석 및 가족력에 대한 정보가 있는 경우 유전분석을 고려할 수 있다.

6. 임신 중 검사

부모 및 조부모 신장 초음파 검사

출생 후 관리

양수과소증이 나타나지 않으면 예후는 좋다. 드물지만 출생 후에 낭종의 크기가 점차 증가하여 급작스럽게 고혈압과 신부전으로 발전하는 경우도 있고, 일부에서는 출생 후 신장의 크기가 작아지기도 한다.

성인형 다낭신이라 불릴 만큼 대개 성인기에 진단된다. 상염색체 우성 질환으로 하나의 유전자에 이상을 가지고 태어나고, 다른 한쪽의 유전자에 체성 돌연변이가 일어나면 신장 낭종이 발생하므로 사람에 따라 낭종의 발생 속도, 크기가 모두 다르다. 신생아기에 여러 개의 낭종이 관찰되는 경우는 드물고 가족력이 있으면서 30대 이전에 낭종이 3개 이상일 때, 40대 이후 양쪽 신장에 각각 2개 이상(60대 이후에는 각각 4개 이상)의 낭종이 발견될 때 진단한다. 간낭종, 뇌동맥류가 동반되는 경우가 많으므로 동반여부를 확인하여야 하며, 증상으로는 복강내 종괴로 인한 불편감과 통증, 고혈압, 신기능 감소, 뇌동맥류, 요로감염, 낭종감염 및 출혈, 결석 등이 있다.

대증치료가 근간을 이루며 역시 신이식이 궁극적인 치료이다. 감염, 고혈압 등에 대한 대증치료 또한 필요하며, 유전 상담이 필수적이다. 충분한 수분섭취가 도움이 된다고 알려져 있으며 Tolvaptan, 소마토스타틴 유사체, mTOR inhibitor 등을 이용한 치료가 시도되고 있다.

[참고문헌]

1. Brun M, Maugey-Laulom B, Eurin D, Dinier F, Avni EF. Prenatal sonographic patterns in autosomal dominant polycystic kidney disease: a multicenter study. Ultrasound Obstet Gynecol 2004;24:55-61
2. Callen PW. Ultrasonography in Obstetrics and Gynecology, 5th edition
3. Nicolau C, Torra R, Bianchi L, Vilana R, Gilabert R, Darnell A et al. Abdominal sonographic study of autosomal dominant polycystic kidney disease. J Clin Ultrasound 2000;28:277-82
4. Wilson PD. Polycystic kidney diseases. N Engl J Med 2004;350:151-64

05 상염색체열성 다낭성신질환
(Autosomal-recessive polycystic kidney disease, ARPKD)

강희경
조정연
김여랑

기 형 태 아 를 위 한 카 운 슬 링

1. 빈도

10,000~40,000 명에 1명 꼴(1/20,000 출생아)로 발생한다.

2. 질병의 개요 및 발생 원인

신장뇨세관의 낭성 확장을 특징으로 하는 유전 질환으로 *PKHD1* 유전자의 이상이 그 원인이지만 다른 유전자도 관여할 것으로 예상된다. 이 질환은 다양한 표현형(phenotype)이 있으며, 이는 주산기(perinatal), 신생아기(neonatal), 유아기(infantile), 청소년기형(juvenile type)으로 분류되고 주산기형이 가장 흔하다. 주산기형 환아는 대부분 신생아기에 신부전 또는 호흡기부전(renal or respiratory failure)으로 사망한다. 그리고 주산기에 살아남은 많은 신생아에서 신부전(renal failure)과 간섬유화(hepatic fibrosis)가 발생하기도 한다. 향후 임신에서 25% 가량의 재발 위험성이 있다.

3. 산전 진단

양측 신장이 모두 크며, 고에코성(hyperechoic)으로 보이면 가능성을 염두에 두어야한다. 신장의 크기는 태아주수의 2 표준편차(SD) 이상으로 커지게 되고, 점점 커져서 임신 후기에는 정상의 3~10배까지 커진다. 보통 임신 제 2삼분기에 발견된다. 낭종 크기와 수는 다양하여 육안으로 보일 수도 있고 보이지 않을 수도 있다. 주변부(periphery)의 신장 피질(cortex) 부분은 정상으로 유지되기 때문에 저에코성(hypoechoic)으로 보여 고에코성의 신장 수질(echogenic medulla)을 감싸는 얇은 저에코성 테두리(hypoechoic rim)처럼 보이기도 한다. 태아의 신장 기능 손상으로 양수과소증(oligohydramnios)이 발생하고 방광이 보이지 않을 수 있다. 양수과소증으로 인해 폐형성저하증(lung hypoplasia)이 생기게 되면 태아의 주수에 비해 가슴둘레(chest circumference)가 작을 수 있고, 커진 신장으로 인해 복부둘레(abdominal circumference)가 증가하게 된다. 부모가 보인자(carrier)인지는 상염색체열성 다낭성신질환을 가진 아이를 분만한 뒤에야 알 수 있으며 임신을 하면 주기적으로 태아의 신장을 측정하고, 이른 시기의 양수과소증이 발생하는 경우 예후가 더 나쁘기 때문에 양수량을 모니터링한다. 초음파 진단이 어려운 경우가 많지는 않지만 MRI를 사용하여 도움을 받을 수도 있다.

4. 동반 기형

간 섬유화, Caroli disease 등이 흔히 함께 나타난다.

5. 감별 진단

태아의 염색체 검사가 필요한데 13 삼염색체증(trisomy 13)의 50%에서 낭성형성이상(cystic dysplasia)을 보일 수 있기 때문이다. 이 외에도 신장이 낭성변화를 보이거나 커지고 고에코성을 띨 수 있는 Meckel-Gruber syndrome, Beckwith-Wiedemenn syndrome, 양측성 다낭성이형성신(bilateral multicystic dysplastic kidney), 상염색체우성 다낭성신질환(autosomal dominant polycystic kidney disease)과 감별해야 하며, 대사질환(metabolic disorder) 및 자궁내발육부전의 가능성도 생각해보아야 한다.

6. 임신 중 검사

1) 염색체 검사: CVS, amniocentesis
2) 초음파 검사를 통한 태아 복부둘레(abdominal circumference(AC) 모니터링
3) 태아 MRI

출생 후 관리

    신장의 집합관(collecting duct), Henle's loop의 두꺼운 상행각(ascending limb) 등에 1~2 mm의 작은 낭종(cyst)이 생기고 나이가 듦에 따라 점차 증가하여 신기능이 점차 악화된다. 초음파에서 크기가 작아 낭종을 관찰할 수는 없으며 피질-수질 분화(corticomedullary differentiation)의 소실, 음영의 증가(echogenicity) 등의 비특이적인 소견만이 관찰된다. 심한 경우 양수과소증, Potter 증후군, 폐형성 저하증이 동반될 수 있으며 이런 경우 30% 이상에서 사망한다. 신장의 크기는 정상보다 큰 경우가 많으나 말기 신부전에 도달하면 다른 말기 신부전의 경우와 마찬가지로 줄어든다. 많은 경우 간의 섬유화를 동반하며 Caroli disease가 흔하고, 점차 진행하여 간문맥 고혈압(portal hypertension), 식도정맥류(varix), 간비장비대(hepatosplenomegaly) 등의 합병증이 발생한다. 신장과 간의 기능 소실의 속도는 환자마다 다르며, 신부전과 간부전에 대한 대증적 치료가 치료의 근간을 이루므로 상염색체열성 다낭성 신질환 환자는 정기적으로 초음파, 신기능/간기능 검사를 시행하여 필요에 따라 조절한다. 신 이식이 궁극적인 치료방법으로 많은 경우 간이식도 필요하다. 상염색체 열성 질환으로 유전 상담이 필요하며, 다른 낭성 신질환, 즉 신장황폐증(nephronophthisis) 등과의 감별이 필요하나 치료방법은 같다.

[참고문헌]

1. 최신 산부인과 초음파진단(Atlas of Ultrasound in Obstetrics and Gynecology)
2. Callen PW. Ultrasonography in Obstetrics and Gynecology, 5th edition
3. Wilson PD. Polycystic kidney diseases. N Engl J Med 2004;350:151-64
4. Woodward PJ, Kennedy A, Sohaey R, Byrne JLB, Oh KY, Puchalski MD et al. Diagnostic Imaging Obstetrics, 2nd edition

06 후부요도판막
(Posterior urethral valves, PUV)

박관진
조정연
강지현

1. 빈도

남아에서 발생하는 질환으로 빈도는 1:8,000~1:25,000으로 드문 편이다.

2. 질병의 개요 및 발생 원인

방광 아래 부분의 후부요도에 생긴 막이 판막(valve) 역할을 하게 되며, 막힌 정도에 따라 다양한 양상을 보인다. 이는 요도의 환형 점막주름(circular mucosal fold)의 비정상적인 비대와 융합(thickening과 fusion)으로 인해 생기며 유전되는 질환은 아니다.

PUV의 진단도 중요하지만 이로 인해 생기는 소견들을 잘 관찰해야 한다. 1) 방광의 팽창으로 인해 방광이 터지는 경우는 소변으로 인한 복수, 흉수, 복벽내 석회화 소견을 관찰 할 수도 있다. 2) 방광출구가 폐쇄되므로 양수과소증 및 이로 인한 소견이 함께 보일 수 있으며, 3) 소변의 역류로 인해 요관의 팽창 및 수신증(hydronephrosis)이 보일 수 있으며 신장의 손상을 시사하는 소견(신실질의 음영 증가, 피질-수질 간 구분 소실, 여러 개의 신낭종 등) 보일 수 있다.

3. 산전 진단

남아에서 방광이 비정상적으로 팽창되어 있을 때 의심해볼 수 있으며, 방광과 연결된 후부요도 쪽으로 팽창하기 때문에 전형적인 모습으로는 열쇠구멍(key hole sign) 모양을 볼 수 있으나 항상 보이는 것은 아니다. 양수감소증으로 인한 폐성숙의 정도가 생존에 중요하며 실제 남아 있는 신기능을 예측하기 위한 신장의 손상정도 평가는 아주 정확한 것은 아니다.

4. 동반 기형

심장기형이 동반될 수 있으며, VACTERL(vertebral, anal, cardiac, tracheal, esopha-geal, renal, limb) 연관의 한 소견으로 나타날 수 있다.

5. 감별 진단

요도폐쇄(urethral atresia), Prune belly syndrome, Megacystis-microcolon, Cloacal malformation

6. 임신 중 필요한 검사

1) 염색체 검사

태아가 이수체(aneuploidy)로 진단되면 예후가 특히 나쁘다.

2) 태아의 방광내 소변채취(전해질 및 β-immunoglobulin 검사)

(1) 전해질로 신장기능을 정확히 평가하는 데에는 논란의 여지가 있다. 정상태아의 소변은 hypotonic이지만 신장기능이 떨어져 있을 경우 isotonic소견을 보일 수 있다.

(2) β-immunoglobulin은 정상적으로 태아혈액에서 발견되는데, 신장에서 걸러진 후 재흡수되므로 태아소변에서 다량 검출될 경우 신장이 손상되었음을 시사할 수 있다.

(3) 좋은 예후를 시사하는 태아 소변 내 농도는 다음과 같다.

Na $<$ 100mEq/L, Cl $<$ 90 mEq/L, Osmolarity $<$ 210 mOsm/L, β-immunoglobulin $<$ 4mg/L, Ca $<$ 8 mg/dL

3) 태아 자기공명영상

양수과소증이 심해 초음파로 평가가 어려우면 동반기형을 평가하거나, 신장기능평가를 위해 고려할 수도 있다.

7. 산전 처치

1) 태아 중재시술(fetal intervention)

방광-양막강 단락술(vesicoamniotic shunt, valve ablation with laser) 등을 시도하지만 이미 신기능이 비가역적으로 변화되어 있는 경우가 많아 시술의 효과로 신기능 호전되는 경우는 드물다.

2) 임신 종결(termination)

심각한 양수과소증으로 이미 생존의 가능성이 멀어진 경우나 신부전이 확실한 경우 시행하기도 한다.

출생 후 관리

1. 증상 및 검사

임상증상이 매우 다양하며 출생 전 초음파 검사에서 발견되는 일이 많다. 양측수신요관증, 방광팽만, 후부요도 확장이 주요 검사 소견으로, 출생 후에는 선별검사로 요검사, 요배양검사, 혈중 크레아티닌, 전해질 검사 등을 실시하고, 초음파 검사를 받게 된다. 신생아는 출생 초기 생리적 탈수 증상이 나타나는 데, 증상이 심한 환자는 이때에도 양측수신요관증, 방광 및 후부요도 확장이 관찰된다. 확진을 위해 배뇨중방광요도조영술을 시행하며, 작은 관을 요도로 삽입하여 방광에 조영제를 주입하여 촬영하며 방광이나 요도에 이상 확장 소견이 확인되면 후부요도판막증으로 진단된다. 방광요관역류는 약 반수에서 동반되며 신장의 이형성이나 저형성이 동반되기도 하고 신주위 요종(urinoma)이나 요복수(urine ascites)가 초래되기도 한다.

2. 치료 및 경과

출생 후 수신증이 심하고 패혈증, 질소혈증이 심할 때는 수일간 작은 관을 요도에 유치하여, 항생제 투여, 체액 및 전해질 보충 등을 우선 시행한다. 폐색이 심하지 않고 질소혈증이 심하지 않을 때에 먼저 경요도판막소작술을 시행한다. 경요도판막소작술은 작은 내시경을 요도에 삽입하여 막혀있는 요도판막을 절제해주는 방법이다. 요도가 배액관을 유치하거나 내시경을 넣기에 무리가 있다면 피부방광루수술(cutaneous vesicostomy)이 필요하다. 피부방광루 수술은 전신마취 하에 방광 점막을 배꼽 아래의 피부에 연결하여 소변이 원활히 배출되도록 해주는 수술이다. 조기에 적절한 치료가 이루어지는 것이 중요하며, 요로폐색을 해결한 후에도 질소혈증, 감염 등이 지속될 때는 예후가 좋지 않다. 방광요관역류가 동반된 환자들은 요도폐색이 해결되면 20% 정도에서는 저절로 소실된다. 신이형성증, 배뇨기능장애로 인해 약 1/3 가량에서 폐색을 제거해도 만성 신부전이 올 수 있다. 출생 전, 후의 치료에도 25~40%는 결국 신부전으로 진행된다. 방광기능이상이 지속되면 배뇨훈련, 자가도뇨치료(CIC), 항콜린제 약물 투여 등의 치료가 필요할 수 있으며, 일부 환아에서는 구조적인 문제로 요실금이 지속되는 경우가 있다.

[참고문헌]

1. Bernardes LS, Salomon R, Aksnes G, Lortat-Jacob S, Benachi A. Ultrasound evaluation of prognosis in fetuses with posterior urethral valves. J Pediatr Surg. 2011;46:1412-8
2. El-Ghoneimi Desgrippes A, Luton D, Macher MA, Guibourdenche J, Garel C, Muller F, et al. Outcome of posterior urethral valves: to what extent is it improved by prenatal diagnosis? J Urol. 1999;162:849-53

07 신장무발생
(Renal agenesis)

박관진
조정연
이승미

가 형 태 아 를 위 한 카 운 슬 링

1. 빈도

일측성 신장무발생의 경우 1000명의 생존출생아 당 1명의 빈도로 발생하며 남아에서 3배 정도 더 흔한 것으로 알려져 있다. 양측성 신장무발생의 경우 1,000명의 생존출생아 당 0.1~0.3명에서 발생한다.

2. 질병의 개요 및 발생 원인

신장무발생은 선천적으로 한쪽 또는 양쪽 신장이 생기지 않은 것으로, 양측성인 경우는 출생 후 폐형성 부전 및 신부전으로 생존을 할 수 없는 질환이다. 요관싹(ureteric bud)의 발달 실패로 발생하는 것이다.

3. 산전 진단

1) 양측성 신장무발생

(1) 임신 중기에 심한 양수과소증/무양수증(anhydramnios)이 첫 단서가 된다.

(2) 양측 신장와(renal fossa)에 신장이 없다. 이 경우 부신이 누워있는 모습(laying down)을 보일 수 있다. 신장와에 신장이 없는 경우 이소성 신장(ectopic kidney) 등의 가능성을 염두에 두고 골반 등을 잘 살펴보아야 한다.

(3) 방광에 소변이 차지 않아서 방광이 보이지 않으며, 방광이 보이지 않으면 30분 후 다시 비어있는 방광을 확인하여 지속적으로 비어있는 방광인지 여부를 확인하여야 한다.

(4) 양측 신장 동맥(bilateral renal arteries)이 컬러도플러에서 확인되지 않는다.

2) 일측성 신장무발생

(1) 신장이 존재해야 하는 부위, 즉 신장와 부위에 신장이 존재하지 않는 것으로 처음 의심을 하게 된다. 이 경우 부신이 누워있는 모습(laying down) 을 보일 수 있다. 신장와에 신장이 없는 경우 이소성 신장(ectopic kidney), 말굽신장(horseshoe kidney) 등의 가능성을 염두에 두고 골반 등을 잘 살펴보아야 한다.

(2) 대부분의 경우 반대쪽 신장은 보상적으로 크기가 커져 있다.

(3) 반대쪽 신장이 정상적으로 기능을 유지하는 경우에는 양수양은 변화가 없는 경우가 많으며 방광 또한 정상적으로 소변이 차 있다.

(4) 컬러도플러에서 해당 신장 동맥이 확인되지 않는다.

4. 동반 기형

동반 기형이 있거나 여러 증후군의 일환으로 발생하는 경우가 30% 정도까지도 보고되고 있다. 흔히 동반되는 동반 기형은 박터증후군(VACTERL association), 염색체 이상(trisomy 21, trisomy 22, trisomy 7, trisomy 10, 터너증후군, CATCH-22 증후군 등) 등이 있다. 자궁의 기형과 동반되어 나타나는 경우도 많다.

5. 감별 진단

단독으로 발생할 수도 있지만 여러 증후군의 일환으로 발생하는 경우도 많으므로 다른 동반 기형의 여부를 확인하기 위한 정밀초음파 검사가 필요하다. 여러 양상의 유전적 경향이 보고되고 있으므로 태아에서 신장무발생이 확인되면 부모의 신장에 대한 확인도 필요하다.

6. 임신 중 검사

1) 태아 정밀초음파 검사
2) 부모의 신장 초음파 검사

출생 후 관리

1. 증상 및 검사

양측성인 경우 1/3이 출생 전에 자궁내 태아사망에 이르고 다른 동반 기형이 많고, 태아기에 양수과소증으로 인한 폐형성부전이 동반되어 대부분 신생아기에 사망한다. 다른 장기의 기형이 동반되지 않은 단측성 신장무발생 환아의 예후는 일반적으로 정상인과 큰 차이가 없다. 다만 산전검사에서 한쪽 신장만 보이는 경우에는 단측성 신장무발생과 이소성 신장의 가능성을 모두 염두에 두고 감별 진단을 하게 된다. 단측성 신장무발생으로 산전 진단을 받는 환아는, 출생 후 다시 초음파를 시행하여 신장의 존재 유무를 다시 확인하고, 반대쪽 신장의 이상 여부를 검사한다. 남아의 경우 고환의 발달 장애가 자주 동반되기 때문에, 출생 후 신체검진 및 초음파로 고환의 유무도 확인한다.

2. 치료 및 경과

단측성 신장무발생 환아에서 다른 동반 기형이 없다면 특별한 비뇨기과적 치료가 필요 없다. 출생 후 이소성 신장으로 진단되고, 초음파를 통해 확인된 신장크기 및 기능이 현저히 저하되어 있는 등 임상적인 문제를 야기하는 경우 신장절제술을 시행할 수도 있다. 다른 비뇨기계 기형이 동반된 경우 질환에 맞는 치료를 받게 된다. 일측성 신장무발생의 경우는 반대측 신장이 기능을 잘하면 큰 문제는 없으나, 나중에 고혈압 발생의 가능성이 50%까지 증가한다. 단백뇨 및 신부전의 위험도 또한 증가하는 것으로 알려져 있다.

[참고문헌]

1. Dias T, Sairam S, Kumarasiri S. Ultrasound diagnosis of fetal renal abnormalities. Best Pract Res Clin Obstet Gynaecol 2014;28:403-15
2. Oh KY, Holznagel DE, Ameli JR, Sohaey R. Prenatal diagnosis of renal developmental anomalies associated with an empty renal fossa. Ultrasound Q 2010;26:233-40

08 모호한 생식기관
(Ambiguous genitalia)

박관진
조정연
이승미

기 형 태 아 를 위 한 카 운 슬 링

1. 빈도

출생아 중 0.02~2%까지 다양하게 보고된다.

2. 질병의 개요 및 발생 원인

모호한 생식기관는 신생아의 외성기가 남아 혹은 여아로 나누기 어려운 드문 기형이다. 외성기가 충분히 발달을 하지 않았거나 두 성을 같이 가지고 있기도 하다. 또한 내부 생식기와 일치하지 않는 경우도 있다. 성 발달(sexual development)에 영향을 주는 징후이며 성 발달 이상으로 볼 수 있다. 분만 후에 대부분 바로 진단되며 원인 및 신생아 성의 결정과 그에 따른 치료 등에 대한 상담을 해주어야 한다. 모호한 생식기 환아는 원인에 따라 향후 불임 및 악성종양의 가능성이 있으므로 충분한 검사를 통해 원인을 알아내는 것이 필요하다. 이 질환은 단독으로 발생할 수도 있지만, 발생학적으로 생식기 및 비뇨계기 이상 동반될 수도 있으며 증후군의 일부로 나타날 수도 있다.

3. 산전 진단

정상적으로 임신 후반부에 태아의 외부 생식기는 남아의 경우에는 음낭(scrotum) 및 음경이, 여아에서는 음순(labium)이 초음파에서 확인이 가능하다. 고환은 25주부터 음낭에서 확인이 가능한데 32주에는 97%가 음낭에서 확인된다.

모호한 생식기관의 진단이 어려운 이유는 다음과 같다.

1) 짧은 음경과 음핵(clitoris) 사이의 구별이 어렵다.

2) 음낭과 음순의 구별이 어렵다. 이는 잠복 고환 및 갈라져 있는 음낭(bifid scrotum)으로 인해 대음순과 구별이 어려울 수도 있고 유합된 음순(fused labium)이 음낭과 구별이 어려울 수도 있다.

3) 음경의 이상: 요도하열(hypospadia)은 초음파 상 음경의 길이가 짧고 넓어져 있을 때 처음 의심하게 되며, 배뇨 당시 소변의 흐름이 음경 아래에서 나오는 것을 확인할 수 있다. 요도상열(epispadia)은 요도가 음경의 배측(등측)에 개구하는 기형인데 초음파로 확인하기는 쉽지 않다.

4. 동반 기형

발생 원인에 따라 다양한 동반기형이 있을 수 있다.

5. 감별 진단

1) 단독으로 발생하는 경우

2) 방광 혹은 총배설강 외반(bladder or cloacal exstrophy)을 동반하는 경우

3) 유전증후군, 자궁 내 성장 지연, 염색체 이상, 선천성 부신증식증 등의 스테로이드 합성 장애 및 안드로겐 불감성 증후군 등을 동반하는 경우

6. 임신 중 검사

원인에 대한 진단을 위해 여러 검사가 필요하다.

1) 정밀 초음파 검사: 동반 기형 여부 확인.

2) 유전적 성별 감별: 산모혈액내 세포유리태아 DNA (cell-free fetal DNA) 검사 또는 양수검사 등을 통한 태아 염색체 검사.

3) 염색체 검사: 염색체 이상을 가진 질환을 감별할 때

4) 선천성 부신증식증의 경우 부신이 커져 있을 수 있는데, 이는 초음파 상 부신이 뇌처럼 주름진 모습(cerebriform wrinkled pattern)으로 확인할 수 있다.

* 선천성 부신증식증 중 21-수산화효소결핍증(21-hydroxaylase deficiency)이 가장 흔한데, 이는 상염색체 열성 유전질환으로 이전 자녀에서 이미 진단되어 부모의 보인자 여부가

확인된 경우 산전 유전 진단이 가능하다. 이번 임신에서 태아의 21-수산화효소결핍증이 진단한 경우 외부 성기의 남성화(virilization)를 막기 위한 산모의 스테로이드 치료를 시도해 볼 수 있으나 그 유용성 및 안정성에 대해서는 검증이 더 필요한 상태이다.

출생 후 관리

1. 증상 및 진단

단독으로 발생한 경한 생식기관 이상으로부터 심한 동반 기형을 가진 경우까지 다양하다. 예후는 동반 기형 여부에 따라 달라지므로 정확한 원인을 찾는 것이 중요하다. 모호한 외부생식기를 가진 신생아는 먼저 진찰을 통해 고환이 만져지는지 여부와 외성기의 모양 및 대칭성 등을 확인하게 된다. 이와 더불어 유전학검사를 시행하여, 정확한 핵형 및 동반된 유전질환 여부도 확인한다. 성호르몬 등 각종 내분비 관련 혈액 및 소변검사와 생식기관의 유무 및 위치 확인을 위한 초음파 혹은 CT검사, 골발육 확인을 위한 방사선검사도 시행한다. 필요시 시험적 개복술 및 조직검사를 통해 정확한 진단을 한다.

2. 치료 및 경과

진단을 위한 여러 검사들을 통해 확진이 되면 환아에게 가장 적절한 성을 결정해야 한다. 이 결정에는 다양한 요소가 복합적으로 고려되어야 하며, 일반적으로 나이, 가임력, 내분비검사 결과, 성선의 악성화, 해부학적 모양 등이 있다. 치료의 목표는 환아에게 맞는 외부 생식기 모양을 갖춰주고 이후 정상적인 사회생활이 가능하도록 해주는 것이다. 서울대학교병원에서는 환아가 성에 대해 인지하기 전 초기에 수술적 치료를 받도록 권유하고 있다. 일반적으로 생후 3세가 지나서 성결정을 바꾸는 것은 매우 어렵다. 그 외 정신적 성 발달 및 주변 인식도 중요하므로 조기 진단 및 치료가 꼭 필요하다.

수술은 외부생식기의 상태를 고려하여 결정된 성에 따라 시행한다. 남아의 경우 난소, 난관, 자궁을 제거하고, 필요시 고환고정술을 시행하며, 외부 생식기는 요도재건술로 남성 모양의 외부생식기를 만들어 준다. 여아의 경우에는 고환조직의 제거 및 음핵 축소, 질 성형술을 시행하여 여성의 외부생식기 모양으로 만든다. 다학제간 진료를 통해 동반된 기형에 대한 종합적인 치료 및 성결정 및 원인 질환에 맞는 내분비 치료도 같이 병행하고 있다.

[참고문헌]

1. Chitty LS, Chatelain P, Wolffenbuttel KP, Aigrain Y. Prenatal management of disorders of sex development. J Pediatr Urol 2012;8:576-84
2. Adam MP, Fechner PY, Ramsdell LA, Badaru A, Grady RE, Pagon RA, et al. Ambiguous genitalia: what prenatal genetic testing is practical? Am J Med Genet A 2012;158:1337-43

09 신세뇨관 이형성증
(Renal tubular dysgenesis, RTD)

강희경
조정연
이준호

1. 빈도

매우 드물다. 유전성 RTD(autosomal recessive RTD)의 경우에는 현재까지 150여례가 보고된 바 있다.

2. 질병의 개요 및 발생 원인

RTD에서는 신장의 근위세뇨관(proximal tubules)이 발달하지 않아서 이른 태아 시기부터 지속적으로 소변을 만들지 못하고(early-onset, persistent anuria), 이는 양수과소증과 Potter sequence를 초래하게 되며, 두개골의 골화장애가 발생하게 된다.

발생 원인에 따라 두 가지 유형으로 나눌 수 있다.

1) 유전성 RTD(autosomal recessive RTD)

상염색체열성 유전 방식을 따르며, renin-angiotensin system(RAS)에 속하는 여러 구성요소들(angiotensinogen, renin, angiotensin-converting enzyme or angiotensin II receptor type 1)의 유전자에 돌연변이가 발생하는 것과 연관이 있다. 근위세뇨관의 분화가 제대로 이루어지지 않는데, angiotensin II가 근위세뇨관의 발달에 미치는 직접적인 영향 또는 전신적인 저혈압의 결과로 생각된다.

2) 이차성 RTD

유전적인 원인뿐만 아니라, 신장으로의 저관류(hypoperfusion of kidney)를 일으킬 수 있는 모든 상황에서 RTD는 발생할 수 있다. 즉, 신동맥협착(renal artery stenosis), 주요 심장기형, 선천성 혈색소침착증(congenital hemochromatosis) 같은 심한 간질환, 쌍태아간수혈증후군(twin-to-twin transfusion syndrome)에서 donor twin, 레닌-안지오텐시계 차단제(ACE inhibitor 또는 angiotensin receptor antagonist: ARB)에 노출된 경우 등에서 신장으로의 관류 저하가 발생하고 이에 따라 RTD가 발생할 수 있다.

같은 이유로 기관 발생 시기에 임산부가 레니프릴, 에날라프릴 등의 angiotensin enzyme converting inhibitor나 로자탄, 발잘탄 등의 angiotensin II receptor blocker를 복용하는 경우 유사한 증상을 보인다.

3. 산전 진단

초음파 검사에서 신장과 요로는 특별한 이상소견 없이 정상적으로 관찰되나, 무뇨증(anuria)에 의한 양수과소증이 있는 경우 의심할 수 있다.

4. 동반 기형

지속적인 양수과소증으로 인한 Potter sequence, 태아발육부전, 두개골의 골화장애

5. 임신 중 필요한 검사

태아 정밀 초음파검사

출생 후 관리

출생 당시 심한 저혈압, Potter 증후군을 보인다. 양수과소증, 작은 크기의 신장, 두개골 골화/발육부전(cranial hypoplasia, cranial suture diastasis)이 특징적이며 대개 신생아기 이전에 사망한다. 그러나 네프론의 일정 부위에만 이상을 보이는 경우도 있으며, 출생 직후 혈장주입 및 복막투석 등으로 적극적인 치료를 하여 혈압을 유지시켜주었을 때 소변 생성이 회복되면서 생존하는 경우도 있다. 이 경우 혈압 유지를 위한 fludrocortisone 등의 mineralocorticoid 투여, 조혈제 erythropoietin의 투여가 필요하다.

[참고문헌]

1. Gubler MC. Renal tubular dysgenesis. Pediatr Nephrol. 2014;29:51-9

2. Lacoste M, Cai Y, Guicharnaud L, Mounier F, Dumez Y, Bouvier R, et al. Renal tubular dysgenesis, a not uncommon autosomal recessive disorder leading to oligohydramnios: Role of the renin-angiotensin system. J Am Soc Nephrol 2006;17:2253-63

10 총배설강 기형
(Cloacal anomalies)

김현영
고현주

기 형 태 아 를 위 한 카 운 슬 링

1. 빈도

출생아 40,000~50,000명당 1례의 빈도로 드물며, 여아에서 더 많이 발견된다.

2. 질병의 개요 및 발생 원인

요도위 열린 질환 중 가장 심각한 형태에 해당한다. 배아 발생 초기 배설강의 분화(cloacal division) 이상에 따른 일련의 선천성 비뇨생식기 및 후장(hindgut) 기형을 총칭한다. 여기에는 비뇨생식동(urogenital sinus) 기형, 총배설강이형성(cloacal dysgenesis), 총배설강변이(cloacal variant), 비뇨직장(urorectal) 기형을 포함한다.

배설강존속증(persistent cloaca; classic cloaca)은 직장항문기형의 한 형태로, 직장, 질, 요도가 하나의 출구를 형성하여 회음부에 개구한다. 이는 비뇨직장 주름(urorectal fold)의 발달 장애로 배아 발생 시 꼬리 끝에서 정상적인 접기 과정(folding process)의 방해로 생긴다. 임신 7주 비뇨직장중격이 요낭과 후장 사이에 생겨 꼬리 쪽으로 자라면서 앞쪽의 비뇨생식동과 뒤쪽의 항문직장관(anorectal canal)으로 나눈다. 이 격막 이상으로 총배설강 기형이 생긴다. 여아에서는 질입구가 막혀 수장궁질증(hydrometrocolpos)을 일으키고, 이는 방광 삼각부를 눌러 요도폐색, 수신증이 나타나 신기능 감소에 따른 양수과소증을 초래할 수 있다. 남아에서는 직장 비뇨 누공을 통해 소변과 태변이 섞이고, 관내 석회화를 보일 수 있고, 확장된 방광은 골반강 낭종으로 보일 수 있다.

비뇨생식동 기형은 요도와 질이 하나의 출구로 해부학적 요도위치에 개구하며 정상적인 항문을 보인다. Posterior cloaca는 비뇨생식동이 후부로 치우쳐 직장의 전부(anterior wall)에 개구한다. 총배설강변이는 비뇨생식동과 항문의 위치이상(배쪽치우침)을 보인다. 총배설강이형성은 가장 심한 형태로 회음부 개구가 없어 보인다.

총배설강외번은 남자에서 보다 자주 발생하는데, 직장, 방광, 생식기를 형성하는 초기 발생학적 구조물인 배설강(cloaca)의 발달이상으로 인하여 생긴다.

3. 산전 진단

산전초음파와 스캔에서 방광이 보이지 않고 전복벽이 소실되어 보이거나 요천골의 기형이 보여 의심되는 경우가 흔하다. 체액이 차있고, 중격이 동반된 후골반강 낭종성병변에서 여아의 질수증(hydrocolpos)을 의심한다. 회음부로 깔때기 모양의 체액이 찬 낭성 병변과 하나의 곧은 격막을 확인할 수도 있다. 태아 MRI가 진단에 도움을 줄 수 있다. 수신증 또는 신장무발생, 항문의 위치, 생식기중복 등을 살펴본다. 복수, 복부 내 석회화, 장 폐색 또는 팽창 등의 이차 병변이 나타나기도 한다.

4. 동반 기형

동반 질환으로는 요로이상이나 신장무발생증이 30%정도에서 동반되며 척추후궁미봉증(spinal dysraphism) 이 67% 에서 동반된다고 알려져 있으며 이 경우 예후가 불량하다. 또한 사지나 척추의 이상을 흔히 동반한다. 여아에서는 자궁질관중복증이, 남아에서는 양측 잠복고환이 흔하며 배꼽탈장이나 회전이상, 십이지장폐쇄증과 같은 위장관계 질환이 동반되기도 한다. 단장인 경우가 25~50% 에 있으며 전체의 50% 정도에서 3 백분위수(percentile) 미만의 성장장애가 동반된다.

5. 감별 진단

방광유출폐쇄, 질폐색, 질횡막(vaginal trasverse septum), 비천공 처녀막과 감별한다. 후방 요도 판막을 포함한 태아 요로 폐색을 유발하는 모든 진단이 포함된다. 정상 항문함몰부와 직장연결성을 확인함이 중요하다. 배벽갈림증, 배꼽탈장과도 구분하도록 한다.

Enteric duplication cyst 경우 정상 양수량과 요관과는 구분되는 장의 일부로 주변과의 위치관계를 고려한다.

여아의 경우 난소낭종은 하복부 가장자리에 위치하고, 정상적인 신장과 방광이 관찰된다. 낭종 내에 daughter cyst가 보이는 경우 감별하기 용이하다. 출혈, 염전 등이 합병되는 경우 추적관찰한다.

남아에서 후부요도판막인 경우 fluid-fluid level 보이지 않는 방광 팽창을 보이며, key-hole 모양을 보이고, 심한 양수감소증을 동반한다.

이외 Megacystis-micorcolon-intestinal hypoperistalsis syndrome, Prune belly syndrome을 감별한다.

6. 임신 중 필요한 검사

1) 정밀 초음파
2) 태아 심초음파
3) 태아 MRI
4) 염색체검사-동반기형 유무에 따라

출생 후 관리

1. 검사

1) 초음파
2) 심초음파
3) MRI

2. 치료

소아외과, 비뇨기과 등과의 산전 상담 및 협진을 하고, 출생후에는 반드시 소아외과 수술이 가능한 3차병원에서 진료되어야 한다. 산전에 진단되지 않아 1,2차 병원에서 분만하는 경우 빠른 시간 안에 신생아를 전원하도록 한다.

이송 과정에서 탈수나 전해질 이상이 오지 않도록 주의하며 환부에 필름을 붙여서 수분손실을 최소화 해야 한다. 수술적 치료는 다단계에 걸쳐 진행되며 대개 장루를 형성하고 방광과 생식기를 두 단계로 재건하고 페냐의 방법을 이용하여 항문 직장을 재건하게 된다.

3. 경과

배변, 배뇨, 성기능의 기능 회복이 관건이다. 수술 후에도 배뇨자제를 원활하게 하는 경우는 48% 정도로 알려져 있고 30% 는 평생 기저귀를 차야 하는 것으로 발표 되었다. 항문위치가 정상인 경우 예후가 다소 좋으며, 총배설강 길이가 3cm 미만의 경우 수술 후 배변 수의조절이 68%, 배뇨 기능 회복이 72%에서 기대된다. 총배설강 길이가 3cm보다 긴 경우, 비정상적인 항문, 짧은 결장 또는 부재, 뇌척수막류, 척수견인, 천추부가 미약한 경우 예후가 불량하다.

[참고문헌]

1. Bischoff A, Calvo-Garcia MA, Baregamian N, Levitt MA, Lim FY, Hall J, et al. Prenatal counseling for cloaca and cloacal exstrophy-challenges faced by pediatric surgeons. Pediatr Surg Int 2012;28:781-8
2. Groner JI, Ziegler MM, Cloacal exstrophy, Newborn surgery. Arnold, London 2003, pp 629-36
3. Pena A, Levitt MA, Hong A, Midulla P. Surgical management of cloacal malformations: a review of 339 patients. J Pediatr Surg 2004;39:470-9

11 방광외번
(Bladder exstrophy)

박관진
조정연
고현주

기 형 태 아 를 위 한 카 운 슬 링

1. 빈도

출생아 30,000명당 1명으로, 여아에서 보다 남아에서 약 2.8배 정도 더 자주 발생한다.

2. 질병의 개요 및 발생 원인

방광외번에서는 중간중배엽 결손이 하부 앞복벽과 방광벽을 침범하여 방광 점막이 노출된다. 배발생(embryogenesis) 장배 형성기(gastrulation stage)의 초기 결함으로 일어나는 것으로 여겨지며, 심한 정도에 따라 요도상열(epispadias), 방광외번, 총배설강외번으로 나타난다. 임신 4주 총배설강 막내에 정상적인 중배엽의 침윤이 일어나지 않고, 요직장 격막이 완성된 후에 막의 천공이 일어나면 방광외번증이 생기게 된다. 요도와 외요도괄약근(external sphincter)의 외번을 나타내는 경증부터 치골관절이개(diastasis of symphysis pubis)와 생식기결손의 중증까지 다양한 정도를 보인다. 산모의 흡연과 관련되었는 보고도 있으며 삼염색체 21과 13에서 동반될 수 있다. 임신 합병증이나 주산기 사망을 증가시키지 않는다.

3. 산전 진단

하부 앞복부 연조직 종괴가 보이며 아래로 회음부까지 뻗어 있다. 단순한 틈새(cleft)가 있는 경우에는 방광이 보이지 않는 이상만 관찰될 수 있다. 정상 신장과 정상 양수량을 보이면서도 지속적으로 방광이 보이지 않는다면 항상 감별 진단으로 포함시켜야 한다. 또한 양막강으로의 출구가 있음에도 방광 내에 체액이 관찰되어 산전 진단이 가능하지 않을 수 있다. 일반적으로 초음파검사 동안 방광 차오름이 반복적으로 관찰될 수 있다. 양측 제대동맥이 방광 주위를 둘러 주행하는데, 이때 복벽에서 정상보다 다소 낮게 위치한다. 정상 직장과 항문을 보인다.

4. 동반 기형

비뇨생식기계 기형이 자주 동반된다. 남아에서는 요도상열, 짧고 분리된 음경(short split penis), 잠복고환(maldescended testes)를 보일 수 있고, 여아에서는 이분 음핵(cleft clitoris), 중복자궁(uterus didelphys), 중복질(duplicated vagina)을 동반할 수 있다. 서혜부 탈장이 동반되기도 하며, 7%에서 척추 파열증(dysraphism), 척추측만증(scoliosis)도 있다.

5. 감별 진단

총배설강외번(cloacal exstrophy)은 배꼽하 배쪽벽 결손 가운데의 형태로, 하복부에서 전방으로 돌출해 있는 연조직 종괴를 이룬다. 방광 부재시, 정중앙 시상영상에서 복벽 결손을 확인해보고, 항문함몰부를 살펴 총배설강외번을 의심한다. 배자발생기(blastogenesis)의 조기 결함인 경우 총배설강외번으로 나타난다. 이는 총배설강(common cloaca) 외번의 지속, 생식결절(genital tubercles)발달 부전, 치골 융합 결여, 요천추부의 불완전 발달, 비뇨생식기계의 광범위한 기형의 형태를 보인다. 결손으로는 앞복벽, 방광, 결장 등이 포함된다. 항문폐쇄(anal atresia)을 확인하도록 하며, 탈출된 복부 장들이 "elephant trunk"징후라 기술되는 이미지를 나타낸다. 양수감소증을 가져올 수 있을 만큼의 비뇨기계 이상을 보일 수 있다. 반척추(hemi-vertebra), 분절결함(segmentation defects), 뇌척수막류(myelomeningocele)(30~70%) 로 나타날 수 있다. 척수이분증과 척수견인(척수사슬증, tethered cord)을 보이기도 하는데, 요천추부 지방종 여부도 잘 관찰하도록 한다. 30%에서 곤봉발(club feet)을 동반한다.

- 배꼽탈장(omphalocele)은 종괴 내에 장(bowel) 음영이 관찰된다.
- 10~15분 간격으로 재검하여 징상직인 방광 비움과 구분토록 한다.
- 무뇨의 원인들을 감별한다.

6. 임신 중 필요한 검사

모호한 생식기를 보일 경우 양수검사를 시행한다. 척추 등 근골격계, 복부 등 동반기형에 대한 정밀초음파를 시행하고 추적 관찰한다. 소아비뇨기과 전문의과 산전 상담을 갖도록 하며, 3차 병원에서 분만하도록 한다. 이때 분만방법은 산과적 적응증에 따른다.

출생 후 관리

1. 증상 및 검사

출생 전 초음파를 통해 진단 가능하나, 출생 후 방광이 복벽 밖으로 노출된 특징적 소견을 보이며 진단되는 경우도 있다. 환아가 태어나면 의료용 필름으로 점막을 덮어줘 방광점막의 손상을 방지한다. 다른 장기의 이상여부를 확인하기 위해 여러 과 협진으로 신체검진과 초음파 검사를 시행하고, 소아비뇨기과에서는 방광의 크기와 모양 등을 종합적으로 평가하여 수술에 대한 계획을 세우게 된다. 방광이 너무 작은 경우에는 방광이 성장할 때까지 항생제 등을 투여하며 지연수술을 하기도 한다.

2. 치료 및 경과

방광외번증을 가지고 있는 환아는 출생 수일 이내에 수술적 치료를 받게 되며, 일반적으로 여러 단계의 수술이 필요한 경우가 많다. 수술의 목적은 정상적인 배뇨기능 회복, 신기능의 보존, 성기의 정상 외형 회복이다. 먼저 신생아기에는 복벽 밖으로 노출된 방광을 골반 안으로 위치시키고, 방광을 폐쇄하여 소변을 저장할 수 있도록 하는 수술을 한다. 이와 더불어 후부요도를 교정해주고 복벽도 닫아주며, 필요 시 정형외과에서 골반 교정도 같이 시행한다. 남아의 경우 6~12개월 사이에 요도상열에 대한 수술을 시행하여 성기가 제 모양을 가지고 아래로 내려올 수 있도록 해준다. 성기가 충분히 큰 경우에는 신생아기에 다른 수술과 같이 요도상열 교정을 시행하기도 한다. 이후 기저귀로 배뇨를 지속하다가, 4~5세경 요실금 회복을 위한 방광목 교정과 방광요관재문합술을 시행한다. 비뇨기계 복잡 기형 중 하나로 재건 과정 중 여러 번의 수술이 필요할 수 있으며, 이와 같은 재건술을 할 수 없다면 요로전환술(urinary diversion)을 시행 받게 된다. 골반저 손상(pelvic floor defects) 후유증은 요실금과 변실금을 동반할 수 있고, 골반저 탈출증(pelvic floor prolapse)을 보이기도 한다. 방광선암(adenocarcinoma in extruded bladder) 위험과 성기능 장애 등을 고려한다.

[참고문헌]

1. Sawaya D, Goldstein S, Seetharamaiah R, Suson K, Nabaweesi R, Colombani P, et al. Gastrointestinal ramifications of the cloacal exstrophy complex:a 44-year experience. J Pediatr Surg 2010;45:171-5.
2. Pakdaman R, Woodward PJ, Kennedy A. Complex abdominal wall defects: appearances at prenatal imaging. Radiographics 2015;35:636-49.

12 부신출혈
(Adrenal hemorrhage)

강지현
전종관

기 형 태 아 를 위 한 카 운 슬 링

1. 빈도

부검 증례에서의 빈도는 약 1.7:1,000이며 출생아에서의 빈도는 약 1.9:1,000이다. 70%는 오른쪽 부신에서 발견된다.

2. 질병의 개요 및 발생 원인

부신출혈의 원인은 명확하진 않으나 성인에 비해 몸에서 차지하는 부신의 비율이 태아의 경우 10~20배 정도 크기 때문에, 외상이나 저산소증, 호흡곤란이나 패혈증과 같은 자궁내 안 좋은 상황이 발생할 시 더 취약할 수 있다. 또한 하대정맥에서 부신으로의 정맥혈류의 일시적인 증가 때문일 수도 있는데 이는 하대정맥으로 바로 연결되는 오른쪽 부신정맥으로 인해 부신출혈이 오른쪽에서 더 자주 관찰되는 것을 설명할 수 있다. 오른쪽에서 더 자주 발견되는 이유로는 오른쪽 부신의 위치가 척추와 간 사이에 있기 때문이라는 설명도 있다.

3. 산전 진단

출생 전에 진단하기가 다소 어려우며, 초음파양상은 다양한 양상을 보인다. 보통 부신에 저에코성 종괴(echolucent mass)가 발견된 후 추적 초음파검사에서 점차 크기가 줄어 사라지는 경우 의심해볼 수 있다. 그러나 출혈초기에는 크기가 증가할 수도 있다. 출혈 초기에는 echogenic, 이후에는 hypoechoic 소견을 보일 수 있으며, 생성된 혈종의 크기가 줄어들면서 경계부는 좀 더 에코가 증가하면서 석회화 소견(calcification)을 남기기도 한다. 모양도 다양하게 나타날 수 있어, cystic, mixed, solid pattern을 다양하게 보일 수 있다. 칼라 도플러를 적용했을 때 혈류가 없는 것이 다른 종양과의 주된 감별점이다. 신장에 생기는 종양과의 구별 역시 도플러를 이용해 혈류를 공급받는 동맥을 구분하면 도움이 된다.

4. 동반 기형

특별히 자주 동반되는 기형은 없다.

5. 감별 진단

신경아세포종(neuroblastoma, doppler 검사 시 내부에 혈류가 있음), 신피질낭종(cortical renal cysts), Wilms'tumor 및 다른 신장의 종양, 신요로계 중복(duplication of renoureteral system).

6. 임신 중 필요한 검사

초음파를 이용한 추적관찰 외에 특별히 더 시행할 검사는 없다.

7. 예후

출생 전에 발견된 부신출혈의 경우는 대부분 출생 후 자연적으로 없어지며 예후는 지극히 좋은 편이다.

[참고문헌]

1. Fang SB, Lee HC, Sheu JC, Lo ZJ, Wu BL. Prenatal sonographic detection of adrenal hemorrhage confirmed by postnatal surgery. Clin Ultrasound 1999;27:206-9
2. Hsieh CC1, Chao AS, Hsu JJ, Chang YL, Lo LM. Real-time and power Doppler imaging of fetal adrenal hemorrhage. Chang Gung Med J 2005;28:860-5
3. Vollersen E, Hof M, Gembruch U. Prenatal sonographic diagnosis of fetal adrenal gland hemorrhage. Fetal Diagn Ther 1996;11:286-91

13 신경모세포종
(Neuroblastoma)

김현영
권정은
전종관

기 형 태 아 를 위 한 카 운 슬 링

1. 빈도

10,000에 한 명 꼴로 발생하며 전체 유아기 종양의 6~7% 에 해당하는 질환이다. 태아에 발생할 수 있는 가장 흔한 선천성 악성종양이다.

2. 질병의 개요 및 발생 원인

신경모세포종은 교감신경계의 신경모세포에서 유래하는 종양으로 부신 수질 혹은 교감신경체인의 어느 곳에서도 발생할 수 있으나 태아에서 발생할 경우 90%이상이 부신 수질에서 기원한다. 정상 태아의 부신은 신경모세포 결절을 포함하고 있다. 이는 발생학적으로 재태연령 17~19주까지 관찰되다가 이후 줄어들게 되며 출생시에는 약 0.5~2.5%만 존재하게 된다. 따라서 태아기의 신경모세포종은 자연적으로 소실되기도 하며 비교적 덜 공격적인 성향(nonaggressive nature)을 보인다. 전체 진단의 60% 이상은 4세 이전에 진단되고 95% 는 10세 이전에 진단된다. 70% 이상은 복부에서 빌견되며 진체 50% 정도는 부신에서 기원한다. 그 외 중격동이나 골반에서 발생하기도 한다. 처음 진단 당시 2/3 는 진행성이거나 전이가 되어 있는 경우가 있으며, 따라서 뼈나 관절을 자세히 관찰하고 통증 여부를 문진해야 한다.

3. 산전 진단

태아의 신장위쪽으로 비정상적인 구조물이 발견되면 우선 의심해 볼 수 있다. 신경모세포종은 복잡한 낭성 형태뿐 아니라 고에코성의 단단한 덩어리 형태로도 관찰될 수 있다. 신장 위쪽으로 이러한 구조물이 관찰되면 부신이 정상적으로 보이는지 여부와 이 구조물이 신장과 분리 되었는지 확인해야 한다. 고에코병변에서는 컬러 도플러 상 혈류가 증가되어 있으므로 이를 확 인할 수 있다.

4. 감별 진단

신장위쪽의 비정상구조물이 발견되는 경우 약 반 수에서는 신경모세포종이지만, 다른 원인 의 가능성도 있으므로 주의 깊은 평가가 필요하다. 부신출혈, 부신낭종, 특히 외엽형 폐격리증 (extralobar sequestration) 등과 감별해야 한다.

신경모세포종은 대부분 낭성으로 관찰되며 우측에 주로 위치하게 된다. 또한 임신 제 3삼분 기 이전에 발견되는 경우가 드물다. 하지만 외엽형 폐격리증의 경우 주로 고형성으로 관찰되며 약 90%에서 좌측에 위치하고 임신 제 2삼분기에도 쉽게 관찰된다. 컬러 도플러를 사용할 경우 대동맥에서 기시하는 영양동맥이 관찰되므로 신경모세포종에서 관찰되는 단순한 혈류증가 소 견과 감별할 수 있다. 또한 신경모세포종에서는 석회화 소견을 보이는 경우도 거의 없다.

5. 임신 중 검사

간전이 여부 확인

출생 후 관리

1. 검사

CT or MRI: International Neuroblastoma Staging System (INSS) 병기 결정

2. 치료 및 경과

예후는 병기와 생화학적 마커(N-myc 증폭)와 관련이 있다. 전반적인 생존률은 95% 이상이 며 태아기의 신경모세포종은 대개 병기가 낮고 N-myc 증폭이 낮아 예후가 좋다. 임신기간 중 대부분 합병증 없이 안정된 상태로 관찰되거나 일부에서는 자연적으로 소실되기도 하지만 사 이즈가 크거나 전이가 있는 경우에는 태아수종 혹은 사망에까지 이를 수도 있다. 만일 태반전

이로 인해 산모에서 전자간증의 증상이 나타나게 되는 경우 태아사망률은 70%에 이른다.

INSS 분류에 따라 병기를 나누며 낮은 병기의 종양은 수술적 절제만으로 완치를 기대할 수 있으나 그보다 진행된 경우 항암치료가 필요하다. 수술은 대동맥 주변 종양의 경우 위험성이 있을 수 있으나 수술에 의한 사망률은 1~2%로 매우 낮다.

1세 이전에 진단되거나 병기가 낮은 경우 좋은 예후인자로 알려져 있고 이 경우 장기 생존률이 95% 이상으로 매우 좋다. 원위 전이가 있거나 병기가 높은 환아의 경우에도 수술적 치료로 원종양을 절제하는 추세이며 원위전이가 있는 경우에는 장기 생존률이 30% 정도로 알려져 있다.

[참고문헌]

1. Turkel SB, Itahashi HH. The natural history of neuroblastic cells in the fetal adreanl gland. Am J Pathol 1974;76:225-36

2. Weinstein JL, Katzentein HM, Cohn SL, Advances in the diagnosis and treatment of neuroblastoma, Oncologist. 2003;8:278-92

3. Maris JM. How does mycn amplification make neuroblastomas behave aggressively? Still more questions than answers. Pediatr Blood Cancer 2005;45:869-71

PART 07

근골격계 질환
Musculoskeletal System

01 선천성만곡족
(Congenital clubfoot, Talipes equinovarus)

유원준
천정은
강지현

기 형 태 아 를 위 한 카 운 슬 링

1. 빈도

생존아 중에서는 1:1000의 빈도로 나타나며, 남아와 여아의 비는 2:1이다.
양측 발에 모두 나타나는 경우는 60%이다.

2. 질병의 개요 및 발생 원인

선천성만곡족의 분류는 보통 초음파상 단독 만곡족 소견(isolated clubfoot)을 보일 경우와
다른 기형이 동반될 경우(complex clubfoot)로 분류해볼 수 있다. 단독 만곡족 소견일 경우 염
색체 이상이 동반되는 경우가 적다(보고자들마다 차이가 있음. 최대 0~5.7%). 반면 동반기형
이 있는 경우는 염색체 이상이 동반되는 비율이 30%에 달하는 것으로 보고되고 있다. 만곡족
이 생기는 원인으로는 처음 배아 때부터 발 모양이 이상한 경우, 임신 중에 발의 움직임에 제한
이 생기는 경우(양수과소증, 자궁기형 등), 발 자체(특히 발의 뒷부분)에 이상이 있는 경우, 척
추뼈갈림증(spina bifida)으로 인해 근육의 움직임이 조화롭지 못한 경우 등으로 나누어서 생
각해볼 수 있다.

3. 산전 진단

초음파상 발의 metatarsal bones과 phalanges(발바닥 모양)가 종아리의 tibia와 fibula가
함께 보이는 coronal view에서 함께 보일 경우 의심해볼 수 있다. 위양성률이 비교적 높으며
최근에는 10~20% 정도로 보고되고 있다. 위양성인 경우는 자세에 의한 만곡족(positional

clubfoot)으로 임신기간 동안 여러 번의 초음파를 시행할 경우 만곡족 소견이 보이지 않을 수도 있다.

4. 동반 기형

1) 염색체 이상이 동반되는 경우 이로 인한 다양한 기형들
2) 신경근육계통의 기형이나 구조적 기형: 척추갈림증, 관절구축증(arthrogryposis), 근긴장성이영양증(myotonic dystrophy)

5. 감별 진단

1) Rockerbottom foot: 발바닥이 볼록하며, 만곡족 소견이 함께 관찰될 수 있다. Trisomy 18과 연관이 있어 다른 기형이 동반된다.
2) Amniotic band: 다리 주변의 band로 인해 이상이 생길 수 있다. band를 관찰할 수 있으며, 발가락이나 손가락이 절단되기도 한다.

6. 임신 중 필요한 검사

동반기형이 있을 경우 염색체 검사를 해본다.

출생 후 관리

1. 검사

이학적 검사, 단순 X-선 촬영

2. 치료

선천성 만곡족의 치료는 출생 후 바로 시작한다. 초기 치료는 거의 예외 없이 비수술적 방법으로 시행하며 현재에는 Ponseti 방법이 널리 사용된다. Ponseti 방법은 약 1~3분 정도의 부드러운 도수 조작 후 연속적 석고 고정(serial casting)을 통해 점진적으로 변형을 교정하는

방법으로, 1주일 간격으로 대개 5~6회 정도 시행하게 된다. 처음에는 족부 내측과 발바닥쪽의 구축을 이완시키고 점차 거골두(talar head)를 중심으로 전족부 및 중족부를 외회전시키면서 여러 변형 요소를 동시에 교정하게 된다. 마지막으로는 발목 관절의 족저 굴곡을 교정하는데, 경피적 아킬레스건 절단술이 필요한 경우가 많다. 마지막 석고 고정 후에는 교정된 발의 모양을 유지하기 위하여 보조기를 착용시킨다. 보조기는 발을 외회전 시킨 상태로 유지하는 역할을 하는 족부 외전 보조기(Denis-Browne bar and shoes)이다. 처음 3개월은 하루 종일 착용하며 그 이후에는 주로 잘 때만 착용시키는 야간 부목 방식으로 착용시킨다. 보조기를 잘 착용하는지 여부가 변형의 재발 여부에 큰 영향을 미치는 것으로 알려져 있다. 보조기는 최소 18개월까지는 착용시켜야 하며 약 3~4세까지 착용시키는 것을 권장한다.

변형이 재발하는 경우 가장 초기에 나타나는 현상은 아킬레스건의 구축이므로 보호자에게 야간에는 보조기를 잘 착용시키고 주간에는 수시로 발목을 족배 굴곡시켜 하퇴 삼두근을 스트레칭 시키도록 교육하는 것이 필요하다. Ponseti 방법으로 치료 후에 잔여 변형이 있거나 변형이 재발하는 경우에는 다시 Ponseti 방법으로 치료하거나 수술적 치료가 필요하게 된다. 수술적 치료가 필요한 경우는 10~90% 정도로 매우 다양하게 보고되고 있는데, 특히 증후군 관련 만곡족이나 척수이형성증(myelodysplasia)에 동반된 만곡족에서는 거의 수술적 치료가 필요하다. 수술은 구축된 연부 조직만 선택적으로 유리하거나 건을 이전하는 간단한 경우부터, 광범위하게 연부 조직을 유리하는 경우까지 다양하다. 과거에는 처음부터 광범위 연부조직 유리술을 시행하는 경우가 많았지만 현재의 수술적 치료의 역할은 Ponseti 방법으로 변형을 교정한 후 남는 병적 요소에 대해서 선택적으로 연부조직을 유리하거나 건을 이전하는 수술, 그리고 비수술적 방법에 반응하지 않는 심한 만곡에 대해서 시행하는 광범위 유리술로 축소되었다. 나이가 들어감에 따라 골의 변형이 동반되는데 이러한 경우에는 절골술이 필요하며 연부 조직의 구축이 매우 심한 경우에는 변형을 교정하기 위해 외고정기를 이용하거나 절골 후 관절 고정술을 시행해야 하는 경우도 있다.

3. 경과

선천성 만곡족의 예후는 변형의 정도와 동반 질환에 따라 다르다. 진성 만곡족(true club-foot)이 아닌 경한 체위성 만곡족(postural clubfoot)인 경우에는 경과를 관찰하거나 몇 번의 연속 석고 교정만으로도 정상 발 모양을 가지게 된다. 진성 만곡족의 경우에는 심한 족부 변형 때문에 보호자가 당황하고 실망하는 경우가 대부분이지만, 적절히 치료받으면 비록 발의 크기가 약간 작고 하퇴부 근육도 위축되어 있는 경우가 많지만 정상적인 보행과 활동이 가능하게 됨을 설명하여 치료에 잘 따르도록 하는 것이 중요하다.

동반기형이나 염색체 이상이 없을 때에는 치료 경과가 비교적 좋은 편이다. 염색체 이상이 있는 경우는 염색체 이상이 무엇이냐에 따라 예후가 다르다. 동반기형이 있을 경우는 동반기형이 어느 정도인지에 따라 다르다.

[참고문헌]

1. Oetgen ME, Kelly SM, Sellier LS, Du Plessis A. Prenatal Diagnosis of Musculoskeletal Conditions. J Am Acad Orthop Surg 2015;23:213-21

02 양막대(띠)
(Amniotic band)

유원준
천정은
이경아

기 형 태 아 를 위 한 카 운 슬 링

1. 빈도

생존아 1,200~1,500명당 1명의 빈도로 발생하는 것으로 알려져 있다.

2. 질병의 개요 및 발생 원인

파열된 양막이 태아의 신체를 둘러쌈으로써 다양한 기형과 그로 인해 심각한 발달 장애들이 야기될 수 있다. 양수 내에서 얇은 띠가 태아의 얼굴, 머리, 흉벽, 복벽, 사지 등에 부착되어 비대칭적 기형을 일으키는 것이 특징이다. 결손 또는 기형된 정도에 따라 다양하다. 양막 띠로 인해 수축띠(constriction band)만 발생한 경우는 좋은 예후를 보이는데 수축띠가 저절로 없어지기도 한다는 보고도 있다. 조기양막파열의 위험이 증가한다. 최근 태아내시경을 이용하여 양막 띠를 제거하는 방법이 시도되고 있다.

3. 산전 진단

사지결함이 가장 흔한데 양막 띠가 둘러 싼 부분이 잘록해 보이거나 절단되어 보인다. 얼굴이나 머리를 양막 띠가 부착되는 경우 구개열, 구개순, 뇌탈출증(cephalocele) 등이 발생할 수 있다. 흉벽결함으로 인한 이소성 심장(ectopic cordis)이 발생할 수 있고, 복벽 결손으로 인한 장이나 간 등이 배벽갈림증(gastroschisis) 또는 배꼽탈장(omphalocele)에서와 유사하게 양수내로 빠져나와 보이기도 한다. 산모의 자세를 다양하게 변화시켜서 양막 띠를 발견하도록 한다.

4. 동반 기형

거의 없다.

5. 감별 진단

감별해야할 질환으로는 체경기형(body stalk anomaly)이 있는데, 이는 태아의 복벽이 태반에 부착되어 있고, 탯줄이 없거나 짧고, 척추측만증(scoliosis)이 주요 기형 소견이며, 사지 기형이 드물고, 뇌탈출증 등과 같은 결함이 흔하지 않다.

6. 임신 중 검사

태아 정밀초음파 검사

출생 후 관리

1. 검사

이학적 검사, 단순 X-선 촬영

2. 치료 및 경과

선천성 윤상 수축대 증후군(congenital constriction band syndrome; Streeter dysplasia)에서는 하지보다는 상지에, 근위보다는 원위부에 더 흔하게 윤상 수축띠(constriction band)가 관찰된다. 수축대의 원위부에 부종이 발생하거나 신경/혈관의 압박 증상이 있을 때, 또는 점차 심해지는 수축대인 경우에는 수축대 유리술의 적응증이 된다. 특히 출생 후 수축대 원위부가 곧 괴사될 위험에 있는 경우에는 응급으로 수축대 유리술을 시행하여야 한다. 수축대 유리술은 수축대를 제거하고 주위 연부 조직을 함께 또는 몇 번에 나누어 Z-성형술을 시행하는 것이다. 수축대는 피하에 국한되어 있는 경한 경우부터 골막에 이르기 까지 깊게 형성되어 있는 경우도 있다. 가장 심한 형태의 양막 증후군은 사지 말단의 선천성 절단이다. 무지가 결손된 경우에는 인지를 이용한 무지화수술(pollicization), 발가락을 손가락으로 이전하는 수술(toe to phalangeal transfer) 등을 고려할 수 있다. 이 환자들은 신경학적 이상이 없고 다른 조직들도 정상이기 때문에 재건술 후의 기능이 대단히 좋아서 좋은 수술의 적응증이 된다. 말단합지증(acrosyndactyly)은 수지의 원위부만 합지되어 있고 근위부는 분리된 상태의 기형으로 수지 성장 장애를 유발할 수 있기 때문에 일반적인 합지증보다 더 조기에 수술적 분리술을 시행하여야 한다. 대개 생후 6~12개월 사이에 시행한다.

[참고문헌]

1. Barzilay E, Harel Y, Haas J, Berkenstadt M, Katorza E, Achiron R, Gilboa Y. Prenatal diagnosis of amniotic band syndrome - risk factors and ultrasonic signs. J Matern Fetal Neonatal Med. 2015;28:281-3
2. Derderian SC, Iqbal CW, Goldstein R, Lee H, Hirose S. Fetoscopic approach to amniotic band syndrome. J Pediatr Surg. 2014;49:359-62

03 관절구축증
(Arthrogryposis)

유원준
천정은
박정우

기 형 태 아 를 위 한 카 운 슬 링

1. 빈도

출생아 3,000명당 1명 발생한다.

2. 질병의 개요 및 발생 원인

관절구축증은 선천다발관절구축증(arthrogryposis multiplex congenita)이라고도 하는데, 특정 진단명이 아니고 두 군데 이상에서 다발성 관절구축이 있는 경우로 여러 다양한 원인에 의해 발생할 수 있는 일종의 임상소견이다. 자궁내 태아 움직임을 제한하는 어떠한 원인에 의해서도 관절구축이 유발될 수 있고 이른 주수에 이러한 요인이 발생할수록 출생 시 심한 관절구축이 올 수 있다. 가능한 주요 원인은 (1) 신경학적 이상, (2) 원발성 근육병(primary myopathy), (3) 결합조직이상, (4) 자궁내 압박, (5) 기형유발물질 또는 감염 등이 있다. 신경계 이상은 단독기형의 형태로 임상 발현할 수도 있고 그 외 염색체이상, 유전증후군, 기형유발물질과 연관될 수 있다. 대표적인 신경이상 질환으로는 제 1형 척수근육위축증(spinal muscular atrophy; SMA)이 있는데, 상염색체열성(autosomal recessive)의 치명적인 질환이다. 5번 염색체의 *SMN* 유전자의 결실로 척수의 앞뿔 세포(anterior horn cell)의 퇴행이 원인이고 주로 근긴장저하(hypotonia)로 나타나지만 약 20%에서 자궁내 관절구축이 확인된다. 제 1형 척수근육위축증은 심한 형태로 대개 산전에 증상이 나타난다. 출생 후 호흡부전으로 거의 다 사망한다. 근육병 중에서는 근육무형성증(amyoplasia)이 단일 질환으로는 관절구축증의 가장 흔한 원인이다. 드물게 복벽갈림증(gastroschisis)이나 장폐쇄(bowel atresia)가 동반될 수 있다. 대개 지능은 정상이고 대부분 산발성(sporadic)으로 발생하기 때문에 재발률은 1% 미만이다. 근육긴장디스트로피(myotonic dystrophy)는 관절구축증과 원인불명의 양수과다증이 있는 경우 의심해야 한다. 상염색체우성(autosomal dominant) 질환인 원위관절구축증후군(distal arthrogryposis syndrome)은 주로 원위부의 다발성 관절구축이 특징이다. 선천성 연골질환, 골이형성증도 태아 관절구축증의 원인이 될 수 있다. 양수과소증, 모체 자궁기형, 종괴에 의한 자궁 압박 등도 후천적으로 관절구축을 유발할 수 있다. 그 외 거대세포바이러스 또는 톡소플라즈마 감염에 의한 신경손상, 배아시기에 미소프로스톨, 코카인, 알코올 등에 모체가 노출된 경우 등이 관절구축의 원인이 될 수 있다. 모체 중증근무력증(myasthenia gravis)이 있을 경우 모체 IgG가 태반을 통해 넘어가 태아 아세틸콜린 수용체를 억제하여 태아 관절구축증을 유발할 수 있다. 이는 모체 기저질환을 치료하지 않았을 경우 다음 임신에서 거의 100% 재발하지만 진단되면 치료 가능한 질환이라는 점에서 중요하다. 태아 질환의 중증도는 모체 중증근무력증의 중등도와 연관성이 낮으므로 원인불명의 관절구축증일 경우 모체의 중증근무력증 유무를 확인하는 것이 좋다. 분만방법은 태아의 고정된 자세와 합병된 골감소증 등으로 골절의 위험이 증가하므로 일반적으로는 제왕절개가 선호된다.

3. 산전 진단

관절구축증은 두 군데 이상의 관절구축이 있는 경우 진단한다. 초음파에서 태아의 사지 관절운동이 없는 경우 의심해야 하고 이와 함께 태아가 비정상적인 자세를 지속적으로 유지하는 경우 진단이 가능하다. 따라서 초음파 검사 시 충분한 시간동안 태아 여러 관절의 움직임과 자세를 관찰하는 것이 중요하다. 산전초음파검사에서 반드시 초점을 맞추어서 평가해야 할 항목은, 각 관절의 원위부/근위부의 굽힘(flexion)/신전(extension)과 자세(position)이다. 또한 태아의 턱(jaw)과 척추(spine)를 자세히 평가해야 한다. 사지의 자세 및 모양은 다양하게 보일 수 있는데, 무릎관절을 과신전(hyperextension)한 새우모양의 자세(pike position), 팔꿈치를 편 상태에서 손목을 안쪽으로 굽힌 상태(waitor's tip position), 지속적인 양반다리 자세(tailor's position), 주먹을 펴지 않고 꽉 쥔 상태(clenched hand) 유지, 심한 만곡족(clubfoot) 등이 특징적인 소견이다. 특히 입을 벌리고 삼키는 동작을 못해서 생기는 양수과다증 소견을 보일 수 있다. 태아의 이환된 범위와 정도를 평가해야 하는데 진행성 또는 고정적(progressive vs. static), 전반적 또는 국소적(generalized vs. focal) 인지를 평가하고 기록한다. 태아성장지연이 동반되어 있는 경우 trisomy 18의 가능성이 높으므로 동반된 추가 기형 유무를 반드시 확인한다. 일단 관절구축증으로 진단이 되면 임상의는 관절구축증의 원인에 대한 검사를 고려하여야 하나 300여 가지 질환에서 이러한 소견을 보일 수 있어 어려움이 있다.

4. 동반 기형

원인이 되는 질환에 따라 동반기형의 유무와 종류가 결정된다.

5. 감별 진단

태아 관절구축증의 원인은 방대하고 드문 질환들이 많기 때문에 원인질환에 대한 감별이 어려울 수 있다. 따라서 산과력, 가족력, 자세한 초음파 검사 및 필요시 태아 MRI를 통해 얻어진 정보들을 최대한 종합하여 진단적 접근을 하여야 한다. 일단 관절구축증으로 진단되면 태아 염색체 검사를 시행하여야 한다. Microarray 분석이 여러 유전자 결실 및 중복의 확인을 위해 유용하므로 검사실에 따라 이에 대해서도 고려해야 한다. 태아감염 여부를 확인하기 위해 모체 혈액 TORCH 검사 또는 양수에서 거대세포바이러스 및 톡소플라즈마 PCR 검사를 고려한다. 관절구축증이 태아 외부요인에 의한 것인지 내부요인에 의한 것인지 평가하여 각각에 맞게 추가 검사 및 산전 상담을 시행하여야 한다. 자궁내 태아 사망 또는 신생아 사망의 경우 부검을 시행하여 산전 진단을 확인하거나 추가적인 소견을 확인하여 원인 질환을 재평가 하여야 한다. 이러한 평가를 통해 약 1/3에서 재발 위험이 바뀔 수 있다고 알려져 있고 따라서 다음 임신 위험도 평가에 필수적이다. 만약 부모가 부검을 거부하면 근육생검과 섬유모세포(fibroblast) 배양을 위한 피부생검 또는 탯줄혈액검사를 시행한다. 사후 근골격 X-ray 촬영을 시행하고 필요하다면 MRI도 촬영한다.

6. 임신 중 검사

1) 태아 염색체 검사 또는 Microarray 분석
2) 모체 혈액 TORCH 검사 또는 양수 거대세포바이러스 또는 톡소플라즈마 PCR
3) 자궁내 태아 사망 또는 신생아 사망의 경우 반드시 부검(autopsy) 및 사후 근골격계 X-ray 촬영

출생 후 관리

1. 검사

이학적 검사, 단순 X-선 촬영

2. 치료

선천성 다발성 관절구축증에 대한 치료는 변형을 교정하고 재발을 방지함으로써 사지 관절의 운동 범위를 호전시키고 보행 능력을 향상시키는 것이다. 치료는 출생 후 발견 즉시 시작하여야 한다. 이환된 모든 관절을 매일 반복적인 수동적 관절 운동 및 연속 석고 교정을 통해 운동 범위를 호전시킨다. 하지의 변형은 2세 이전에 모두 교정하도록 하여야 하지만 상지의 변형은 기능적 평가가 가능할 때까지 수술을 연기하여야 한다.

족부의 관절구축증은 연속 석고 교정으로 약간의 호전을 기대할 수 있지만 결국 1세 전후에 광범위 연부 조직 유리술(soft tissue release)이 불가피한 경우가 많다. 이를 통해서도 교정이 불충분한 경우에는 족부 골의 일부 절제술이나 관절 고정술, 외고정기를 이용한 점진적 교정술 등을 시행한다. 슬관절은 굴곡 구축이 가장 흔한 변형이다. 20도 미만의 경한 구축은 신전 스트레칭 및 야간 부목으로 치료하면 된다. 심한 구축에 대해서는 연부 조직 유리술, 대퇴골 원위부에 대한 단축술(shortening)이나 교정 절골술(osteotomy), 또는 외고정기를 이용한 점진적 교정술로 치료한다. 반대로 슬관절의 신전 구축이 있는 경우에는 대퇴 사두근 연장술 및 전방 유리술이 필요하다. 슬개골이 외측으로 탈구된 경우에는 다양한 슬개골 안정화 술식이 필요하다. 고관절은 선천성 고관절 탈구가 동반될 수 있는데, 관절의 가동성이 있는 경우에는 발달성 고관절 탈구에 준하여 신생아기에 Pavlik 보장구 또는 도수 정복 및 석고 고정으로 치료할 수 있지만, 관절의 가동성이 거의 없는 기형적 탈구(teratologic dislocation)에 대해서는 수술적 정복술이 불가피하다. 다만 양측성 탈구인 경우에는 이견이 있으나 정복하지 않고 관찰하는 경우(skillful neglect)가 더 많다. 상지는 하지보다도 수술을 통해 기능적 호전을 기대하기 어려운 경우가 더 많기 때문에 수술을 결정하는데 신중하여야 하며 대개 성장이 어느 정도 이루어진 다음에 시행 여부를 결정한다.

3. 경과 및 예후

관절구축의 중증도와 이환된 관절의 수, 동반기형의 유무, 염색체 이상의 유무에 따라 예후

가 결정된다. 지능이 정상이면서 출생 후 생존이 가능한 경우부터 치명적인 질환까지 예후가
매우 다양하다. 관절구축증으로 산전 진단된 경우 원인질환은 50% 정도에서만 확인이 가능하
다. 태아 운동이 없을 경우 골감소증이 흔하게 발생할 수 있고 이로 인해 자궁내에서 자연적으
로 또는 분만 과정에서 골절이 10% 정도에서 발생할 수 있음을 산전 상담의 내용에 포함시켜
야 한다. 턱 또는 척추 질환이 동반될 경우 출생 직후 흡인 및 기도삽관의 어려움이 예견되므
로 이에 대해 대비하여야 한다. 척추측만증(scoliosis) 및 척추후만증(kyphosis)이 심한 경우
폐형성저하증(pulmonary hypoplasia)의 가능성이 높으므로 출생시 이에 대비하여야 한다.
다음 임신에서 관절구축증의 재발률은 원인 질환에 따라 다르다. 검사를 했지만 원인이 밝혀지
지 않은 경우 통상적으로 3~5%의 재발률을 보인다.

[참고문헌]

1. Dimitraki M, Tsikouras P, Bouchlariotou S, Dafopoulos A, Konstantou E, Liberis V. Prenatal assessment of arthrogryposis. A review of the literature. J Matern Fetal Neonatal Med 2011;24:32-6
2. Rink BD. Arthrogryposis: a review and approach to prenatal diagnosis. Obstet Gynecol Surv 2011;66:369-77

04 짧은늑골다지증증후군
(Short rib-polydactyly syndrome, SRPS)

조태준
이준호

1. 빈도

매우 드물다.

2. 질병의 개요, 발생 원인 및 동반 기형

소지증, 다지증, 좁은 흉곽과 짧고 수평적인 갈비뼈를 특징으로 하는 골연골이형성증 (osteochondrodysplasia)의 일종이다. 다양한 종류의 원인 유전자가 밝혀져 있다(*EVC*, *DYNC2H1*, *IFT80* 등). 대개 염색체 이상은 동반하지 않는다.

4가지 유형으로 구분되는데, 제 1형(Saldino-Noonan syndrome)에서는 뾰족하고 좁은 골 간단(pointed and short metaphyses)을 가진 짧은 뼈가 특징적인 소견이다. 갈비뼈도 매우 짧아서 폐의 발달을 방해하여 폐형성부전을 일으키게 된다. 전신적 구조적 이상을 동반하는 경우가 다른 아형보다 더 많은데 선천성 심장기형으로 중격결손, 협착(coarctation), 대혈관전위 등의 소견을 보이고 그 외, 신낭종, 배설강이상(cloacal anomalies), 질폐쇄증, 질누공(vaginal fistulas), 항문막힘증 등이 대표적인 예이다. 다지증은 제1형의 95% 이상에서 관찰된다.

제 2형(Majewski syndrome) 역시, 짧은 갈비뼈, 심한 폐형성부전, 소지증 및 다지증 소견을 보이며, 정중앙 구강안면갈림(median or midline orofacial clefts)이 있는 것이 특징적이다. 큰뇌이랑증(pachygyria), 작은 소뇌충부(small cerebellar vermis), 후각망울 소실(absent olfactory bulb), 지주막낭종, 뇌량형성부전 같은 중추신경계 이상을 동반하는 경우가 많다.

제 3형(Verma-Naumoff syndrome)은 짧은 갈비뼈로 인해 흉곽이 매우 작고, 소지증과

다지증이라는 공통적인 소견을 보이며, 구순열이 없다는 점에서 제 1형과 비슷하나, 골간단 돌출부(metaphyses spur)가 있고, 뇌기저부(skull base)가 짧다는 것이 제 3형의 특징적인 소견이다. 제 3형에서도 제 1형과 비슷하게 심장기형, 신낭종, 항문직장기형(anorectal anomalies) 등의 기형이 관찰된다.

제 4형(Beemer-Langer syndrome)은 제 2형과 유사하나, 다지증 소견을 보이는 경우가 50% 정도로 많지 않다. 정중앙 구순열이 있으나, 정강이뼈(tibia)의 모양이 제 2형과는 다르며, 특히 종아리뼈(fibula)보다 긴 것이 특징적이다. 배꼽탈장, 심장기형, 낭성 신장(cystic kidney), 신형성부전(hypoplastic kidney) 등의 내장 기형이 관찰된다. 또한, 모호생식기, 구강안면갈림 및 수두증(hydrocephalus)이나 완전전뇌증(holoprosencephaly) 등의 중추신경계 기형이 관찰되기도 한다.

3. 산전 진단

임신 15~16주에 초음파에서 소지증(micromelia)과 짧고 수평적인 갈비뼈(short horizontal ribs) 소견이 보이는 경우 의심할 수 있다. 3차원/4차원 초음파가 진단에 유용하게 사용될 수 있으며, 진단에 있어서 중요한 세 가지 소견은 1) 소지증, 2) 다지증(polydactyly) 3) 짧고 수평적인 갈비뼈이다.

SRPS는 4가지 유형으로 나누는데, 초음파로 구별할 수 있는 접근법은 다음과 같으며, 각각의 유형에서 특징적인 소견을 확인하는 것이 필요하다. 일단 소지증과 짧은 갈비뼈가 확인되면, 태아의 손발을 잘 확인하여 다지증 유무를 평가하는 것이 중요하다. 다지증이 없으면, 다른 골격이형성증이나, 제 4형을 우선적으로 의심해야 한다. 다지증이 있으면, 정중앙 구순열이 있는지 확인하여, 제 1형/제 3형과 제 2형/제 4형으로 구분할 수 있다. 이후 장골을 확인하여, 최종적으로 유형을 확인한다(자세한 감별 내용은 아래의 참고서적(Bianchi et al.) 참조).

4. 감별 진단

1) Asphyxiating thoracic dystrophy (Jeune syndrome)

짧고 수평적인 갈비뼈를 가지고 있으며, 흉곽이 좁고 길다. 낭성신장이형성증(cystic renal dysplasia)이 관찰되며, 다지증은 드문 편이다(14%). 긴뼈(long bone)에는 덜 심하게 이환되는 양상을 보인다.

2) Ellis-van Creveld syndrome

연골외배엽이형성증(chondroectodermal dysplasia)의 일종으로 흉곽내 침범은 심하지 않다. 60%에서 심장기형이 동반되며, 축 뒤쪽의 다지증이 관찰된다. 사지의 말단의 짧아지는 것이 진행하기도 하나, 정상지능을 보이며 생존도 가능하다.

3) Mohr-Majewski syndrome

구안지 증후군(orofacial digital syndrome)의 제4형으로, SRPS와 명백히 구분하기 어려워서 두 질환은 single spectrum으로 간주되기도 한다. 정강이뼈(tibia) 침범이 심하나, 갈비뼈는 상대적으로 긴 편이다. 신생아 시기에 생존은 가능하다.

5. 임신 중 필요한 검사

1) 태아 정밀 초음파검사

2) 태아 염색체 검사(fetal karyotyping)

Trisomy 13을 배제하기 위해서, 일반적으로 골격계 이상(skeletal dysplasia)에서 염색체 이상 여부를 확인하기 위해서 시행한다. 모호한 생식기(ambiguous genitalia) 소견이 보이면 태아 염색체 검사는 태아 성별 확인에도 도움이 된다.

6. 예후

태아 시기와 신생아 시기 모두 치명적으로 생존이 어렵다. 향후 임신에서 반복될 위험도를 상담하는데 있어서 가장 중요한 것은 출생 후에 진단을 확실히 내리는 것이다.

[참고문헌]

1. Bianchi DW, Crombleholme TM, D' Alton ME, Malone FD. Pulmonary Short-Rib Polydactyly Syndrome. In: Bianchi DW, Crombleholme TM, D' Alton ME, Malone FD, editors. Fetology: Diagnosis and Mangement of the Fetal Patient. 2nd ed. New York: McGraw-Hill Companies; 2010
2. Byrne JL. Short Rib-Polydactyly. In: Woodward PJ, Kennedy A, Sohaey R, Byrne JL, Oh KY, Puchalski MD, et al. editors. Diagnostic Imaging: Obstetrics. 2nd ed. Salt Lake City; Amirsys Inc; 2011
3. Goncalves LF, Kusanovic JP, Gotsch F, Espinosa J, Romero R. The Fetal Musculoskeletal System. In: Callen PW, editor. Ultrasonography in Obstetrics and Gynecology. 5th ed. Philadelphia: Saunders Elsevier; 2008

05 사지체벽기형복합체
(Limb-body wall complex)

고현주
전종관

1. 빈도

42,000명당 1명 발생한다고 알려져 있다.

2. 질병의 개요 및 발생 원인

복벽(ventral wall)이 닫히지 않아 발생하는 복합 기형이다. 유전이나 염색체 이상과는 무관하게 산발적으로 발생하여 재발의 위험은 없으나, 정상적인 생존이 불가능하다.

발생기전으로는 배발생 3주에서 5주에 coelomic cavity obliteration 전에 양막의 조기 파열로 설명하는 양막대설(amniotic band theory), 임신 첫 4~6주 동안 배아 혈류 이상으로 기인한다는 혈관 파괴설(vascular disruptive theory), 배아 이형설(embryonic dysplasia theory)이 제시되어 있다. 단제대증후군(short umbilical cord syndrome), 부착형기형(body stalk anomaly)과 스펙트럼질환으로 여겨진다. 음주, 담배나 대마초 흡연시 주의해서 보아야 하며, 40%에서 선천성 기형아 출산력이 보고되기도 하였다.

3. 산전 진단

전복벽 결손과 함께 종괴가 관찰되는데, 배외체강으로 탈출되어 양막에 부착되고 고정되어 보이며, 내부에 간, 장이 포함되어 있는 소견을 보인다. 제대는 짧거나 거의 없어 보이며, 사지 기형과 척추측만증이 동반될 때 진단된다. 척추의 후측만곡증, 안면 기형, 흉벽 결손을 보일 수 있다. 태아의 크기에서 흉부와 복부 둘레가 작게 관찰된다.

4. 동반 기형

측체벽결손(disruption of lateral body wall)과 장기 탈출이 동반되는데, 척추 후측만곡증(kyphoscoliosis), 흉강 저형성, 사지기형-clubbed feet, single lower limb을 나타낼 수 있다. 안면 기형이 동반되기도 한다.

5. 감별 진단

1) 양막대증후군(amniotic band sequence)에서는 태아가 고정되어 보이며, 정상 탯줄 또는 일부의 부동(floating) 탯줄이 관찰된다. 반면에 사지-체벽기형복합체는 척추측만증, 복강내용물의 배아외강(extraembryonic coelom)으로의 이탈, 제대가 짧거나 거의 없을 때 진단할 수 있다.
2) 체경기형(body stalk anomaly)과는 배외체강(extraembryonic coelom)의 지속으로 구분해볼 수 있다.
3) 칸트렐증후군(pentalogy of Cantrell)은 탯줄 상부 체벽이 결손되고, 복장벽(sternum)의 하부 결손, 전횡격막과 횡격막쪽 심낭 결손, 심장질환이 있을 때 진단된다.
4) Omphalocele-exstrophy-imperforate-anus-spinal defects (OEIS) complex는 방광 부재, 탯줄 하복벽결손 척추기형, 엉치뼈(천추) 척수막류가 동반된다.
5) 총배설강외번(cloacal exstrophy)에서는 탈장된 복부 장기들이 대개 막으로 둘러싸여 있고 직접적으로 태반에 닿아있지 않다.

6. 임신 중 필요한 검사

양수검사 등이 필요하지 않다.

출생 후 관리

매우 나쁘다. 출생 전 유산이나 사산되는 경우가 많다.

[참고문헌]

1. Hunter AG, Seaver LH, Stevenson RE. Limb-body wall defect. Is there a defensible hypothesis and can it explain all the associated anomalies? Am J Med Genet A 2011;155:2045-59

2. Luehr B, Lipsett J, Quinlivan JA. Limb-body wall complex: a case series. J Matern Fetal Neonatal Med 2002;12:132-7

3. Murphy A, Platt LD. First-trimester diagnosis of body stalk anomaly using 2- and 3-dimensional sonography. J Ultrasound Med 2011;30:1739-43

06 연골무형성증
(Achondroplasia)

조태준
오경준

기 형 태 아 를 위 한 카 운 슬 링

1. 빈도

약 10,000~30,000 명 출생당 1명에서 발생하는 것으로 알려져 있다.

2. 질병의 개요 및 발생 원인

상염색체 우성 유전으로 부모에게서 유전되기도 하지만 대부분의 경우 새로운 유전적 변이에 의해 발생한다. 관련 유전자는 *FGFR3*(type 3 fibroblast growth factor receptor)이며, 4번 염색체의 짧은 팔(4p16.3)에 위치한다. *FGFR3*의 과도한 활성화는 성장판 내의 연골세포(chondrocyte)의 기능이상을 초래한다. 97%의 환자에서는 *FGFR3*의 막관통영역(trans-membrane domain)의 코돈 380에서 glycine이 arginine으로 치환되어 발생한다. 한 부모만 질환이 있는 경우 재발률은 50%이며, 두 부모가 질환이 있는 경우 50%는 연골무형성증을, 25%는 치사성의 일형접합성(homozygous) 연골무형성증을 보이며, 25%는 이환되지 않는다. 부모가 질환이 없는 경우 재발률은 매우 낮다. 이환된 여성이 임신하는 경우 조산이나 유산이 증가하며, 출산 시 전신 마취 및 제왕절개 분만이 안전하다.

3. 산전 진단

임신초기에는 정상 초음파 소견을 보이다가 임신 22주 이후 태아의 긴뼈(long bone)가 짧아지기 시작하며 특히 근위부 긴뼈가 짧아진다. 골화(ossification)는 정상이며 구부러짐이나 골절도 보이지 않는다. 임신이 진행될수록 대두개증(macrocephaly) 및 전두골돌기(frontal bossing), 낮은 콧대(depressed nasal bridge)가 두드러지며, 흉곽은 정상이거나 경증의 종모양을 보인다. 손가락이 짧아 길이가 비슷하고 3, 4번째 손가락 사이가 벌어지는 삼지창손(trident hand)을 보이며, 임신 후반부로 진행될수록 양수과다증이 발생할 수 있다.

4. 동반 기형

다른 장기의 동반 기형은 흔하지 않으나, 전반적인 근골격계 이상이 동반된다.

5. 감별 진단

FGFR3의 돌연변이와 관련 있는 연골형성저하증(hypochondroplasia), 치사성이형성증(thanatophoric dysplasia), 일형접합성 연골무형성증(homozygous achondroplasia)뿐 아니라 골형성부전증(osteogenesis imperfecta)과 같은 다양한 골격 형성이상과의 감별이 필요하다. 임신초기에는 정상 초음파 소견을 보이다가 임신 중반 이후 태아의 긴뼈가 짧아지고, 골화가 정상이며, 구부러짐이나 골절이 보이지 않는 소견이 다른 치사성 골격 이형성증과의 감별에 도움이 된다.

6. 임신 중 검사

태아 유전자 검사: FGFR3 유전자의 돌연변이 확인

출생 후 관리

1. 검사

이학적 검사, 단순 X-선 촬영

2. 치료 및 경과

정상적인 지능발달이 이루어지며, 심각한 합병증이 없는 경우 일반적인 수명을 갖는다.

연골무형성증은 단신을 주 증상으로 하는 수백여 가지 골이형성증 중에 가장 흔하고 잘 알려져 있는 병이다. 역설적으로 그렇기 때문에 다른 골이형성증을 연골무형성증이라고 오진하는 경우가 많은데 이에 대한 경각심을 가져야 한다. 즉, 팔다리가 짧은 단신을 보이는 질환은 드물지만 매우 많은 종류가 있다. 이중에서 연골무형성증은 독특한 임상적 및 방사선학적 소견을 보이는 질환이므로 이들과의 감별진단이 반드시 필요하다.

단신이 가장 잘 알려져 있는 증상이지만 이는 사회적 적응의 문제이지 의학적 병증이라 할 수는 없다. 80년대 후반부터 수술적으로 사지를 연장할 수 있는 방법이 소개되어 일부 사용되고 있으나 오랜 치료 기간과 합병증 등을 면밀하게 고려하여 시행하여야 한다. 너무 어린 나이에 시행하면 오히려 골 자체의 성장을 억제할 수 있으므로 사춘기 정도까지는 기다렸다가 본인의 충분한 동기를 확인하고 시행하는 것이 바람직하다. 최근 연골세포의 증식을 촉진하여 키 성장을 얻을 수 있는 약물이 임상실험 중이다. 성장 호르몬의 효과에 대해서는 논란이 많으며 객관적인 근거는 희박하다. 의학적 증상 중 가장 흔한 것은 조금만 걸어도 다리에 통증이 발생하는 척추관 협착증(spinal stenosis)인데 대개 20대 이후에 발생한다. 진행하면 하지 마비까지 초래할 수 있기 때문에 증상이 발현하면 다분절 척추 후방 감압술과 유합술을 시행하는 것이 바람직하다. 그 이외에 영아기 때에 발견되는 요추 후만증(kyphosis)이 저절로 소실되지 않고 성장 후까지 남아 있는 경우가 있는데 척추관 협착증을 더욱 심하게 할 수 있기 때문에 주의를 기울여야 하며 필요한 경우 수술적 교정술을 시행한다. 영아기 때에는 대천공(foramen magnum)이 좁아서 수면 무호흡증을 겪을 수 있으며, 드물지만 심하면 사망에까지 이르게 할 수도 있다. 그 외에 코와 귀의 구멍이 좁아서 중이염 등이 흔히 병발하며 이에 대한 주의를 요한다.

[참고문헌]

1. Horton WA, Hall JG, Hecht JT. Achondroplasia. Lancet 2007;370(9582):162-72
2. Schramm T, Gloning KP, Minderer S, Daumer-Haas C, Hörtnagel K, Nerlich A, et al. Prenatal sonographic diagnosis of skeletal dysplasias. Ultrasound Obstet Gynecol 2009;34:160-70
3. Shiang R, Thompson LM, Zhu YZ, Church DM, Fielder TJ, Bocian M, et al. Mutations in the transmembrane domain of FGFR3 cause the most common genetic form of dwarfism, achondroplasia. Cell 1994;78:335-42

07 골형성부전증
(Osteogenesis imperfecta, OI)

조태준
김여랑

기 형 태 아 를 위 한 카 운 슬 링

1. 빈도

20,000~60,000 출생(live birth) 당 1명 꼴로 나타난다.

2. 질병의 개요 및 발생 원인

쉽게 골절되고 사지와 척추에 변형이 발생하는 골형성부전증은 현재까지 10가지 이상의 원인 유전자가 알려져 있는 결체조직질환이며 뼈가 부러지기 쉽거나 골절되고 골밀도가 낮은 특징이 있다. 제 1형 교원질(type I procollagen; *COL1A1*, *COL1A2*) 유전자 돌연변이가 전체 환자의 80% 이상을 차지한다. 이들은 상염색체 우성 유전 양상을 보이지만, 보다 드문 유전자 돌연변이는 상염색체 열성 유전 양상을 보이기도 한다. 유전자형이 다양한 만큼이나 표현형도 다양하여 태내에서 다발성 골절이 되고 사산되는 중증부터 거의 정상인에 가까운 운동 능력을 보이는 경증까지 다양한 스펙트럼을 보인다. 원인 유전자에 따라서 분류하는 방법도 제시되고 있으나 전통적으로 임상 양상에 따른 4가지 형으로 분류하는 방법이 현재에도 널리 쓰이고 있다. 여기에 독특한 임상 양상을 보이는 제 5, 6, 7형이 구분되기도 한다. 골형성부전증은 각 아형에 따라 중증도가 다른데, 제 1형이 가장 가볍고 다음은 제 4형부터 7형, 제 3형, 제 2형의 순으로 중증도가 높아지며 제 2형은 생존할 수 없다. 태아의 아버지가 고령인 경우 골형성부전증의 위험요소가 될 수 있다.

3. 산전 진단

경증의 골형성부전증의 경우 산전 진단이 불가능할 수 있다. 중증으로 갈수록 산전 진단이 되는 경우가 많이 있지만 쉽게 진단이 되는 증례들은 예후가 나빠 치명적인 경우도 있다. 중증의 골형성부전증에서는 골절이 나타나 다른 골격 형성이상(skeletal dysplasia)을 구별할 수 있다. 임신 제 2삼분기 초음파 검사에서 다수의 골절(multiple fracture)을 확인할 수 있다. 임신 제 1삼분기 초음파 검사에서는 낭성활액증(cystic hygroma), 목덜미투명대가 늘어나 있는 소견을 보일 수 있다. 초음파 검사 시 긴뼈가 짧고, 골절로 인해 각이 형성(angulation)되어 있으며, 위관절(pseudarthrosis)이 형성되어 있고 뼈가 구겨진(crumpled) 모양으로 가골형성(callus formation)을 하고 있는 것을 관찰할 수 있다. 또한 두개골에 무기질침착(mineralization)이 잘 되지 않아 머리 안의 구조가 쉽게 보인다. 연한 두개골로 인해 초음파 탐촉자(probe)의 가벼운 압력에 두개골이 눌릴 수 있다. 흉곽둘레가 작고 다수의 갈비뼈골절로 인해 갈비뼈가 구슬모양(beaded pattern)으로 보일 수도 있다. 초음파 검사를 할 때는 모든 긴뼈 길이를 측정하고 골절여부를 평가한다. 그리고 어깨뼈(scapula)가 있는지 확인하는데, 어깨뼈가 있다면 감별진단 해야 하는 태아굴지형성장애(campomelic dysplasia)의 가능성은 떨어진다. 또한 흉부와 복부둘레를 비교하는데, 흉부둘레가 작으면 폐형성저하증(pulmonary hypoplasia)의 위험도가 증가한다. 고위험 환자에서는 정상 초음파 소견을 보이더라도 골형성부전증을 배제할 수 없고, 중증이 아닌 경우는 휘어진 대퇴골(bent femora) 소견만 단독으로 보일 수도 있다.

4. 동반 기형

청색 공막(blue sclera), 상아질형성부전증(dentinogenesis imperfecta), 인대와 피부의 과잉이완(hyperlaxity of ligament and skin), 청력이상, 두개골 X-ray 상의 봉합뼈의 존재(presence of wormian bone) 등을 동반할 수 있다.

5. 감별 진단

초음파 검사를 통해 약간씩 차이를 보이는 치사성이형성증(thanatophoric dysplasia), 연골무발생증(achondrogenesis), 굴지이형성증(campomelic dysplasia), 저인산증(hypophosphatasia)을 감별해야 한다.

6. 임신 중 검사

초음파검사가 주가 되며 유전적 변이를 확인하기 위해 양수천자나 제대혈천자를 할 수 있지만 임상적으로 도움이 되지는 않는다.

출생 후 관리

1. 검사

이학적 검사, 단순 X-선 촬영

2. 치료 및 경과

중등도 이상으로 병증을 보이는 경우에는 영유아기부터 파골세포를 억제하는 비스포스포네이트 제제로 약물치료하여 골 밀도를 향상시키는 약물 치료가 보편적으로 이용되고 있다. 단, 경증이나 성인에서는 뚜렷한 효과가 없다. 골절에 대한 치료는 질병의 특성을 잘 이해하고 시행하여야 재골절이나 변형의 가능성을 최소화할 수 있다. 석고붕대 고정은 최소화하여 그로 인한 골 결핍의 악화를 예방하는 대신, 보조기를 장기간 착용하여 재골절을 예방하여야 한다. 골절에 대한 수술적 치료를 할 때에는 골수강내 금속정을 사용하는 것이 바람직하다. 각변형(angulation)이 심한 사지 장관골(long bone)은 그 변형 자체로 인하여 재골절의 위험이 높고 해당 사지의 기능 장애가 초래 된다. 변형을 교정하기 위해서는 한 군데 이상에서 절골을 하여야 하는 경우가 흔하고 내고정은 역시 골수강내 금속정으로 하여야 한다. 대개 성장기에 수술이 필요한데, 골 성장에 따라 길이가 길어지도록 특수하게 고안된 골수강내 금속정을 사용한다. 척추측만증은 약 1/3 환자에서 발생하는데 특발성 척추측만증에 비하여 보조기의 치료 효과는 없으며, 성장이 종료된 후에도 더 진행할 위험이 높고, 수술을 통해서 변형을 교정하기 더 어렵다. 따라서, 어느 정도 이상의 변형이 진행하는 것이 확인되면 특발성 척추측만증에 비해서 좀 더 적극적으로 조기에 수술적 치료를 시행하는 것이 바람직하다. 10대 이후에 청력 장애가 발생할 가능성이 있으므로 주기적인 청력검사가 필수적이다.

[참고문헌]

1. 최신 산부인과 초음파진단(Atlas of Ultrasound in Obstetrics and Gynecology)

2. Callen PW. Ultrasonography in Obstetrics and Gynecology, 5th edition

3. Orioli IM, Castilla EE, Scarano G, Mastroiacovo P. Effect of paternal age in achondroplasia, thanatophoric dysplasia, and osteogenesis imperfecta. Am J Med Genet 1995;59:209-17

4. Rauch F, Glorieux PF. Osteogenesis imperfecta. Lancet 2004;363:1377-85

5. Woodward PJ, Kennedy A, Sohaey R, Byrne JL.B, Oh KY, Puchalski MD et al. Diagnostic Imaging Obstetrics, 2nd edition

08 굴지이형성증
(Campomelic dysplasia)

조태준
김선민

1. 빈도

0.05~1.6/10,000으로 드물다.

2. 질병의 개요 및 발생 원인

굴지이형성증은 특징적으로 다리의 긴뼈가 휘어져 있으면서 얼굴 중앙 부위의 저형성증 (mid-face hypoplasia), 견갑골 형성저하, 종모양(bell-shaped)의 좁은 흉곽, 기관(trachea) 의 발육부전, 남성생식기의 불완전 발달 등이 동반되는 드문 질환이다. 태아의 연골 분화와 고환 발달에 중요한 역할을 하는 17번 염색체 장완의 *SOX9* 유전자에 이상이 있을 때 발병하는 것으로 알려져 있다.

3. 산전 진단

초음파에서 다리의 장골이 휘어져 있으나, 골화(ossification)는 정상이고 골절 소견도 관찰되지 않는다.

4. 동반 기형

얼굴 중앙부위의 저형성증, 작은턱증(micrognathia), 견갑골의 형성저하, 구개열(cleft palate), 심장기형 등이 동반될 수 있다.

5. 감별 진단

골형성부전증(osteogenesis imperfecta), 치사성이형성증(thanatophoric dysplasia), 연골무발생증(achondrogenesis) 등 다른 골격계 기형과 감별진단 한다.

6. 임신 중 검사

정밀초음파

출생 후 관리

대다수의 환아들은 출생 직후 기관연골연화증(tracheomalacia)에 의한 호흡곤란으로 사망하며, 생존한 환아들 중 일부는 정상 지능을 보이지만 대부분은 경도에서 중등도의 정신지체를 보인다. 전신 상태를 고려하여 진행성 척추후측만증(kyphoscoliosis)과 사지 장관골의 각 변형에 대해서 수술적 교정을 결정하여야 한다. 그 외에 청각장애, 근시, 충치, 수면무호흡증 등이 동반될 수 있다. 산발적인 상염색체 우성 유전(sporadic autosomal dominant)으로 생각되며, 남성 핵형을 가진 태아의 약 3/4에서 형태적으로 여자(phenotypically female) 혹은 모호한 생식기(ambiguous genitalia)로 생식기의 발달이 비정상적인 특징을 갖는다.

[참고문헌]

1. Callen PW. Ultrasonography in Obstetrics and Gynecology, 5th edition
2. Woodward PJ, Kennedy A, Sohaey R, Byrne JL,B, Oh KY, Puchalski MD et al. Diagnostic Imaging Obstetrics, 2nd edition

09 치사성 이형성증 (Thanatophoric dysplasia)

조태준
이승미

1. 빈도

매우 드물어서 10,000~40,000명의 생존출생아 당 1명의 빈도로 발생한다.

2. 질병의 개요 및 발생 원인

FGFR3(type 3 fibroblast growth factor receptor) 유전자 변이로 인해 생긴다. 상염색체 우성질환이지만, 대부분은 가족력 없이 산발적(sporadic)으로 생기는 변이이다. 섬유아세포 성장인자(fibroblast growth factor)는 간엽(mesenchymal) 및 신경외배엽(neuroectodermal) 기원 세포의 성장 및 분화와 관련된 성장 인자이다. *FGFR3* 유전자의 변이로 연골세포의 증식이 현격하게 감소하여 연골 내 골화 장애 및 골 형성 장애가 발생하는 치명적 질환이다. 장골(long bone)이 매우 짧고 상대적으로 두개골의 크기가 크며, 흉곽이 좁은 특징을 가진다. 흉곽은 짧은 늑골로 인해 매우 좁으며 이로 인한 폐 형성 부전으로 생존하기 어렵다.

3. 산전 진단

대퇴골(femur) 등의 장골과 두개골의 모양에 따라 두 가지 유형으로 분류된다.

1) 제 1형

(1) 장골의 이상이 심함: 대퇴골이 전화기의 수화기 모양(telephone receiver) 이며 구부러짐(bowing)이 심함, 소지증(micromelia), 골화(ossification)는 정상이며 골절은 뚜렷하지

않음

(2) 척추: 편평척추(platyspondyly) 모양

(3) 두개골: 크며 형태는 비교적 정상 모양임

2) 제 2형

(1) 장골의 이상이 비교적 경함: 상대적으로 길고 구부러짐이 심하지 않음

(2) 척추: 편평척추 심하지 않음

(3) 두개골: 클로버잎(cloverleaf) 모양

4. 동반 기형

이 자체가 치명적인 질환이며, 구순열, 이소증(heterotopia), 다소뇌회증(polymicrogyria) 및 기타 중추 신경계 질환을 동반할 수 있다.

5. 감별 진단

골이형성증(skeletal dysplasia)이 의심될 때 치명적인 골이형성증인지 여부를 감별하는 것이 환자 상담에 가장 중요한데, 이 감별에 도움이 되는 지표로 제시된 것은 다음과 같다. 아래 소견들은 치명적 골이형성증을 시사하는 소견들이다.

1) 아주 짧은 대퇴골

2) 대퇴골/배둘레 비(femur length-to-abdominal circumference) 〈 0.16

3) 매우 작은 흉곽

　가슴둘레/배둘레 비(thoracic-to-abdominal circumference ratio) 〈 0.77

　가슴둘레/머리둘레 비(thoracic-to-head circumference ratio) 〈 0.56

4) 장골의 심한 구부러짐 또는 골절

5) 클로버잎(cloverleaf) 모양의 두개골

6) 태아수종(hydrops)

치사성 이형성증의 산전 확진을 위해서는 융모막 검사나 양수 검사 등을 통해 *FGFR3* 변이를 확인하는 방법이 있다.

6. 임신 중 검사

1) 태아 유전자 검사(*FGFR3* 변이)
2) 정밀 초음파 검사

출생 후 관리

　연골무형성증과 동일한 원인 유전자(*FGFR3*)의 돌연변이에 의해서 발병하는데 훨씬 심한 표현형을 보인다. 심한 사지 단축과 불완전한 척추 골화를 보이며, 출생 후 작은 흉곽 등으로 인한 폐 형성 부전에 기인한 호흡곤란으로 1시간 이내에 사망한다. 출생 직후 인공호흡기로 연명한 증례보고가 있으나 지속적인 인공호흡이 필요하며 지능 저하, 경련성 질환, 청각장애 등이 보고되어 있다.

[참고문헌]

1. Sahinoglu Z, Uludogan M, Gurbuz A, Karateke A. Prenatal diagnosis of thanatophoric dysplasia in the second trimester: ultrasonography and other diagnostic modalities. Arch Gynecol Obstet 2003;269:57-61

제대 질환
Umbilicus

01 제대정맥류
(Umbilical vein varix)

강혜심
전종관

1. 빈도

매우 드물다.

2. 질병의 개요 및 발생 원인

태아의 제대정맥이 부분적으로 확장된 것으로 대부분 간의 외부, 복부 내 제대 진입부에 둥글거나 방추형모양의 확장된 구조물로 보인다. 제대정맥류는 임신 후반기에 발생하는 경우가 많아 선천성 기형이라기보다는 발육이상(developmental anomaly)으로 보는 견해가 많다. 제대 정맥의 구조가 약해 제대 순환 중 정맥압이 높아지는 상황이 생기면 제대 정맥의 직경이 늘어나 정맥류가 생긴다.

3. 산전 진단

보통 제대 정맥은 임신 15주에 2~3mm, 만삭에 7~8mm 정도이다. 제대정맥 직경이 9mm 이상이거나 간 내 제대정맥 직경보다 50%이상 커져 있거나 혹은 평균 크기보다 2 표준편차 이상이면 진단한다. 컬러도플러에서 보이는 혈류로 담낭이나 다른 복부 낭성 구조물과의 감별할 수 있다. 정맥류의 직경은 초음파에서 태아 복부 횡단면에서 제대정맥이 태아복강에 진입하는 부분에서 한쪽의 바깥 가장자리에서 반대쪽 안쪽 가장자리까지 측정한다.

4. 동반 기형

워낙 드물어 대부분이 사례 일련 연구이다. 외국보고에서는 5% 정도의 염색체 이상이 동반되고 구조적 기형은 매우 다양한 형태가 보고되고 있으며 가장 흔한 것은 심혈관계 기형이다. 114 사례의 국내 연구에서는 염색체 이상은 없었고 9.6%에서 동반기형이 있었으며 태아수종, 잠복고환, 심방결손, 폐분리증(pulmonary sequestration), 중복신장(duplex kideny), 뇌실확장증, 골격이형성증(skeletal dysplasia) 등 다양하게 보고되었다.

5. 감별 진단

복강 내 낭성구조물이 보이는 경우 컬러도플러로 혈관 구조물을 확인해 다른 낭성구조물과 구별한다.

6. 임신 중 필요한 검사

일단 제대정맥류가 진단되면 다른 기형 존재여부를 보기 위한 정밀초음파 및 태아 심초음파가 필요하며 동반기형이 존재한다면 태아 염색체 검사를 시행한다. 컬러 도플러 검사를 주기적으로 시행하며 정맥류의 크기, 혈병(clot) 유무, 태아수종 발생 여부를 감시하고 최소 1주에 한번 태아 모니터링을 시행한다. 조산으로 분만할 필요는 없으나 태아수종이나 혈병, 태아 손상이 의심되면 즉각 분만을 고려한다.

7. 예후

이전 보고에서 예후는 좋지 않았으나 최근에는 양호한 결과를 보고하고 있다. 동반기형이나 염색체 이상이 존재하는 경우, 정맥류 내 와류(turbulent flow)가 보이는 경우 등에서 예후가 좋지 않아 자궁내성장지연이나 자궁내태아사망의 빈도가 높다. 단독으로 정맥류만 있는 경우는 좋은 예후를 보여 외국 보고에서 4.5%의 자궁내 태아사망이 있었고, 우리나라 보고에서는 단독 정맥류 104 사례 중 자궁내 태아사망은 없었다.

[참고문헌]

1. Mankuta D, nadjari M Pomp G. Isolated fetal intra-abdominal umbilical vein varix: clinical importance and recommendations. J Ultrasound Med 2011;30:273-6
2. Lee SW, Kim MY, Kin JE, Chung JH, Lee HJ, Yoon JY. Clinical characteristics and outcomes of antenatal fetal intra-abdominal umbilical vein varix detection. Obstet Gynecol Sci 2014;57:181-6

02 단일제대동맥
(Single umbilical artery)

오경준
전종관

1. 빈도

0.2~1%의 임신에서 발견된다.

2. 질병의 개요 및 발생 원인

단일제대동맥은 형성 후 한쪽 동맥이 위축되어 일부 근층만 남아 있는 경우도 있고, 처음부터 형성되지 않는 경우도 있다. 동반기형이 없는 경우 염색체 이상은 증가하지 않으나, 동반기형이 있는 경우 염색체 이상의 빈도는 약 50%로 18 삼염색체 및 13 삼염색체가 가장 흔하다.

3. 산전 진단

탯줄의 가로면에서 제대동맥이 하나인 것을 확인하거나, 컬러도플러를 통해 태아 골반 내 방광의 양측에서 확인되는 제대동맥이 한 쪽에서만 확인되는 것으로 진단한다.

4. 동반 기형

심혈관계, 비뇨생식기계, 위장관, 중추신경계의 이상이 흔히 발견된다. 신장의 이상은 약 3배 정도 증가하는데, 수신증이 흔하며, 종종 한쪽 신장무형성증이 동반되기도 한다. 심장기형이 동반되는 경우도 많은데 특히 염색체 이상이 함께 있을 가능성이 증가한다.

5. 감별 진단

드물게 한 제대동맥에 혈전증이 발생하여 단일제대동맥처럼 보일 수도 있다. 그 외에 제대낭(umbilical cord cyst)이나 다른 제대의 이상이 단일제대동맥과의 감별을 요한다.

6. 임신 중 검사

1) 동반기형여부에 대한 철저한 초음파검사
2) 임신 후반기 태아발육지연 발생 여부
3) 태아 염색체 검사(optional)

7. 예후

다른 동반 기형이 없는 경우 종종 태아발육지연이 발생하기는 하나 예후는 매우 좋다. 예후는 동반된 기형의 종류 및 심한 정도에 따라 결정된다.

[참고문헌]

1. Hua M, Odibo AO, Macones GA, Roehl KA, Crane JP, Cahill AG. Single umbilical artery and its associated findings. Obstet Gynecol 2010;115:930-4
2. Murphy-Kaulbeck L, Dodds L, Joseph KS, Van den Hof M. Single umbilical artery risk factors and pregnancy outcomes. Obstet Gynecol 2010;116:843-50
3. Rinehart BK, Terrone DA, Taylor CW, Isler CM, Larmon JE, Roberts WE. Single umbilical artery is associated with an increased incidence of structural and chromosomal anomalies and growth restriction. Am J Perinatol 2000;17:229-32

염색체 질환
Choromosome

01 다운증후군
(Down syndrome, Trisomy 21)

고정민
홍준석

1. 빈도

상염색체 이상 중 가장 흔한 염색체 이상으로 인종에 관계없이 출생아 600명에서 800명 당 1명의 빈도로 발생한다.

2. 선별 검사

선별 검사에서 일정 기준의 위험도를 초과하게 되면 확진 검사를 시행할지 산모와 상담한다. 현재 임상에서 이용되는 선별 검사는 다음과 같다.

1) 임신 제 1삼분기 선별검사

(1) 태아목덜미두께(NT): 임신 11+0주부터 13+6주, CRL 38-83mm에 측정하며 3mm 이상 혹은 각 임신 주수의 95percentile 이상인 경우에 태아목덜미두께가 증가했다고 판단한다.

(2) 다운증후군 산모 혈청의 hCG는 증가하고 PAPP-A는 감소한다.

2) 임신 제 2삼분기 선별검사

(1) 다운증후군 산모에서 hCG와 inhibin A는 증가하고 PAPP-A, AFP와 uE3는 감소한다.

(2) Double test (AFP, hCG), Triple test (AFP, hCG, uE3), Quad test (AFP, hCG, uE3, inhibin A)는 각각 66%, 74%, 81%의 발견율을 보인다.

3) 통합 선별검사(Integrated screening test)

태아목덜미두께와 산모 혈액의 PAPP-A (임신 11주-13주 사이에 측정) 그리고 AFP, hCG, uE3, inhibin A (임신 14-20주 사이에 측정)를 검사한다. 94~96%의 발견율을 보인다.

4) NIPT (non-invasive prenatal test)

산모의 혈액에 소량 존재하는 태아의 DNA (cell free fetal DNA)를 분석하여 태아염색체 이수성을 선별하는 비침습적 방법이다. 3~5가지 염색체 이상(다운증후군, 에드워드증후군, 파타우증후군, 터너증후군, 삼배수체(triploidy))에 대해서만 검사가 가능했으나 최근 성염색체를 포함하여 진단 영역을 넓히고 있다. 이 검사의 가장 큰 장점은 검사 후 고위험군으로 나오는 산모의 비율이 0.2% 정도로 산모혈청선별검사의 5%에 비하여 현저히 낮췄다는 점이다. 드물게 저위험군으로 나왔는데 출생 후 다운증후군으로 확인되는 위음성군이 보고되고 있기는 하지만 위음성율도 산모혈청검사에 비하여 현저히 낮다. 하지만 양성예측율(positive predictive value)이 50%로 고위험군으로 나왔을 경우에도 약 50%는 정상 태아이기 때문에 반드시 확진을 위하여 양수검사나 융모막 검사를 받아야 한다.

3. 산전 초음파 소견

다운증후군의 50~70%에서 한 가지 이상의 초음파 이상 소견을 보이지만 임신 제 2삼분기 초음파에서 주요 기형이 나타나 진단되는 경우는 전체 다운증후군의 25~30%에 불과하다.

1) 심혈관계이상(심실중격결손, 방실중격결손. 팔로4징 등)
2) 소화기계이상(십이지장폐쇄, 식도폐쇄, 배꼽 탈장, 횡격막헤르니아 등)
3) 기타: 신경계이상(뇌실확장증 등), 비면역성수종
4) 부수적 이상소견(soft marker): 일시적이고 비특이적이며, 정상 태아에서도 발견될 수 있는 소견들로 한 개의 부수적 이상소견 이외에는 다른 비정상 소견이 없으면 정상 태아일 가능성이 더 높다. 임신 제 1삼분기에 나타나는 이상소견에는 코뼈의 무형성 혹은 저형성이 있으며 대부분의 이상소견은 제 2삼분기에 나타난다. 단두증, 측만지증(clinodatyly), 에코성 장, 심장내 고에코 병소, 목덜미 두께(nuchal thickness)의 증가, 경한 신우확장증, 엄지발가락의 샌달틈(sandal gap), 짧은 귀, 단일제대동맥, 대퇴골이나 상완골의 단축, 넓은 각의 장골, 맥락막총낭종 등이 보고되었다.

4. 고령 산모

삼염색체성 다운증후군의 발생빈도는 산모의 연령과 밀접한 연관이 있으며 연령이 증가할수록 발생빈도가 높아진다. 20세의 산모에서 삼염색체성 다운증후군의 출생확률은 약 1/1,200, 35세는 1/250, 40세는 1/70, 45세에서는 1/20로 급격히 증가한다.

5. 산전 진단

염색체 검사로 확진하며 임신 제 1삼분기에는 융모막생검, 임신 제 2삼분기에는 양수천자로 핵형분석(karyotyping)을 시행한다.

6. 발생 원인

세포유전학적으로 21번 염색체가 존재하는 형태에 따라 아래 세 가지로 분류된다.

1) 삼염색체성 다운증후군

다운증후군의 약 95%를 차지하며, 90%는 난자 감수분열의 비분리(nondisjunction) 현상으로 발생하며 5%는 배우자의 정자 감수분열의 비분리가 원인이다. 산모의 연령과 밀접한 연관이 있다.

2) 전좌형 다운증후군

다운증후군의 약 4%를 차지하며, Robertsonian 전좌를 가진다. 삼염색체성과는 달리 산모의 연령과 무관하며 이 중 40%는 Robertsonian 전좌를 가진 부모로부터 유전된다.

3) 모자이크형 다운증후군

다운증후군의 약 1%를 차지하며, 수정 후 초기단계의 세포분열 시 일부 세포에서 21번 염색체의 비분리로 일어난다.

7. 임신 예후

다운증후군 태아는 정상 태아보다 자연유산과 사산의 위험이 높아 약 30%가 유산 또는 사산된다. 삼염색체성 다운증후군인 경우는 약 1%에서 다음 임신에서 다시 발생할 수 있으며 그

위험도는 산모 연령이 높아질수록 증가한다. 전좌형인 경우는 산모가 전좌가 있으면 16%, 남편이 전좌가 있으면 5%에서 다운증후군 태아가 태어날 수 있다.

8. 출생 후 관리

  신체 전반에 걸쳐 다양한 증상 및 합병증이 나타나지만, 중증도는 환자에 따라 각기 다르다. 다운증후군을 가진 환자는 특징적인 얼굴 모습을 보이는데, 머리가 작고 얼굴이 둥글며 코가 낮고 눈꼬리가 올라가 있으며 목이 짧고 덧살이 많다. 신생아 시기에는 저긴장증 및 심장 기형 등으로 인하여 잘 빨지 못하며 근육에 힘이 없다. 저신장은 영아기 이후에 두드러지며, 비만은 성인 환자의 1/3에서 동반된다. 지능저하는 다운증후군 환자의 70% 이상에서 동반되며 평균 지능지수(IQ)는 50 정도이다. 운동, 언어, 사회적 행동 발달에 있어서도 전반적인 지연을 보인다.

  선천성 심장기형 및 소화기계기형은 환자의 수명과 장기적 예후를 결정하는 합병증으로, 이 중에 심장기형은 40~50%에서 발생하고 소화기계 기형은 10%에서 발생한다. 대표적인 심장기형은 방실중격결손, 심실중격결손, 동맥관개존증, 심방중격결손, 팔로4징이며, 대표적인 소화기계기형은 십이지장 폐쇄, 윤상 췌장, 선천성 거대결장, 쇄항이다. 그 외의 합병증으로는 백내장/근시/원시 등의 눈의 이상(40~50%), 삼출성 중이염/전도성 난청/감각신경성 난청 등 귀와 청력의 문제(60~90%), 원발성 폐고혈압 등 호흡기계 이상, 당뇨/갑상선 기능저하증/원형탈모증 등의 자가면역질환 및 면역저하, 작은 음경/잠복고환/요도하열 등 생식기계 문제, 짧은 손가락/원선(simian line, 50%)/경추 탈구(30%) 등 골격계 이상이 동반될 수 있으며 급성 림프구성/골수성 백혈병의 위험이 정상인에 비해 15~18배 증가한다.

  다운증후군 환아의 건강유지를 위한 지침에 따르면
  ① 생후 6개월 이내에 심초음파를 포함한 심장 검진
  ② 생후 6개월~1년에 정밀 청력검사
  ③ 갑상선 기능저하증에 대한 신생아 선별검사 및 주기적인 free T4, TSH검사
  ④ 생후 6개월~1년에 안과검진
  ⑤ 생후 3세에 경추 탈구/아탈구 검진을 실시하고

이후에도 정기적인 추적관찰을 권유하고 있다.

  다운증후군의 관리 지침에 따른 생존율 향상으로 다운증후군 환자는 예전에 비해서 더 오랫동안 생존할 수 있게 되어 현재 대략적인 평균 수명은 50세 정도이다. 선진국에서는 성인이

된 다운증후군 환자들이 사회적인 보조 아래 독립적으로 생산적인 삶을 살고 있는 경우가 많다. 성인기에는 후천적 갑상선저하증, 당뇨병, 비만, 저신장, 척수의 압박 손상, 눈의 굴절 이상, 청각 소실, 폐쇄성 수면 무호흡증, 알츠하이머병, 우울증, 간질, 폐동맥고혈압, 심장 판막 이상 등의 문제가 동반될 수 있어, 성인기에도 정기적인 의학적 관리가 필요하다.

[참고문헌]

1. Sonek J, Croom C, MD. Second trimester ultrasound markers of fetal aneuploidy. Clin Ostet Gynecol 2014;57:159-81

2. Vivienne L, Souter, MD, David A. Nyberg, MD. Sonographic screening for fetal aneuploidy. J Ultrasound Med 2001;20:775-90

3. Fetology, Diagnosis & Management of the Fetal Patient, 2nd ed. Bianchi, McGraw-Hill

4. Ultrasonography in Obstetrics and Gynecology, 5th ed. Callen PW et al. Saunders

5. American institute of ultrasound in medicine. AIUM practice guideline for the performance of obstetric ultrasound examinations. J Ultrasound Med 2010; 29:157-66

6. Benacerraf BR, MD. What does the patient really have to know about the presence of minor markers on the second trimester sonogram? J Ultrasound Med 2010;29:509-12

7. Benacerraf BR, MD. The history of the second-trimester sonographic markers for detecting fetal Down syndrome, and their current role in obstetric practice. Prenat Diagn 2010;30:644-52

8. Kypros H., Nicolaides, MD. Nuchal translucence and other first-trimester sonographic markers of chromonosomal abnormalities. Am J Obstet Gynecol,2004:191:45-67

9. Papp C, et al. Ultrasonographic findings of fetal aneuploidies in the second trimester-our experiences. Fetal Diagn Ther. 2008;23:105-13

10. Zhang et al. Non-invasive prenatal testing for trisomies 21, 18 and 13: clinical experience from 146958 pregnancies. Ultrasound Obstet Gynecol 2015;45:530-8

02 에드워드증후군
(Edwards syndrome, Trisomy 18)

고정민
홍준석

기 형 태 아 를 위 한 카 운 슬 링

1. 빈도

상염색체 이상 중 두 번째로 빈번한 염색체 이상이다. 출생아 3,000명에서 8,000명 중 1명의 빈도로 발생한다.

2. 선별 검사

1) 임신 제 1삼분기

(1) 태아목덜미두께(NT)의 증가
(2) 산모 혈청의 free hCG 와 PAPP-A는 모두 감소한다.

2) 임신 제 2삼분기

(1) 산모 혈청에서 hCG, inhibin A, AFP와 uE3 모두 감소한다.
(2) NIPT (non-invasive prenatal test): 비침습적 검사로 검사할 수 있다.

3. 산전 초음파 소견

에드워드증후군 태아의 대부분에서 초음파상 한가지 이상의 이상소견이 발견된다.

1) 임신 제1삼분기

증가된 태아목덜미두께 혹은 림프물주머니(cystic hygroma)

2) 임신 제2삼분기

가장 흔하게 발견되는 초음파 이상소견은 심장기형이다.

(1) 심혈관계(80% 이상): 심실중격결손, 양대혈관우심실기시, 좌심실형성부전 등

(2) 근골격계: 흔들의자바닥모양 발, 주먹쥔손, 겹쳐진 손가락, 곤봉발, 전신성관절구축

(3) 뇌신경계: 신경관 결손증, 소뇌큰수조, 댄디-워커 기형 등

(4) 소화기계: 배꼽탈장, 횡격막헤르니아, 식도폐쇄 등

(5) 비뇨기계: 수신증, 말발굽모양 신장 등

(6) 두개 안면: 작은턱증, 장두증, 뒤통수 융기, 딸기모양두개골, 거대대조증 등

(7) 기타: 맥락막총낭종(50%), 단일배꼽동맥(50%)

약 50%에서 자궁 내 태아 발육부전 소견이 동반되며 임신 초기(14주)부터 나타나기도 한다. 심한 발육부전이 양수과다증과 같이 동반되면 에드워드증후군의 가능성이 더 높아진다

4. 고령 산모

산모의 나이가 증가할수록 발생 빈도가 증가한다.

5. 산전 진단

염색체 검사로 확진하며 임신 제 1삼분기에는 융모막생검(chorionic villus sampling), 임신 제2삼분기에는 양수천자(amniocentesis)로 핵형분석(karyotyping)을 시행한다.

6. 발생 원인

에드워드증후군의 90% 이상은 난자의 감수분열시 18번 염색체의 비분리현상으로 인해 발생한다. 이외에도 드물게는 전좌로 인해 부분 18번 삼염색체가 나타나기도 하며 드물게 모자이크형(mosaicism)의 형태로 발생하기도 한다.

7. 임신 예후

에드워드증후군 태아의 95%는 자연유산 또는 사산된다.

8. 출생 후 경과

18번 염색체의 중복 범위와 18번 삼염색체를 보유한 세포의 비율에 따라 환자의 증상 및 중증도는 각기 다르다. 에드워드증후군 신생아는 낮은 출생체중을 보이며 골격근과 지방 조직의 저형성으로 인한 수유부전, 성장지연 및 영양 장애를 보인다. 영아기에는 근육 긴장도가 저하되거나 반대로 과다 항진되는 경우가 있으며, 울음 소리가 약하고, 중추성 무호흡으로 인하여 사망에 이를 수 있다. 이외에도 신체 전반에 걸쳐 다양한 증상 및 합병증이 나타나는데, 특징적인 얼굴 모습으로는 턱이 작고 귀가 아래로 처져있으며 입천장이 높고 구개열, 구순열이 동반되기도 한다. 에드워드증후군 환자의 90%에서 선천성 심장기형이 나타나며, 다양한 신장 기형 및 생식기계 기형과 서혜부 혹은 배꼽 탈장이 동반되기도 한다. 특징적인 골격계 기형으로는, 두번째 손가락이 세번째 손가락 위로 겹쳐지고 다섯번째 손가락이 네번째 손가락 위로 겹쳐져 있는 주먹쥔손 모양(clenched hand)과 발뒤꿈치가 두드러진 '흔들의자 바닥모양 발'(rocker-bottom feet)이 나타나며, 다지증, 합지증도 동반될 수 있다. 뇌 및 척수의 기형으로는 뇌량의 저형성 및 척수수막류가 나타날 수 있다. 눈의 증상으로는 양안격리증, 안검하수, 백내장, 사시, 홍채결손 등이 동반될 수 있다.

에드워드증후군은 치명적인 합병증이 많이 동반되기 때문에, 90% 이상이 생후 6개월 이내에 사망하고 5~10%의 환자만이 1세까지 생존이 가능하다. 모자이크형 혹은 18번 염색체의 부분 중복일 경우에는 동반 증상이 심하지 않아 생존 기간이 더 길어질 수 있다.

[참고문헌]

1. Sonek J, Croom C, MD. Second trimester ultrasound markers of fetal aneuploidy. Clin Ostet Gynecol 2014;57:159-81
2. Vivienne L, Souter, MD, David A. Nyberg, MD. Sonographic screening for fetal aneuploidy. J Ultrasound Med 2001;20:775-90
3. Fetology, Diagnosis & Management of the Fetal Patient, 2nd ed. Bianchi, McGraw-Hill
4. Ultrasonography in Obstetrics and Gynecology, 5th ed. Callen PW et al. Saunders
5. Watson W, et al. Sonographic findings of trisomy 18 in the second trimester of pregnancy. J Ultrasound Med. 2008;27:1033-8

03 파타우증후군
(Patau syndrome, Trisomy 13)

고정민
홍준석

1. 빈도

상염색체 이상 환아 중 세 번째로 빈번한 염색체 이상이다. 인종과 태아의 성별에 관계없이 출생아 5,000명에서 20,000명 중 1명의 빈도로 발생한다.

2. 선별 검사

1) 임신 제 1삼분기

태아목덜미두께(NT)의 증가

산모 혈청의 PAPP-A는 감소한다.

2) 임신 제 2삼분기

모체 혈청 선별검사가 진단에 큰 도움이 되지는 않는다.

NIPT (non-invasive prenatal test): 파타우증후군을 검사할 수 있다.

3. 파타우증후군을 의심해야 하는 초음파 소견

파타우증후군의 90%에서 초음파에서 이상소견이 발견된다.

1) 임신 제1삼분기

태아목덜미두께(NT)의 증가

2) 임신 제2삼분기

가장 흔하게 발견되는 초음파 이상소견은 뇌신경계 기형이며 특히 완전전뇌증(holoprosen-cephaly)이 가장 흔하게 발견되는 이상 소견이다.

(1) 뇌신경계(70%): 완전전뇌증(40%), 소두증, 소뇌이상(댄디-워커 기형, 소뇌저형성증 등), 뇌량형성부전, 뇌실 확장증, 뇌류

(2) 심혈관계: 심실중격결손, 양대혈관우심실기시, 좌심실형성부전증, 우심증 등

(3) 안면기형: 단안증, 작은안구증, 두눈가까움증, 작은턱증, 경사진 이마, 구순구개열 등

(4) 근골격계: 손/발의 다지증, 측만지증, 겹쳐진 손가락 등

(5) 비뇨기계: 말발굽모양 신장, 다낭신, 수신증

(6) 소화기계: 배꼽탈장 등

에드워드증후군과 유사하게 자궁 내 태아발육부전과 양수과다증을 보인다.

4. 고령 산모

산모의 연령이 증가할수록 파타우증후군의 발생 빈도가 높아진다.

5. 산전 진단

염색체 검사로 확진하며 임신 제 1삼분기에는 융모막생검, 임신 제 2삼분기에는 양수천자로 핵형분석(karyotyping)을 시행한다.

6. 발생 원인

난자나 정자의 감수분열시 13번 염색체의 비분리 현상으로 생기는 삼염색체형이 80%이며 전좌형과 모자이크형이 20%를 차지한다.

7. 임신 예후

전체 임신 제 1삼분기 중 자연유산의 1%에 해당하며, 전체 파타우증후군 임신 중 약 2%만 이 만삭에 이른다. 또한 파타우증후군 태아임신은 전자간증 발생위험이 증가한다.

8. 출생 후 경과

13번 염색체의 중복 범위와 13번 삼염색체를 보유한 세포의 비율에 따라 환자의 증상 및 중증도는 각기 다르다. 주로 적은 출생체중을 보이며 호흡이 불안정하고, 머리, 얼굴, 신경계, 심장 등에 이상 증상을 동반하게 된다. 머리와 안면의 기형으로는 소두증, 두피의 결손, 넓은 대천문, 구개열, 구순열, 작은턱증, 낮고 변형된 귀, 혈관종이 대표적이며, 뇌의 기형으로는 완전전뇌증이 대표적이고 경련 및 뇌전증, 청력소실, 심한 발달지연이 동반되는 경우가 많다. 눈의 기형(60~70%)으로는 작은안구증, 외눈증, 홍채결손, 망막이형성증 등이 동반될 수 있고, 다양한 심장기형(80%; 심방중격결손, 심실중격결손, 동맥관개존증 등), 신장 기형(말발굽모양 신장, 다낭신, 수신증 등), 생식기 이상(잠복고환 등), 배꼽탈장이 동반될 수 있다. 손과 발의 기형으로는 다지증, 굴지증이 대표적이며, 원선(simian line) 및 흔들의자바닥모양 발도 동반될 수 있다.

파타우증후군은 치명적인 합병증이 많이 동반되기 때문에, 50% 이상이 생후 1개월 이내에 사망하고 생존 중앙값(median survival)은 10일이다. 5~10%의 환자만이 1세까지 생존이 가능하다. 모자이크형 혹은 13번 염색체의 부분 중복일 경우에는 동반 증상이 심하지 않아 생존 기간이 더 길어질 수 있다.

[참고문헌]

1. Sonek J, Croom C, MD. Second trimester ultrasound markers of fetal aneuploidy. Clin Ostet Gynecol 2014;57:159-81
2. Vivienne L, Souter, MD, David A. Nyberg, MD. Sonographic screening for fetal aneuploidy. J Ultrasound Med 2001;20:775-90
3. Fetology, Diagnosis & Management of the Fetal Patient, 2nd ed. Bianchi, McGraw-Hill
4. Ultrasonography in Obstetrics and Gynecology, 5th ed. Callen PW et al. Saunders

04 터너증후군
(Turner syndrome, 45,X)

이영아
홍준석

기 형 태 ·아 를 위 한 카 운 슬 링

1. 빈도

여아에서 가장 흔하게 발생하는 염색체 이상으로, 생존여아 2,500명에서 3,500명당 1명의 빈도로 발생한다.

2. 선별 검사

1) 임신 제 1삼분기: 증가된 태아목덜미두께 혹은 림프물주머니(cystic hygroma)
2) 임신 제 2삼분기: AFP, estradiol, hCG, inhibin의 감소 소견을 보이지만 큰 도움이 되지는 않는다. NIPT (non-invasive prenatal test)로 터너증후군을 검사할 수 있다.

3. 산전 초음파 소견

임신 초기의 림프물주머니는 초음파 검시에서 기장 흔한 소견이다. 림프물주미니 소견을 보이는 태아의 60%는 터너증후군에 해당한다.

1) 주요기형

(1) 심혈관계 이상(60%): 대동맥 협착증(45%), 좌심형성저하증후군(15%)
(2) 비뇨생식계 이상: 말발굽모양 신장, 중복집뇨관, 신장회전이상 등
(3) 비면역성 수종: 피부부종, 흉막삼출, 심낭삼출, 복수 등이 임신 제2삼분기에 흔히 보이는 소견이며, 임신 제1삼분기부터 나타날 수도 있다.

(4) 근골격계 이상: 작은 팔다리증(Rhizomelia)

4. 고령 산모

터너증후군의 발생빈도는 산모 연령과는 무관하다.

5. 산전 진단

염색체 검사로 확진하며 임신 제 1삼분기에는 융모막생검, 임신 제 2삼분기에는 양수천자로 핵형분석(karyotyping)을 시행한다.

6. 발생 원인

터너증후군은 정상적으로 XX 또는 XY로 존재해야 하는 성염색체가 X 단일염색체(45,X) 또는 X 부분 단일염색체로 된 것이 원인이며 크게 세 가지로 분류할 수 있다. 임상 표현형의 정도는 염색체형만으로는 예측이 어렵다.

1) X 단일염색체(45,X): 터너증후군의 40~60%에서 나타나는 가장 흔한 유형이다.
2) X 부분 단일염색체: 터너증후군의 20~25%를 차지하며, 염색체는 46개이지만 성염색체 한 개가 부분 결실이 있거나 구조적 이상이 있는 경우이다.
3) 모자이크형: 45,X와 46,XX, 46,XY, 47,XXX 등의 세포가 두 가지 이상 섞여있는 유형으로 터너증후군의 15%에서 나타난다.
4) 터너증후군의 4~8%에서는 Y 염색체의 일부를 가질 수 있으며, 이 경우 생식샘모세포종 (gonadoblastoma)의 발생위험이 높다.

7. 임신 예후

45,X는 모든 임신의 1.5%에서 발생하나 45,X 태아의 99.9%가 유산이 되고 0.1%만이 생존하여 출생한다. 임신 제 1삼분기 자연유산의 15%가 터너증후군에 의한 것으로 알려져 있다.

8. 출생 후 경과

영유아기에 손발의 임파부종을 보일 수 있다. 이첨성 대동맥 판막, 대동맥 협착증 등의 선천성 심장기형을 동반하기도 한다. 대부분 유소아기에 성장장애와 심한 저신장, 청소년기에 사춘기 지연과 무월경을 보인다. 드물게 사춘기 징후를 보이거나 초경을 하는 경우에도 결국에는 난소기능이 퇴화하여 무월경, 불임이 된다. 말발굽모양 신장(horseshoe kidney)과 같은 신장요로계 기형을 동반하기도 한다. 하시모토 갑상선염, 원형탈모, 백반증과 같은 자가면역질환 발생빈도가 높다. 비만, 인슐린저항성, 당뇨병, 고혈압의 발생 위험이 높다. 영유아기 중이염이 흔하며, 나이가 들수록 감각신경성 난청 발생위험이 높아진다. 선천성 심장기형이 없더라도 나이가 들수록 대동맥류 또는 대동맥 박리의 발생 위험이 높아진다. 대개 지능은 정상이나 시각-운동 조화, 시공간 인지능력, 수행능력이 감소하는 것으로 알려져 있다. Y염색체를 가지는 모자이크형(45,X/46,XY 등) 환자는 생식샘에 미분화 고환 조직으로부터 생식샘모세포종(gonado-blastoma) 발생 위험이 있으므로 예방적으로 생식샘 제거수술을 요한다.

염색체검사로 터너증후군이 확진되면 골연령, 심장초음파, 신장초음파, 청력검사, 갑상선기능검사, 심리평가 등을 시행한다. 공복혈당/콜레스테롤, 10세 이후 LH/FSH 검사를 시행한다.

저신장은 성장호르몬 피하주사로 치료한다. X염색체 결손으로 인해 골격계가 성장호르몬 저항성을 가지는데, 일반적으로 성장호르몬 치료를 받으면 키가 자라는 효과가 있다.

청소년기에 가슴 발달이 없고 LH/FSH 수치가 상승하면 저용량의 에스트로겐 복용을 시작하여 점차 증량한다. 성장기가 끝날 무렵 에스트로겐/프로게스테론 요법으로 월경을 유발한다.

비만을 예방하도록 교육하고, 주기적으로 혈당, 콜레스테롤, 혈압, 갑상선 기능, 청력검사, 골밀도 검사를 추적하여, 이상 소견을 조기에 발견하여 치료하도록 한다.

선천성 심장기형이 있으면 심장전문의의 정기적인 진료를 요한다. 진단 당시 심장질환이 없더라도 성인이 되면 심장초음파를 시행하며, 대동맥 질환 발생 위험과 관련하여 추적을 요한다. 난자 공여를 받으면 임신이 가능한데 심장이나 대사적인 합병증의 발생 위험이 없어야 임신의 시도가 가능하다.

[참고문헌]

1. Fetology, Diagnosis & Management of the Fetal Patient, 2nd ed. Bianchi, McGraw-Hill
2. Ultrasonography in Obstetrics and Gynecology, 5th ed. Callen PW et al. Saun
3. Bondy CA; Turner Syndrome Study Group. Care of girls and women with Turner syndrome: a guideline of the Turner Syndrome Study Group. J Clin Endocrinol Metab 2007;92:10-25

05 클라인펠터증후군
(Klinefelter syndrome, 47,XXY)

이영아
홍준석

기 형 태 아 를 위 한 카 운 슬 링

1. 빈도

47,XXY는 남아 500~800명당 1명의 빈도로 발생하며, 48,XXYY는 20,000명당 1명의 빈도로 발생한다.

2. 선별 검사

임신 제 1삼분기: 태아목덜미두께(NT)의 증가
임신 제 2삼분기: 모체 혈청 선별검사가 진단에 도움이 되지는 않는다.

3. 산전 초음파 소견

클라인펠터증후군 태아의 특징적 초음파소견은 없으며, 단지 임신 초기 태아목덜미두께가 증가해 있을 수 있다.

4. 고령 산모

산모뿐만 아니라 남편의 나이 역시 증가함에 따라 빈도가 증가하는 것으로 알려져 있다.

5. 산전 진단

산전 진단은 대부분 고령 산모의 융모막 검사나 양수검사에서 우연히 이루어진다.

6. 발생 원인

난자나 정자가 발생하는 과정 중, X염색체가 쌍을 이루었다가 단일염색체로 분리되는 과정에 문제가 생겨 여분의 X염색체를 추가로 갖는 난자나 정자가 발생하게 되고, 이것의 수정에 의해 발생하는 표현형의 스펙트럼이다.

1) 비모자이크형: 클라인펠터증후군의 80~85%는 47,XXY 핵형을 가진다
2) 모자이크형: 클라인펠터증후군의 15%는 47,XXY와 46,XY, 46,XX, 46,XX/46,XY, 46,XY/48,XXXY 등의 다양한 모자이크형이 있을 수 있으며, 임상적 소견이 경미한 편이다.

7. 임신예후

대개 기형을 동반하는 경우는 적으나, 매우 드물게 귀의 기형, 측만지증(clinodactyly), 고환 하강부전 등이 동반되는 경우도 있다. 그 외는 정상 임신과 특별히 차이 나는 점은 없다.

8. 출생 후 관리

클라인펠터증후군 환자는 출생 후 영유아기에 임상 양상이 뚜렷하지 않아 진단되는 경우가 드물고, 대부분 청소년기를 지나서 성인기에 불임으로 진단된다. 남자 hypergonadotropic (primary) hypogonadism의 가장 흔한 원인이다.

일부에서 영아기에 잠복고환, 요도하열을 동반하기도 한다. 소아기에는 또래에 비해 크며, 지능은 정상이나 언어와 사회성 발달에 어려움을 보이기도 한다. 사춘기는 청소년기에 정상적으로 시작되어 고환이 4cc이상으로 커지고 음모/음경 발달이 정상적으로 진행된다. 하지만 점차 정세관이 퇴화되어 점차 고환이 작아지고 딱딱해져서 성인기에는 무정자증, 불임이 된다. 고환이 퇴화하여 테스토스테론 분비가 감소하여 여성형 유방을 보이며 체모가 감소한다. 나이가 들수록 골밀도 감소, 비만, 인슐린 저항성, 당뇨병, 심혈관계 질환, 자가면역질환, 유방암의 발생 위험이 증가한다. 정신지체는 없으나, 학습부진과 수행능력 저하를 보인다.

치료를 위해 테스토스테론을 주기적으로 투여한다. 고환조직 정자 채취술(testicular

sperm extraction, TESE)과 난자 세포질 내 정자주입법(intracytoplasmic sperm injec-
tion, ICSI)을 이용한 체외수정시술을 시도할 수 있다.

[참고문헌]

1. Wikström AM, Dunkel L. Klinefelter syndrome. Best Pract Res Clin Endocrinol Metab 2011;25:239-50
2. American institute of ultrasound in medicine. AIUM practice guideline for the performance of obstetric ultra-sound examinations. J Ultrasound Med 2010; 29:157-66
3. Ultrasonography in Obstetrics and Gynecology, 5th ed. Callen PW et al. Saunders

조산아 질환
Prematurity

1. 개요

신생아 호흡곤란 증후군은 미숙아에서 가장 흔하게 발생하는 호흡기 질환이다. 대표적인 위험인자로는 이른 재태주수와 출생체중이지만, 34주 이후의 작은 출생체중와 진통 없이 제왕절개술로 출생하는 경우에도 위험이 증가한다. 발생 빈도는 재태주수와 반비례하는 양상으로 재태주수 22~24주의 경우 95~98%에서 발생하지만, 출생체중이 1,251~1,500gm인 출생아에서는 25%에서 발생하고 있다. 34주 출생아의 5%, 37주 출생아의 1%에서도 발생하는 것으로 알려져 있다.

2. 원인 및 진단

호흡곤란 증후군은 폐의 표면활성물질(surfactant)의 생성과 분비에 문제가 있을 때 발생한다. 표면활성물질의 활성이 비정상적이면 폐포의 표면장력이 증가하여 폐순응도가 감소하고 폐의 용적이 감소하게 되며, 이로 인해 환기와 관류가 원활하지 못하여 저산소혈증이 발생하게 된다. 이에 더하여 폐손상과 염증유발로 폐부종이 발생하고 기도의 저항이 증가하여 호흡 곤란이 발생한다. 임상적으로는 미숙아에서 출생 직후 점차 진행하는 호흡부전이 흉부영상의 이상 소견과 동반되어 나타날 때 진단할 수 있다. 특징적인 영상 소견으로는 폐 용적의 감소와 과립성 음영(reticulogranular)의 간유리 양상(ground glass appearance), 공기기관지조영상(air-bronchogram)이 있다.

3. 치료

기관삽관을 통한 적절한 양압 환기 요법과 인공표면활성제의 사용이 표준치료다. 최근에는 기관 삽관을 통한 지속적인 인공환기요법을 대체하는 치료들이 시도되고 있는데, 인공표면활성제 투여 직후 발관하여 비강지속양압환기요법(nasal continous positive airway pressure)을 적용하는 방법이나 기관삽관을 하지 않고 얇은 관을 통해 기관(trachea)에 인공표면활성제를 투여하는 등의 방법이 사용되고 있다. 기관삽관과 인공표면활성제 사용 없이 비강지속양압환기요법 만으로도 유사한 치료 성적을 보인 연구 결과도 있다.

4. 경과

심하지 않은 호흡곤란 증후군에서는 표면활성제를 사용하지 않을 경우 48~72시간 동안 악화되는 양상을 보이다가 폐의 표면활성제 생성이 증가하면서 생후 1주경에 호전된다. 국내에서는 1990년대부터 도입된 인공표면활성제의 사용으로 이러한 경과를 단축시킬 수 있게 되었다. 신생아 호흡곤란 증후군의 급성 합병증으로는 기흉, 감염, 두개 내 출혈(intracranial hemorrhage), 동맥관 개존, 파종혈관내응고 등이 있으며 만성 합병증으로는 기관지폐이형성증, 미숙아 망막증, 신경학적 손상 등이 발생 할 수 있다.

[참고문헌]

1. Richard J. Martin, Avroy A. Fanaroff, Michele C. Walsh, Fanaroff and Martin's Neonatal-Perinatal Medicine. 10th ed. Philadelphia: Saunders, 2015
2. Janet M Rennie, Rennie and Roberton's Textbook of Neonatology. 5th ed. London: Churchill Livingston, 2012

02 기관지폐이형성증
(Bronchopulmonary dyplasia, BPD)

신승한

1. 개요

기관지폐이형성증은 이른 주수에 태어난 미숙아에서 심한 호흡부전으로 인해 고농도의 산소와 높은 기도압으로 오랜 기간 인공환기가 필요한 경우 발생하게 된다. 이로 인해 저산소혈증과 고탄산혈증이 발생하며, 영상검사에서는 폐의 섬유화와 폐허탈로 인해 보이는 음영이 과팽창된 부분과 혼재된 양상으로 나타난다. 최근에는 이러한 중증의 기관지폐이형성증은 줄어드는 반면, 조기 미숙아에서 오랜 입원기간 동안 호흡보조가 장기간 요구되는 양상으로 나타나는 경우가 많아지고 있다.

2. 원인 및 진단

기관지폐이형성증은 생후 28일 시점에서 산소 공급이 필요한 경우에 진단할 수 있으며, 재태주수 32주 이상 출생아의 경우에는 생후 56일, 재태주수 32주 미만 출생아의 경우에는 교정 36주 시점에 다시 평가하여 중증도를 정하게 된다. 폐의 미성숙과 기계 환기로 인한 폐의 과팽창이 발병기전의 가장 중요한 요소들이다. 이외에도 산소 독성, 폐의 감염이나 전신의 감염, 폐혈관의 손상, 동맥관개존증으로 인한 폐부종과 과다한 수액 요법 등이 원인이 될 수 있다.

3. 치료

질환의 특성상 인공환기는 불가피 하지만, 가능한 기도압력을 낮추고 낮은 농도의 산소를 사용하며 인공환기 기간을 최소화는 전략을 사용하여 인공환기로 인한 폐손상이나 감염의 위험을 줄여야 한다. 수액치료 시에도 가능한 적은 양의 수액을 투여해야 하며, 호흡일(work of breathing) 증가로 인한 성장 부전을 치료하고 원활한 폐포 발달을 위해 충분한 영양을 공급하는 것이 중요하다. 스테로이드 사용은 질환의 주요 기전으로 밝혀진 염증반응을 감소시켜 질환의 악화를 방지하고, 인공환기 기간을 줄이는 효과를 보인다. 하지만, 스테로이드를 출생 초기부터 사용하거나 고용량을 사용하면 신경학적 발달에 악영향을 미치는 것으로 밝혀져 적당한 시기에 적절한 용량을 사용하는 것이 중요하다. 아직까지 스테로이드 치료에 대한 표준화된 방법은 마련되어 있지 않다.

4. 경과

심한 호흡 부전이나 감염, 조절되지 않는 폐동맥고혈압이나 폐심장증(cor pulmonale)으로 인해 사망하는 경우도 있으나 사망률은 높지 않으며, 적절한 영양 공급으로 인한 성장 촉진 및 감염 조절, 심부전 조절 등이 잘 이루어지면 폐의 기능은 점차 호전될 수 있다. 하부 기도 감염이 잘 일어날 수 있기 때문에 2세 미만에서는 호흡기세포융합바이러스(respiratory syncytial virus) 유행 시기에 감염의 예방을 위해 palivizumab을 예방적으로 사용하는 것이 권장된다. 영아기에 증상이 호전되더라도 기관지폐이형성증을 앓았던 미숙아에서 성인기에 폐기능 저하를 보일 수 있으며, 기도 폐쇄나 기관지과민성, 폐의 과팽창 등이 나타나기도 한다. 또한 이 질환을 겪은 환자군에서 신경학적 발달의 후유증이 발생하고 있으며, 중증도가 심할수록 심한 손상이 나타나는 것으로 알려져 있다.

[참고문헌]

1. Richard J. Martin, Avroy A. Fanaroff, Michele C. Walsh, Fanaroff and Martin's Neonatal-Perinatal Medicine. 10th ed. Philadelphia: Saunders, 2015
2. Janet M Rennie, Rennie and Roberton's Textbook of Neonatology. 5th ed. London: Churchill Livingston, 2012

03 괴사성 장염
(Necrotizing enterocolitis, NEC)

신승한

1. 개요

괴사성 장염은 미숙아의 위장관계(gastrointestinal tract)에서 발생하며 급격히 악화될 수 있는 응급질환이다. 혈변과 구토, 복부 팽만, 기면, 무호흡, 서맥 등의 증상과 중성구 감소, 혈소판 감소, 대사성 산증, 복부압통, 호흡부전이 발생하며 심할 경우 쇼크가 일어나기도 한다. 질환의 원인에 대한 연구가 많이 이루어졌음에도 불구하고 아직까지 발생기전에 대한 규명은 명확하게 이루어지지 않고 있으며, 치료 방법의 획기적인 발전은 없어 이로 인한 합병증 발생과 사망의 위험은 아직도 높은 실정이다. 1,500gm 미만 출생아에서는 6~10%에서 발생하는 것으로 알려져 있으며, 만삭아에서도 발생이 가능하다. 전체 괴사성장염의 10%는 만삭아에서 발생하는 것으로 보고되고 있다.

2. 원인 및 진단

괴사성 장염의 명확한 원인은 밝혀져 있지는 않지만, 역학 분석에 의하면 미숙아, 장관영양, 장의 허혈이나 신생아가사, 그리고 세균 집락화 등이 주요 위험인자로 알려져 있다. 주요 기전으로는 장내 균 집락화의 변화에 따른 이상염증반응으로 장의 손상과 전신염증반응증후군(systemic inflammatory response syndrome)이 발생하는 것으로 설명하고 있다. 복부 영상 검사에서 장관 포상 기종(pneumatosis intestinalis)이나 간문맥 내 가스(portal vein gas)가 발견되는 경우 진단할 수 있는데, 의심단계(stage I), 확진단계(stage II) 그리고 진행된 단계(stage III)로 분류하여 그에 따른 치료 방침을 제시한 방법(Bell's staging criteria)이 널리 사용되고 있다.

3. 치료

모유 수유아에서 괴사성 장염의 빈도가 적은 것으로 알려져 있다. 적절한 수액치료와 금식, 위의 감압, 항생제 사용과 산증, 빈혈, 혈소판 감소증의 교정, 그리고 혈압 보조 치료 등이 필요하다. 수술이 필요하지 않은 단순 괴사성 장염에서는 대개 7~10일의 치료기간이 필요하다. 질환에 이환된 환아들의 30~50%에서는 수술적 치료가 필요하지만, 장천공이 발생하지 않은 괴사성 장염의 수술시점을 정하는 것은 매우 어려운 문제이다. 장천공의 뚜렷한 증거가 없더라도 복부피부색의 변화와 팽만, 지속되는 혈소판 감소증과 산증, 호흡부전이 있을 경우에는 실험적 개복술을 통해 병변을 확인하고 이환된 장을 절제하는 수술을 시행하기도 한다. 개복 수술 외에도 단순 배액술이 사용되기도 한다.

4. 경과

영상검사에서 장관 포상 기종이 확인 된 경우, 30%에서는 경증으로 수술적인 치료가 필요 없이 지나갈 수 있으나 다른 30%에서는 급격한 악화를 경험하며 사망에 이르기도 한다. 괴사성 장염을 겪고 생존한 환아들에서도 장의 협착이 발생할 수 있으며 많게는 25%에서 수개월 후에 장의 폐색이 발생하기도 한다. 수술을 받은 환아의 11%에서 단장 증후군(short bowel syndrome)이 발생한다. 최근에는 장기적인 신경학적 발달에 영향을 미치는 것으로 알려져 있다.

[참고문헌]

1. Richard J. Martin, Avroy A. Fanaroff, Michele C. Walsh, Fanaroff and Martin's Neonatal-Perinatal Medicine. 10th ed. Philadelphia: Saunders, 2015
2. Janet M Rennie, Rennie and Roberton's Textbook of Neonatology. 5th ed. London: Churchill Livingston, 2012

04 미숙아망막병증
(Retinopathy of prematurity, ROP)

김정훈

1. 개요

미숙아망막병증은 망막의 혈관발달이 완성되기 이전에 출생하는 미숙아에서 발생할 수 있는 증식성 망막병증으로 극저출생체중아의 생존율이 높아지면서 전세계적으로 발생 빈도가 증가하고 있다. 출생 후 혈관형성 과정에 장애가 발생하면서 망막의 혈관형성부위와 혈관무형성 부위의 경계에서 변화가 진행하는데, 대개의 경우는 저절로 호전될 수 있지만 일부에서는 비정상적인 섬유혈관증식이 발생하고 질병이 진행하여 망막이 박리되면서 최종적으로 실명을 유발할 수 있다. 미숙아망막병증의 발생 빈도는 미숙아의 미숙한 정도에 따라 매우 다양하지만 이른 임신 주수에 태어나거나, 출생체중이 적을수록 치료를 필요로 하는 단계인 문턱 미숙아망막병증(threshold ROP)이 생길 위험이 높아진다. 전체 미숙아의 약 16% 정도에서 발생하지만, 출생 체중이 1,250g 미만인 경우에는 약 68%까지 발생 빈도가 증가하고 이 중 심각한 단계의 미숙아망막병증이 거의 37%에서 발생한다.

2. 원인 및 진단

1950년대 인큐베이터를 이용한 산소치료가 시작되면서 미숙아망막병증이 발생하기 시작하였고, 고농도 산소가 미숙아망막병증을 일으키는 주된 요인으로 알려져 있다. 산소치료 시 적정 산소포화도 설정에 대한 현재까지의 대규모 임상연구에 의하면 미숙아망막병증의 발생을 줄이기 위한 목적의 저 산소포화도(SaO_2 85~90%)치료는 권장되지는 않는다.

서울대학교 어린이병원 소아안과에서는 미숙아망막병증 선별검사를 출생 시 체중 2,000g 미만, 또는 재태주수 30주 미만에서 시행하고 있다. 수태 후 31주, 출생 후 4주 이내에는 99%

의 미숙아에서 나쁜 예후의 변화는 생기지 않으므로 첫 선별검사는 출생 후 4~6주(수태 후 31~33주)에는 꼭 시행한다. 첫 선별검사 후 추적검사는 병변의 유무 또는 정도에 따라 1주 미만~3주 간격으로 시행한다.

3. 치료

대규모 임상연구(ET-ROP study) 결과에 따라 현재 미숙아망막병증의 표준치료는 주변부 무혈관 망막에 대한 레이저 광응고술이며, 치료 성공률은 90% 이상이다. 레이저 치료장비는 운반이 용이하여 수술실, 신생아중환자실 등 어디에서나 치료가 가능하며 레이저 치료 시에는 미숙아의 전신 상태에 대한 모니터링이 필요하다. 치료 후 반응에 대한 가장 중요한 소견은 plus 신호의 소실 또는 감소가 있는지 여부인데, 이는 치료효과가 있음을 기대할 수 있는 가장 초기 신호이다. 그 후 차차 망막외 섬유혈관증식의 감소가 동반된다.

유리체강내 항혈관내피세포성장인자 항체 주사에 대한 임상 연구 결과(BEAT-ROP trial)를 바탕으로 현재 1구역 3+단계에 해당하는 제한된 적응증에 한해서 안구 내 주사치료가 이루어지고 있으나, 주사 후 지연된 정상혈관발달 및 신생혈관 발생 등의 합병증 발생 가능성이 있어 주사 후에는 장기간 경과관찰이 필요하다. 진행된 미숙아망막병증에 대해서는 공막두르기 또는 유리체 절제술을 통한 수술적 치료가 필요하다.

4. 경과

미숙아망막병증이 발생하지 않았더라도 미숙아에서는 정기적인 경과관찰을 통해 사시의 발생 유무, 굴절이상의 변화를 확인하는 것이 필요하다. 첫 검사는 돌 전에 시작하는 것이 좋다.

미숙아망막병증에서 레이저 치료를 했거나 또는 치료 없이 자연적으로 퇴행하면서 주변부 망막에 반흔성 변화를 남길 수 있다. 이 경우 근시의 발생률과 고도근시의 비율이 정상 미숙아 또는 정상 만삭아 보다 높다. 따라서 부등시, 약시, 사시의 발생 유무를 포함하여 최소 1년에 1회 이상의 정기적인 경과관찰이 필요하다.

망막박리가 지속된 미숙아망막병증 눈의 약 30%에서는 이차 녹내장이 발생한다. 이 경우 앞방 깊이가 얕아지거나 소실되면서 각막혼탁, 소눈증, 안구 위축을 일으킬 수 있으므로 수정체 적출술이 필요하다. 일단 미숙아 망막병증이 퇴행했거나 치료 후 망막이 유착된 상태에서 드물지만 합병증으로 수개월에서 수년 후 망막박리가 발생할 수 있고 이 경우에는 유리체 절제술이 필요하다.

05 뇌실내 출혈
(Intraventricular hemorrhage, IVH)

기 형 태 아 를 위 한 카 운 슬 링

신승한

1. 개요

뇌실내 출혈은 미숙아 뇌손상의 주요 원인 중 하나이다. 1980년대 이후 빈도는 감소하고 있으나 이른 주수에 태어난 신생아들이 뇌실내 출혈을 동반하는 경우가 많기 때문에 여전히 중요한 문제이다. 뇌실내 출혈은 대부분 생후 1주일 이내에 발생하며, 이중에서도 첫 48시간 이내에 주로 발생한다. 재태주수 28주 미만과 출생체중 1,500gm 미만 출생아의 36%에서 발생한다고 알려져 있으며, 재태주수가 낮을수록 그 빈도는 높아지는 것으로 알려져 있다.

2. 원인 및 진단

뇌실막밑 배아기질(subependymal germinal matrix)은 태아 시기에 형성되었다가 만삭에 가까울수록 퇴화되는 구조물인데, 미숙아로 출생할 경우 아직 퇴화되지 않은 이곳의 작은 혈관에서 출혈이 발생하기 쉽다. 게다가 미숙아는 뇌혈관의 자동조절능(cerebral autoregulation)이 미숙하기 때문에 혈압의 변화가 그대로 뇌혈관의 압력 변화에 반영되어 혈압의 급작스런 변화가 발생하는 경우에 뇌실 내 출혈이 발생하게 된다. 호흡곤란증후군으로 인한 인공환기 치료, 수혈로 인한 갑작스런 혈액량 증가, 기흉 등이 위험인자로 알려져 있다. 진단은 두부 초음파(brain sonography)로 손쉽게 할 수 있으며, 배아기질(germinal matrix)에 국한되는 출혈(grade I), 인접한 뇌실내로 진행이 되는 출혈(grade II or III), 뇌실주위 백질까지 진행이 되는 출혈(grade IV or 뇌실질 출혈, intraparenchymal hemorrhage)로 분류하게 된다.

3. 치료

산전 스테로이드 투여나 출생 후의 인도메타신(indomethacin) 투여가 뇌실내 출혈을 예방한다고 알려져 있으나, 뇌실내 출혈이 발생한 이후에는 아직까지 효과적인 치료방법은 없다. 환아에 대한 처치 횟수를 줄이고(minimal handling), 혈압이나 CO_2 수치의 급격한 변화를 예방하고, 인공환기와의 호흡 조화를 개선하고, 혈액응고장애(coagulopathy)를 교정하는 것이 출혈의 진행을 막는 데 도움이 되는 것으로 알려져 있다. 혈색소의 급격한 감소가 발생한 경우에는 수혈이 필요하다. 지속적인 뇌파 검사를 통해 발작(seizure)을 모니터하고 필요한 경우 약물치료가 도움이 된다. 뇌실내 출혈 후에 뇌실확장(posthemorrhagic ventricular dilation)이 발생하면 반복적인 척수액 천자나 뇌실외배액술(extraventricular drainage) 혹은 뇌실복강단락술(ventriculoperitoneal shunt)이 필요하게 된다.

4. 경과

심하지 않은 출혈(grade I or II)은 신경학적 예후에 악영향을 미치지 않는다고 알려져 있으나 최근에는 이러한 집단에서도 나쁜 예후를 보일 수 있다는 보고들이 있다. 한쪽 뇌실질 출혈(intraparenchymal hemorrhage, grade IV)이 있는 경우에는 주요 신경학적 장애(major neurodevelopmental disability)가 80%에서 발생하는데, 가장 흔한 것은 반신마비(hemiplegia)이다. 뇌성마비는 많은 양의 뇌실내 출혈(grade III)이 발생했던 환아에서 7.4%, 뇌실질 출혈까지 진행했던 경우(grade IV)에는 48.7%에서 발생하는 것으로 보고된 바 있다. Grade III 혹은 grade IV의 뇌실내 출혈이 있었던 환아에서 운동발달 및 인지발달에 문제가 발생할 수 있으므로 지속적인 경과 관찰과 재활치료가 필요하다. Grade III의 출혈에서는 18%에서, grade IV에서는 29%에서 뇌실복강단락술(ventriculoperitoneal shunt)이 필요하기도 하다.

[참고문헌]

1. Richard J. Martin, Avroy A. Fanaroff, Michele C. Walsh, Fanaroff and Martin's Neonatal-Perinatal Medicine. 10th ed. Philadelphia: Saunders, 2015
2. Jeffrey M. Perlman, Richard A. Polin., Neonatology Questions and Controversies - Neurology. 2nd ed. Philadelphia: Saunders, 2012
3. Papile LA, Burstein J, Burstein R, et al. Incidence and evolution of subependymal and intraventricular hemorrhage: a study of infants with birth weights less than 1500 gm. J Pediatr 1978;92:529-34

06 뇌성마비
(Cerebral palsy, CP)

신형익

1. 개요

뇌성마비는 소아에게 영구적인 운동장애를 남기는 비진행성 질환을 뜻하며 미성숙 뇌에서 발생한다. 선진국의 뇌성마비 유병율은 1,000명의 생존아 중 2~2.5명으로 1970년대 이후에도 상당히 일정하게 유지되고 있다. William John Little의 1861년 논문 이후 약 100년 간 뇌성 마비는 주로 주산기 가사에 의해 발생한다는 것이 일반적인 견해였으나, 1960년대 이후 전자 태아 감시와 제왕절개술의 도입에도 불구하고 1970년대 이후 선진국의 뇌성마비 유병율은 증가 하는 경향을 보였다. 현재 주산기 가사와 관련된 뇌성마비는 전체 뇌성마비의 6~8%에 해당하 며, 뇌성마비의 75% 이상이 출생 전 인자와 관련되는 것으로 알려져 있다.

2. 원인 및 진단

조산아(임신 37주 이전)와 저체중아(2,499g 이하), 특히 극조산아(임신 32주 이전) 및 극저 체중출생아(1,499g 이하)에서의 뇌성마비 유병율은 현저히 높아 조산 및 저체중출생이 뇌성마 비 발생의 가장 강력한 위험인자로 알려져 있다. 조산아(미숙아)에서 뇌성마비의 발생빈도가 높 은 것은 첫째, 미성숙한 뇌가 손상에 더 취약하며, 둘째, 자궁내 감염/염증의 발생빈도가 조산 아에서 높으며, 셋째, 출산 전후 및 분만과정에서 폐의 미성숙에 따른 저산소증, 기계보조환기, 고농도 산소치료와 같은 위험인자에 노출될 가능성이 많기 때문이다.

뇌성마비의 진단은 임상적 관찰과 판단을 기초로 내린다. 환아의 운동발달 능력이 또래의 정상 운동 이정표(motor milestone)에 비해 상당히 늦다면 운동발달지연 혹은 뇌성마비를 의 심할 수 있다. 신생아기에서는 주로 근육의 긴장도, 유아기에서는 원시반사가 중요하지만 근육

긴장도를 평가하는 과정에는 객관적인 평가법이 많지 않기 때문에 많은 아동을 관찰하면서 얻게 되는 임상 경험이 중요하다. 뇌성마비 진단에 도움을 주는 신경방사선학적 검사로는 대표적으로 초음파 검사와 자기공명영상이 있다. 초음파 검사로는 잘 발견하기 어려운 미만성 뇌손상(diffuse cerebral injury)이나 비낭성 백질 병변(non-cystic white matter lesion)은 자기공명영상 검사가 더 유용하다고 알려져 있으며 뇌성마비 환아에 대해 시행한 자기공명영상 검사에서 대상 환아의 80%에서 비정상 소견을 발견할 수 있었다는 보고가 있다.

출생 초기에 뇌성마비를 조기 진단하는 것은 쉽지 않은데, 조산이나 저체중 아동에서는 이상운동증이 일시적인 현상인 경우가 흔하며, 이런 아동들을 2세 이전에 뇌성마비로 진단한 경우 50%는 성장하면서 정상적인 소견을 보인다는 보고가 있다. 또한 출생 초기에 근육 긴장도가 저하된 아동이라도 성장하면서 근육의 긴장도가 증가하여 경직형태로 바뀌거나 이상운동증 형태로 변화하는 경우가 종종 있어, 근육 긴장도가 떨어진 아동은 특히 적극적인 추적관찰이 필요하다.

3. 치료

발달 과정에 있는 아동의 경우, 뇌병변에 대한 적응 능력이나 뇌가소성(brain plasticity)이 어른들보다 높기 때문에 조기재활치료가 강조된다. 특히 뇌세포와 뇌세포 사이의 신경연접(synapse)은 출생 후 점차 증가하여 만 2세경에는 성인의 두 배 이상 많은 신경연접을 갖게 되고, 이후 신경연접이 감소하는 과정을 거치므로 어느 정도 뇌손상을 입었을지라도 조기 재활을 시행하면 남아 있는 신경연접의 효율성을 극대화할 수 있다. 정상적인 신체 동작을 유도하기 위한 보바스 요법, 보이타 요법 등이 흔히 시행되며 국소적인 근경직을 줄이기 위한 보툴리눔 독소 주사치료 등도 사용된다. 중증의 경직이나 근골격계 변형에서는 바클로펜 펌프 삽입술이나 인대성형술을 시행하기도 한다.

4. 경과

뇌성마비에 대한 근치적인 치료기술은 아직 없지만 조기 진단이 가능해지고 재활치료를 포함한 뇌성마비 환아의 치료법 발달로 척추측만증, 흡인성 폐렴 등 합병증의 빈도가 줄어들고 수명이 길어졌다. 최근에는 뇌성마비를 가진 소아에서 성인으로의 전이에 필요한 교육과 직업 선택 등 사회적 이슈에 대한 관심이 높아졌다. 또한 비만, 대사증후군 등 뇌성마비 환자의 건강한 노화에 대한 관심이 증가하여 이에 대한 연구가 활발히 이루어지고 있다.

[참고문헌]

1. Aisen ML, Kerkovich D, Mast J, Mulroy S, Wren TA, Kay RM, Rethlefsen SA. Cerebral palsy: clinical care and neurological rehabilitation. Lancet Neurol. 2011;10:844-52
2. Novak I, McIntyre S, Morgan C, Campbell L, Dark L, Morton N, Stumbles E, Wilson SA, Goldsmith S. A systematic review of interventions for children with cerebral palsy: state of the evidence. Dev Med Child Neurol. 2013;55:885-910

찾아보기 INDEX

기 형 태 아 를 위 한 카 운 슬 링

한글

영문

A

B